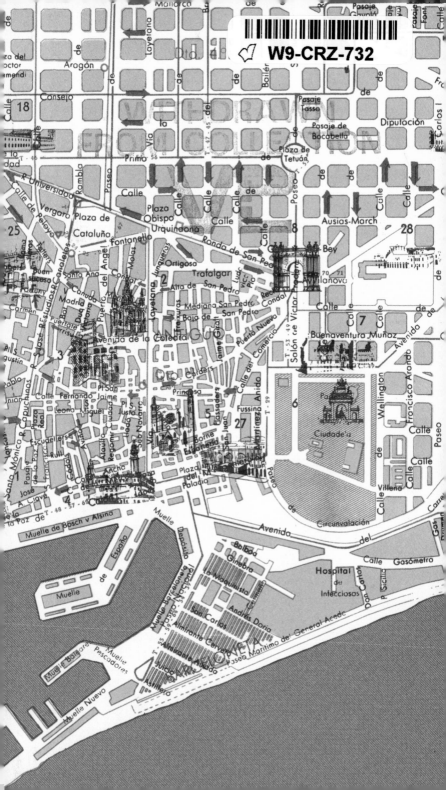

Carlos Ruiz Zafón

Der Gefangene
des Himmels

Roman

Aus dem Spanischen von
Peter Schwaar

S. Fischer

Die Originalausgabe erschien 2011
unter dem Titel »El Prisionero del Cielo«
bei Editorial Planeta, S. A.

2. Auflage November 2012

© Shadow Factory, S. L. 2011
Veröffentlicht in Zusammenarbeit mit Michi Strausfeld,
Barcelona-Berlin

Für die deutsche Ausgabe:
© 2012 S. Fischer Verlag GmbH, Frankfurt am Main
Satz: Dörlemann Satz, Lemförde
Druck und Bindung: CPI – Clausen & Bosse, Leck
Printed in Germany
ISBN 978-3-10-095402-2

DER FRIEDHOF
DER VERGESSENEN BÜCHER

Dieses Buch gehört zu einem Zyklus von Romanen, die sich im literarischen Universum des Friedhofs der vergessenen Bücher überkreuzen. Sie sind miteinander durch Figuren und Handlungsstränge verbunden, die erzählerische und thematische Brücken schlagen, aber jeder enthält eine in sich geschlossene, von den anderen unabhängige Geschichte.

Die einzelnen Bände der Reihe um den Friedhof der Vergessenen Bücher können in beliebiger Abfolge – oder auch jeder für sich allein – gelesen werden, so dass der Leser über verschiedene Wege und Türen ins Labyrinth der Erzählungen gelangen und es auskundschaften kann; miteinander verknüpft, werden sie ihn ins Zentrum der Geschichte führen.

Ich habe immer gewusst, dass ich einmal in diese Straßen zurückkehren würde, um die Geschichte des Mannes zu erzählen, der in den Schatten des in den dunklen Schlaf einer aschenen, stillen Zeit versunkenen Barcelonas Seele und Namen verloren hat. Diese Seiten sind im Schutz der Stadt der Verdammten mit Feuer niedergeschrieben worden, Worte dem Gedächtnis des Mannes eingeprägt, der mit einem im Herzen verankerten Versprechen und um den Preis eines Fluches von den Toten auferstanden ist. Der Vorhang geht auf, das Publikum verstummt, und noch bevor sich der Schatten, der sein Schicksal verdunkelt, aus dem Schnürboden herabsenkt, betritt eine Gruppe weißer Geister die Bühne, eine Komödie auf den Lippen und mit der seligen Unschuld dessen, der uns im Glauben, der dritte Akt sei der letzte, ein Weihnachtsmärchen erzählt, ohne zu wissen, dass ihn nach dem Umblättern der letzten Seite sein Atem langsam und unerbittlich ins Innerste der Dunkelheit mitschleifen wird.

Julián Carax, *Der Gefangene des Himmels*
(Editions de la Lumière, Paris 1992)

Erster Teil

EIN WEIHNACHTSMÄRCHEN

1

In jenem Jahr brachen zur Weihnachtszeit alle Tage bleiern und raureifgetüncht an. Bläuliches Halbdunkel tönte die Stadt, und die bis zu den Ohren eingemummten Menschen zeichneten mit ihrem Atem Dampfspuren in die Kälte. In diesen Tagen blieben nur wenige vor dem Schaufenster von Sempere & Söhne stehen, um sich in seine Auslagen zu vertiefen, und noch weniger rafften sich dazu auf, einzutreten und nach dem verlorenen Buch zu fragen, das ein Leben lang auf sie gewartet hatte und dessen Verkauf, von seinem poetischen Rang einmal abgesehen, den misslichen Finanzen der Buchhandlung ein wenig hätte aufhelfen können.

»Ich glaube, heute ist es so weit. Heute wird sich unser Schicksal wenden«, verkündete ich, beflügelt vom ersten Kaffee des Tages – reiner Optimismus in flüssiger Form.

Mein Vater, der seit acht Uhr früh mit Bleistift und Radiergummi der Buchhaltung beizukommen versuchte, schaute vom Ladentisch auf und beobachtete die vorbeirauschende Masse der Kunden.

»Dein Wort in Gottes Ohr, Daniel – wenn es so weitergeht und wir das Weihnachtsgeschäft verpassen, können wir im Januar nicht einmal die Stromrechnung bezahlen. Wir werden uns etwas einfallen lassen müssen.«

»Gestern hatte Fermín eine Idee«, sagte ich. »Er findet es einen meisterhaften Plan, um den Laden vor dem drohenden Bankrott zu retten.«

»Um Himmels willen.«

Ich zitierte wörtlich:

»›Vielleicht käme, wenn ich das Schaufenster in Unterhosen dekorierte, die eine oder andere literaturbeflissene, nach starken Emotionen lechzende Frau herein und würde kräftig einkaufen, denn laut den Sachverständigen liegt die Zukunft der Literatur bei den Frauen, und mein Gott, ich möchte das Weibsbild sehen, das dem wilden Sog dieses knorrigen Körpers widerstehen kann.‹«

Hinter mir hörte ich den Bleistift meines Vaters zu Boden fallen, und ich wandte mich um.

»Fermín dixit«, fügte ich hinzu.

Ich hatte gehofft, dieser Fermín-Einfall würde meinen Vater zum Lachen bringen, aber er verharrte in seinem Schweigen, und ich schaute ihn verstohlen an. Sempere senior schien diese Albernheit nicht nur überhaupt nicht lustig zu finden, sondern hatte auch ein nachdenkliches Gesicht aufgesetzt, als überlegte er, ob er das ernstlich in Betracht ziehen sollte.

»Sieh mal einer an, da hat Fermín vielleicht den Vogel abgeschossen«, murmelte er.

Ich starrte ihn an. Möglicherweise hatte die geschäftliche Dürre, die uns in den vorangegangenen Wochen gegeißelt hatte, mittlerweile den Verstand meines Vaters angegriffen.

»Willst du etwa sagen, du erlaubst ihm, in Unterhosen im Laden rumzuspazieren?«

»Nein, nein, darum geht es nicht. Das Schaufenster! Du hast mich auf eine Idee gebracht ... Vielleicht ist es noch nicht zu spät, das Weihnachtsgeschäft zu retten.«

Er verschwand im hinteren Raum und kam nach kurzer Zeit in seiner Winteruniform zurück: demselben Mantel, Schal und Hut, die ich seit Kindesbeinen an ihm kannte. Bea sagte immer, vermutlich habe er sich seit 1942 keine Kleider mehr gekauft, und alle Indizien wiesen darauf hin, dass meine Frau recht hatte. Während er in die Handschuhe schlüpfte, lächelte er vage, und in seinen Augen erschien das fast kindliche Leuchten, das nur große Vorhaben auszulösen vermochten.

»Ich lass dich eine Weile allein«, verkündete er. »Ich muss etwas erledigen.«

»Darf ich fragen, wohin du gehst?«

Er blinzelte mir zu.

»Das ist eine Überraschung. Du wirst schon sehen.«

Ich folgte ihm zur Tür und sah ihn entschlossenen

Schrittes auf die Puerta del Ángel zugehen, eine Gestalt unter vielen in der grauen Flut der Passanten, die sich durch einen weiteren langen Winter aus Schatten und Asche pflügten.

2

Ich nutzte das Alleinsein, um ein wenig Radiomusik zu genießen, während ich nach meinem Gutdünken die Buchreihen in den Regalen neu ordnete. Mein Vater war der Ansicht, das Radio laufen zu lassen, wenn Kunden im Laden waren, gehöre sich nicht, und stellte ich es in Gegenwart Fermíns an, so begann dieser sogleich zu jeder Melodie irgendwelche andalusischen Bittgesänge zu trällern oder, noch schlimmer, »sinnliche Rhythmen aus der Karibik«, wie er sie nannte, zu tanzen, was mich in wenigen Minuten auf hundert brachte. Aufgrund dieser praktischen Schwierigkeiten war ich zum Schluss gekommen, dass ich den Genuss der Ätherwellen auf die seltenen Momente beschränken musste, in denen außer mir und Zehntausenden von Büchern niemand im Laden war.

An jenem Vormittag brachte Radio Barcelona den heimlichen Mitschnitt eines Fans von dem großartigen Weihnachtskonzert, das der Trompeter Louis Armstrong und seine Band drei Jahre zuvor im Hotel Windsor Palace in der Avenida Diagonal gegeben hatten. Nach den Werbepausen mühte sich der Sprecher immer damit ab, diese Klänge als *Jatz* zu etikettieren, und machte darauf aufmerksam, dass einige dieser Synkopen nicht unbedingt das Richtige für den spanischen Hörer seien, der ja doch eher auf die vorherrschenden Couplet, Bolero und den eben aufkommenden Yéyé abgerichtet war.

Fermín sagte immer, wäre Isaac Albéniz als Schwarzer geboren worden, so wäre der Jazz genau wie die Dosenkekse in Camprodón erfunden worden, und zusammen mit den spitzen Büstenhaltern, wie sie seine vergötterte Kim Novak in einigen der Filme trug, die wir in den Vormittagsvorstellungen des Kinos Fémina sahen, sei dieser Sound eine der wenigen echten Errungenschaften der Menschheit im bisherigen 20. Jahrhundert. Darüber mochte ich nicht mit ihm streiten. In die Magie dieser Musik und den Geruch der Bücher gehüllt, ließ ich den Rest des Vormittags verstreichen und genoss in stiller Zufriedenheit meine einfache, aber gewissenhaft ausgeführte Arbeit.

Fermín hatte den Vormittag freigenommen, um, wie er sagte, letzte Vorbereitungen für seine auf Anfang Februar angesetzte Hochzeit mit der Bernarda zu treffen. Als er das Thema knapp zwei Wochen zuvor zum ersten Mal zur Sprache gebracht hatte, hatten wir alle gesagt, er überstürze das Ganze und Eile führe nirgends hin. Mein Vater hatte ihn zu überzeugen versucht, die Trauung wenigstens zwei oder drei

Monate hinauszuschieben, mit dem Argument, Hochzeiten seien etwas für den Sommer und schönes Wetter, aber Fermín hatte an dem Datum festgehalten, denn ein Typ wie er, abgehärtet im rau-trockenen Klima der extremadurischen Hügel, gerate über die Maßen ins Schwitzen, sobald der Sommer die mediterrane, seiner Meinung nach semitropische Küste erreiche, und es mache sich schlecht, seine Verehelichung mit tortengroßen Flecken unter den Armen zu feiern.

Allmählich dachte ich, es müsse etwas Merkwürdiges im Gange sein, dass Fermín Romero de Torres, lebende Standarte des bürgerlichen Widerstands gegen die heilige Mutter Kirche, die Banken und die guten Sitten in diesem von Messe und Wochenschau geprägten Fünfziger-Jahre-Spanien, es mit der kirchlichen Trauung so eilig hatte. In seinem Voreheeifer hatte er sogar mit dem neuen Pfarrer der Santa-Ana-Kirche, Don Jacobo, Freundschaft geschlossen, einem Priester aus Burgos mit entspannter Ideologie und den Manieren eines pensionierten Boxers, den er mit seiner maßlosen Dominoleidenschaft angesteckt hatte. Sonntags nach der Messe lieferte er sich mit ihm im Restaurant El Almirall historische Partien, und der Geistliche lachte herzlich, als ihn mein Freund zwischen zwei Gläsern Montserrat-Likör fragte, ob er eigentlich die Gewissheit habe, dass Nonnen Schenkel hätten, und wenn ja, ob sie so zart zu beknabbern seien, wie er es sich seit seiner Jugend vorstelle.

»Sie bringen es noch fertig, exkommuniziert zu werden«, tadelte ihn mein Vater. »Nonnen sind weder zum Anschauen noch zum Berühren da.«

»Aber der Pfarrer steht ja fast noch mehr auf Frauen als ich«, wehrte sich Fermín. »Wäre da nicht die Uniform …«

Während ich mich an diese Diskussion erinnerte und zu Meister Armstrongs Trompete vor mich hin summte, hörte ich das träge Klingeln der Glocke über der Eingangstür. Ich schaute auf in der Erwartung, meinen Vater von seiner Geheimmission zurückkommen zu sehen oder Fermín, der den Nachmittagsdienst übernähme.

»Guten Tag«, hörte ich von der Schwelle her eine tiefe, schrundige Stimme.

3

Im Gegenlicht glich seine Silhouette einem vom Wind gepeitschten Baumstamm. Er trug einen altmodisch geschnittenen dunklen Anzug und gab, wie er sich so auf einen Stock stützte, eine finstere Gestalt ab. Unübersehbar hinkend, tat er einen Schritt vorwärts. Im hellen Licht der Lampe über dem Ladentisch zeigte sich ein von der Zeit zerfurchtes Gesicht. Der Besucher musterte mich in aller Ruhe; sein geduldig berechnender Blick erinnerte an einen Raubvogel.

»Sind Sie Señor Sempere?«

»Ich bin Daniel. Señor Sempere ist mein Vater, aber er ist im Moment nicht da. Kann ich Ihnen irgendwie behilflich sein?«

Der Besucher überhörte meine Frage und begann durch die Buchhandlung zu humpeln, um mit einem an Habgier grenzenden Interesse Spanne für Spanne alles zu erforschen. Sein Hinken ließ vermuten, dass die Verletzungen, die sich unter seinen Kleidern verbargen, nicht gering einzuschätzen waren.

»Kriegsandenken«, sagte der Besucher, als hätte er meine Gedanken gelesen.

Ich folgte ihm mit dem Blick bei der Inspizierung des Ladens und ahnte schon, wo er vor Anker gehen würde. Und tatsächlich blieb er vor der Ebenholzvitrine stehen, einer Reliquie aus der Gründungszeit des Buchladens im Jahr 1888, als Urgroßvater Sempere, damals ein soeben von seinen Abenteuern in der Karibik wohlhabend zurückgekehrter junger Mann, Geld aufgenommen hatte, um einen alten Handschuhladen zu kaufen und zur Buchhandlung umzubauen. In dieser Vitrine, die einen Ehrenplatz im Laden einnahm, verwahrten wir seit eh und je unsere wertvollsten Exemplare.

Der Besucher trat so nahe an sie heran, dass unter seinem Atem die Scheibe beschlug. Er zog eine Brille hervor, setzte sie sich auf die Nase und begann den Inhalt der Vitrine zu studieren. Seine Gebärde erinnerte mich an ein Wiesel, das in einem Hühnerstall die frisch gelegten Eier begutachtet.

»Schönes Stück«, murmelte er. »Muss einen ordentlichen Batzen kosten.«

»Das ist ein Familienerbstück. Es hat vor allem einen ideellen Wert«, antwortete ich. Mir war nicht wohl, wie dieser eigenartige Kunde selbst die Luft, die wir einatmeten, zu taxieren schien.

Nach einer Weile steckte er die Brille wieder ein und sagte gemessen:

»Soviel ich weiß, arbeitet bei Ihnen ein Herr von gefeiertem Esprit.«

Da ich nicht sogleich antwortete, wandte er sich

um und schenkte mir einen dieser Blicke, die den Empfänger altern lassen.

»Wie Sie sehen, bin ich allein. Wenn mir der Herr vielleicht sagen würde, welches Buch er wünscht, werde ich es mit großem Vergnügen suchen.«

Der Unbekannte deutete ein alles andere als freundliches Grinsen an und nickte.

»Wie ich sehe, haben Sie ein Exemplar des *Grafen von Monte Christo* in dieser Vitrine.«

Er war nicht der Erste, der dieses Buch bemerkte. Ich servierte ihm den offiziellen Diskurs, den wir für solche Fälle auf Lager hatten.

»Der Herr hat ein sehr gutes Auge. Es ist eine wunderbare Ausgabe, nummeriert und mit Bildtafeln von Arthur Rackham, und stammt aus der Privatbibliothek eines bedeutenden Madrider Sammlers. Es ist ein einzigartiges, katalogisiertes Stück.«

Der Besucher studierte eingehend die Beschaffenheit der Ebenholzbretter des Regals und zeigte damit unverhohlen, dass ihn meine Worte anödeten.

»Für mich sehen alle Bücher gleich aus, aber mir gefällt das Blau des Einbands«, antwortete er verächtlich. »Ich nehme es.«

Unter anderen Umständen hätte ich Freudensprünge vollführt, wenn ich das wahrscheinlich teuerste Buch im ganzen Laden hätte verkaufen können, doch bei der Vorstellung, es gerate in die Hände dieses Menschen, drehte sich mir der Magen um. Ich hatte das Gefühl, wenn dieses Exemplar den Laden verließe, würde nie wieder jemand auch nur den ersten Abschnitt lesen.

»Es ist eine sehr kostspielige Ausgabe. Wenn der Herr es wünscht, kann ich ihm andere Ausgaben desselben Werks in einwandfreiem Zustand und zu erschwinglicherem Preis zeigen.«

Leute mit kleiner Seele versuchen immer, die anderen herabzusetzen, und der Unbekannte, der die seine zweifellos in einem Stecknadelkopf hätte unterbringen können, warf mir den verächtlichsten aller Blicke zu.

»Und die ebenfalls einen blauen Einband haben«, ergänzte ich.

Er überhörte meinen ironischen Tonfall.

»Nein, danke. Ich will das da. Der Preis ist Nebensache.«

Widerwillig nickte ich, ging auf die Vitrine zu und schloss die Glastür auf. Ich spürte, wie sich die Augen des Unbekannten in meinen Rücken bohrten.

»Immer ist alles Gute unter Verschluss«, bemerkte er leise.

Ich nahm das Buch und atmete tief ein.

»Ist der Herr ebenfalls Sammler?«

»Das könnte man so sagen. Aber nicht von Büchern.«

Den *Grafen* in der Hand, wandte ich mich um.

»Und was sammelt der Herr?«

Er ignorierte meine Frage und streckte den Arm aus, um das Buch entgegenzunehmen. Ich musste gegen den Impuls ankämpfen, es in die Vitrine zurückzustellen und wieder einzuschließen. Aber in diesen Zeiten hätte es mir mein Vater nicht verziehen, wenn ich mir die Gelegenheit eines solchen Verkaufs hätte entgehen lassen.

»Es kostet fünfunddreißig Peseten«, verkündete ich, bevor ich ihm das Buch aushändigte, und hoffte, bei dieser Summe ändere er seine Meinung.

Ohne mit der Wimper zu zucken, nickte er und zog einen Hundert-Peseten-Schein aus der Tasche seines Anzugs, der bestimmt keine fünfundzwanzig gekostet hatte. Ich fragte mich, ob es nicht Falschgeld war.

»Ich fürchte, für einen so großen Schein habe ich kein Wechselgeld, mein Herr.«

Normalerweise hätte ich ihn gebeten, einen Moment zu warten, und wäre zur nächsten Bank gegangen, um den Schein zu wechseln und zugleich auf seine Echtheit prüfen zu lassen, aber ich mochte ihn nicht allein im Laden lassen.

»Keine Sorge. Er ist echt. Wissen Sie, wie Sie das feststellen können?«

Er hielt die Note gegen das Licht.

»Beachten Sie das Wasserzeichen. Und diese Linien. Die Textur ...«

»Ist der Herr ein Experte in Fälschungen?«

»Alles auf dieser Welt ist falsch, junger Mann. Alles außer dem Geld.« Er gab mir den Schein in die Hand, schloss meine Faust darum und tätschelte mir die

Knöchel. »Das Wechselgeld lasse ich Ihnen als Anzahlung da für meinen nächsten Besuch.«

»Das ist viel Geld, der Herr. Fünfundsechzig Peseten ...«

»Ein paar Münzen.«

»Ich stelle Ihnen auf jeden Fall eine Quittung aus.«

»Ich vertraue Ihnen.«

Der Unbekannte betrachtete das Buch gleichgültig.

»Es ist ein Geschenk. Ich bitte Sie, es persönlich zu überbringen.«

Ich zögerte einen Augenblick.

»Im Prinzip machen wir keine Hauslieferungen, aber in diesem Fall übergeben wir es natürlich sehr gern persönlich und ohne zusätzliche Kosten. Darf ich fragen, ob es in Barcelona selbst ist oder ...?«

»Hier.« Sein eisiger Blick verriet Jahre von Wut und Hass.

»Möchte der Herr eine Widmung oder sonst ein paar persönliche Worte hineinschreiben, bevor ich es einpacke?«

Umständlich schlug der Besucher das Buch auf der ersten Seite auf. Da sah ich, dass seine linke Hand eine Prothese aus gefärbtem Porzellan war. Er zog einen Füllfederhalter hervor und schrieb ein paar Worte auf die Seite. Dann gab er mir den Band zurück und drehte sich um. Während er zur Tür humpelte, beobachtete ich ihn.

»Wären Sie so freundlich und würden Sie mir Namen und Adresse angeben, wo wir das Buch hinbringen sollen?«, fragte ich.

»Es steht alles da«, sagte er, ohne zurückzuschauen.

Ich schlug das Buch auf der Seite mit dem handschriftlichen Eintrag auf:

Für Fermín Romero de Torres, der von den Toten auferstanden ist und den Schlüssel zur Zukunft hat.

13

Da hörte ich die Türglocke, und als ich aufschaute, war der Besucher weg.

Ich eilte zum Ausgang und schaute auf die Straße hinaus. Der Besucher humpelte davon und verschmolz mit den Gestalten, die den bläulichen Nebelschleier in der Calle Santa Ana durchdrangen. Ich wollte ihm etwas nachrufen, biss mir aber auf die Zunge. Ich hätte ihn einfach gehen lassen können, aber der Instinkt und mein üblicher Mangel an Vorsicht und Sinn fürs Praktische waren stärker.

4

Ich hängte das »Geschlossen«-Schild an die Tür,
drehte den Schlüssel um und machte mich auf, den
Unbekannten in der Menge zu verfolgen. Ohne jeden
Zweifel bekäme ich von meinem Vater, wenn er zurückkehrte und entdeckte, dass ich, kaum hatte er
mich allein gelassen, trotz der Verkaufsflaute die Stellung aufgegeben hatte, einen scharfen Verweis, aber
unterwegs würde mir sicher irgendeine Ausrede einfallen. Sein schnell verfliegender Zorn war mir lieber,
als die durch diese unheimliche Figur in mir hervor-
gerufene Beunruhigung herunterzuschlucken und
darüber im Ungewissen zu bleiben, was ihn mit Fermín verband.

Ein Berufsbuchhändler kann nicht oft vor Ort
die hohe Kunst erlernen, einen Verdächtigen zu be-
schatten, ohne entdeckt zu werden. Abgesehen davon, dass ein großer Teil seiner Kundschaft der Zunft
der säumigen Zahler angehört, beschränkte sich sein
Kontakt zur Welt der Delinquenz auf die Lektüre
von Detektivgeschichten und Groschenromanen in
den eigenen Regalen. Kleider machen keine Leute,

Verbrechen aber – oder ein Verdacht – machen Detektive, vor allem Amateurdetektive.

Während ich dem Fremden in Richtung Ramblas folgte, frischte ich in meinem Kopf die Grundregeln auf, indem ich zuerst einmal gut zwanzig Meter Abstand zwischen uns einhielt, mich hinter einem korpulenteren Artgenossen tarnte und immer ein rasches Versteck in einem Hauseingang oder Laden im Visier hatte, falls der Gegenstand meiner Verfolgung unversehens stehen blieb und sich umwandte. Bei den Ramblas angekommen, überquerte der Fremde den Seitenstreifen und ging auf dem Mittelstück Richtung Hafen weiter. Wie immer war die Promenade weihnachtlich geschmückt, und in vielen Schaufenstern prangten Lichter, Sterne und Engel, Verkünder einer Prosperität, mit der es seine Richtigkeit haben musste, wenn das Radio es so sagte.

In jenen Jahren hatte Weihnachten noch einen Anstrich von Magie und Geheimnis. Das pulverisierte Winterlicht, der Blick und die Sehnsucht der in Schatten und Stille lebenden Menschen verliehen dieser Szenerie einen leichten Hauch von Wahrheit, an die man noch glauben konnte, wenigstens die Kinder und diejenigen, die zu vergessen gelernt hatten.

Vielleicht hob sich aus diesem Grund die so unweihnachtliche, so aus dem Rahmen fallende Gestalt, die ich verfolgte, noch deutlicher von dieser ganzen Traumwelt ab. Der Mann hinkte langsam weiter und blieb mehrmals vor einem der Vogel- oder

Blumenkioske stehen, um Wellensittiche oder Rosen zu bestaunen, als hätte er noch nie welche gesehen. Zweimal trat er an einen der Zeitungskioske, die die Ramblas sprenkelten, studierte die Titelseiten von Zeitungen und Zeitschriften und brachte die Postkartenkarussells zum Rotieren. Er wirkte wie ein Kind oder ein Tourist, der erstmals auf den Ramblas spazieren geht, wobei Kinder und Touristen in solchen Momenten voller Naivität einen Fuß vor den anderen setzen, während jenes Individuum weder Naivität noch den Segen des Jesuskinds ausstrahlte, an dessen Bildnis er jetzt auf der Höhe der Bethlehem-Kirche vorbeikam.

Nun blieb er wieder stehen, ganz offensichtlich fasziniert von einem blassrosa gefiederten Kakadu, der ihn aus dem Käfig eines der Tierkioske bei der Einmündung der Calle Puertaferrisa anblinzelte. Der Fremde trat so nahe an den Käfig heran wie in der Buchhandlung an die Vitrine und flüsterte dem Vogel etwas zu. Dieser, ein großköpfiges Exemplar mit der Flügelweite eines luxusfedrigen Kapauns, überlebte den Schwefelatem des Fremden und konzentrierte sich voller Interesse auf seine Worte. Als gälte es Zweifel auszuräumen, nickte er mehrmals und sträubte sichtlich erregt einen rosa Federkamm.

Offensichtlich zufrieden mit seiner ornithologischen Zwiesprache, setzte der Fremde nach wenigen Minuten seinen Weg fort. Als ich keine dreißig Sekunden später am Vogelkiosk vorbeikam, herrschte dort ein aufgeregtes Hin und Her. Der verwirrte Verkäufer deckte den Kakadukäfig eilig mit einer schwarzen Haube zu, um den Vogel davon abzuhalten, in perfekter Aussprache den Vers *Franco, du elender Wicht, warum steht er dir denn nicht?* zu rezitieren, den er zweifellos soeben gelernt hatte. Wenigstens verriet der Fremde einen gewissen Sinn für Humor und riskante Überzeugungen, was in jener Zeit ebenso selten war wie Rocksäume oberhalb des Knies.

Abgelenkt von diesem Zwischenfall, glaubte ich ihn schon aus den Augen verloren zu haben, doch bald entdeckte ich seine finstere Gestalt vor dem Schaufenster des Juweliers Bagués. Verstohlen näherte ich mich einem der Schreiberhäuschen, die den Eingang zum Virreina-Palast säumten, und beobachtete ihn aufmerksam. Seine Augen glänzten wie Rubine, und das Schauspiel von Gold und Edelsteinen hinter der kugelsicheren Scheibe schien eine größere Lüsternheit in ihm geweckt zu haben, als es eine Riege Revuegirls aus dem Criolla in dessen Glanzjahren geschafft hätte.

»Ein Liebesbrief, eine Eingabe, eine Bitte an die Exzellenz Ihrer Wahl, ein spontanes Bei-uns-alles-gut für die Verwandten im Dorf, junger Mann?«

Der Schreiber des Häuschens, das ich als Versteck auserkoren hatte, streckte den Kopf heraus wie ein Beichtvater und schaute mich an, begierig darauf, seine Dienste an den Mann zu bringen. Das Schild über dem Fenster besagte:

OSWALDO DARÍO DE MORTENSSEN

Literat und Denker
Liebesbriefe, Gesuche, Testamente,
Gedichte, Schmähschriften, Glückwünsche,
Bitten, Todesanzeigen, Hymnen, Diplomarbeiten,
Bittschriften, Eingaben und verschiedenartigste
Dichtungen in sämtlichen Stilen und Metren
Zehn Céntimos pro Satz (Reime extra)
Preisnachlass für Witwen, Versehrte und
Minderjährige

»Na, junger Mann? Ein Liebesbrief von der Art, bei
der die heiratsfähigen jungen Damen mit den Aus-
flüssen des Verlangens den Unterrock nässen? Ich
mache Ihnen einen Sonderpreis, weil Sie es sind.«

Ich hielt ihm den Ehering unter die Nase. Uner-
schrocken zuckte der Schreiber Oswaldo die Schultern.

»Wir leben in einer modernen Zeit«, sagte er.
»Wenn Sie wüssten, in welchen Scharen verheiratete
Männer und Frauen vorbeikommen …«

Ich las das Schild noch einmal, irgendetwas klang
bei mir an, aber ich wusste es nicht einzuordnen.

»Ihr Name kommt mir bekannt vor …«

»Ich hatte auch schon bessere Zeiten. Vielleicht
von damals.«

»Ist das Ihr richtiger Name?«

»Ein Nom de Plume. Ein Künstler braucht einen Beinamen, der seiner Aufgabe gerecht wird. In meinem Geburtsschein steht Jenaro Rebollo, aber wer vertraut schon jemandem mit einem solchen Namen das Verfassen seiner Liebesbriefe an … Was halten Sie vom Angebot des Tages? Ein leidenschaftlicher oder sehnsüchtiger Brief gefällig?«

»Ein andermal.«

Der Schreiber nickte resigniert. Er folgte meinem Blick und runzelte neugierig die Stirn.

»Sie beobachten das Hinkebein, nicht wahr?«

»Kennen Sie ihn denn?«

»Seit etwa einer Woche sehe ich ihn täglich hier vorbeikommen und dann vor dem Schaufenster des Juweliers haltmachen und verzückt hineinstarren, als wäre statt Ringe und Halsketten der Hintern der Bella Dorita ausgestellt.«

»Haben Sie einmal mit ihm gesprochen?«

»Einer meiner Kollegen hat ihm neulich einen Brief ins Reine geschrieben – da ihm Finger fehlen …«

»Wer war das?«

Der Schreiber schaute mich zögernd an, wohl weil er befürchtete, mit einer Antwort einen potentiellen Kunden zu verlieren.

»Luisito. Der dort drüben, neben der Casa Beethoven, der aussieht wie ein Priesterseminarist.«

Zum Dank wollte ich ihm ein paar Münzen geben, doch er lehnte ab.

»Ich verdiene meinen Lebensunterhalt mit der Feder, nicht mit dem Schnabel. Davon gibt's mehr als genug in der Gegend. Wenn Sie eines Tages etwas in grammatischer Richtung benötigen, wissen Sie ja, wo Sie mich finden.«

Er reichte mir eine Visitenkarte, getreues Abbild des Schildes an seinem Häuschen.

»Montag bis Samstag, von acht bis acht«, ergänzte er. »Oswaldo, Soldat des Wortes, Ihnen und Ihren Briefangelegenheiten zu dienen.«

Ich steckte die Karte ein und bedankte mich für seine Hilfe.

»Da läuft Ihnen Ihr Tauberich davon«, sagte er.

Ich wandte mich um und sah, dass sich der Fremde wieder in Gang gesetzt hatte. Eilig holte ich den Abstand auf und folgte ihm die Ramblas hinunter bis zum Eingang des Boquería-Markts, wo er abermals stehen blieb und das Schauspiel von Ständen und das Treiben der Menschen betrachtete, die beladen mit appetitlich aussehenden Lebensmitteln entweder herein- oder herausströmten. Er humpelte zur Pinocho-Theke und hievte sich mühsam, aber eifrig auf einen der Hocker. Eine halbe Stunde lang versuchte er all die Köstlichkeiten zu verzehren, die Juanito, der Benjamin des Hauses, nach und nach vor ihn hinstellte, aber ich hatte den Eindruck, dass ihm die Gesundheit kein großes Prassen erlaubte und dass er vor allem mit den Augen aß, als erinnerte er sich beim Bestellen der Tapas und Häppchen an Zeiten kräftigeren Zulangens. Der Gaumen genießt nicht, er erinnert sich bloß. Sich in seine gastronomische Abstinenz und die stellvertretende Betrachtung fremden Kostens und Lippenleckens schickend, bezahlte der Unbekannte schließlich und setzte seine Wanderung bis zur Mündung der Calle Hospital fort, wo durch eine Fügung von Barcelonas unnachahmlicher Geometrie eines der großen Opernhäuser des alten Europas und eines der heruntergekommensten Hurenviertel der nördlichen Hemisphäre aufeinandertrafen.

5

Zu dieser Stunde wagte sich die Besatzung so mancher im Hafen vor Anker liegenden Frachter und Kriegsschiffe ramblasaufwärts, um Gelüste unterschiedlichster Art zu befriedigen. Angesichts der großen Nachfrage hatte sich an der Ecke bereits das Angebot in Form einer Reihe von Mietdamen formiert, denen man den hohen Kilometerstand ebenso ansah wie ihren durchaus erschwinglichen Grundtarif. Ich guckte scheu auf die taillierten Röcke über Krampfadern, auf purpurne Blässen, deren Anblick weh tat, und welke Gesichter – ein Gesamteindruck von letzter Station vor dem Ruhestand, der alles andere als Wollust auslöste. Um hier anzubeißen, musste ein Seemann viele Monate auf hoher See zubringen, dachte ich, doch zu meiner Überraschung blieb der Fremde stehen, um mit zwei dieser von vielen blütenlosen Lenzen rücksichtslos gebeutelten Damen zu kokettieren.

»Na, Herzchen, wenn ich dir einen runterhole, biste gleich zwanzig Jahre jünger«, hörte ich eine von ihnen sagen, die als Großmutter des Schreibers Oswaldo hätte durchgehen können.

Damit bringst du ihn nur um, dachte ich. Wohl in einer Anwandlung von Einsicht lehnte der Unbekannte die Einladung ab.

»Ein andermal, Süße«, antwortete er und bog ins Raval ein.

Ich folgte ihm etwa hundert Meter weiter, bis er vor einem dunklen schmalen Hauseingang fast gegenüber der Pension Europa stehen blieb. Nachdem er darin verschwunden war, wartete ich eine halbe Minute und ging ihm dann nach.

Drinnen erwartete mich ein düsteres Treppenhaus, das sich im Innern des Gebäudes verlor; dieses schien nach Backbord zu krängen und, seiner stinkend feuchten Luft und seinem Abwasserproblem nach zu schließen, drauf und dran zu sein, in den Katakomben des Ravals unterzugehen. Auf einer Seite des Vestibüls saß in einer Art Pförtnerloge ein schmieriger Mensch im Unterhemd. Zwischen den Lippen hatte er einen Zahnstocher und neben sich einen Transistor, aus dem ein Stierkampfprogramm quoll. Er warf mir einen forschenden Blick zu.

»Kommen Sie allein?«, fragte er fast feindselig.

Man musste kein Luchs sein, um zu merken, dass man sich im Entree eines Stundenhotels befand und dass die einzige Dissonanz meines Besuchs in der Abwesenheit einer der Damen bestand, wie sie an der Ecke patrouillierten.

»Wenn Sie wollen, schick ich Ihnen ein Mädchen«, erbot er sich und bereitete schon das Bündel aus

Tuch, Seife und etwas Gummiähnlichem oder sonst einem Verhütungsmittel vor.

»Eigentlich wollte ich bloß etwas fragen«, setzte ich an.

Der Portier verdrehte die Augen.

»Macht zwanzig Peseten die halbe Stunde, und die Braut bringen *Sie* mit.«

»Sehr verlockend. Vielleicht ein andermal. Was ich Sie fragen wollte, ist, ob vor zwei Minuten ein Herr hinaufgegangen ist. Schon älter. Nicht besonders gut in Form. Er ist allein gekommen, ohne Braut.«

Der Portier zog die Brauen zusammen. In einem einzigen Augenblick degradierte mich sein Blick vom Kunden zur lästigen Fliege.

»Ich hab niemand gesehen. Und jetzt verduften Sie, bevor ich den Tonet hole.«

Vermutlich war der Tonet kein sehr umgänglicher Mensch. Ich legte die mir verbleibenden Münzen auf den Tisch und lächelte dem Portier versöhnlich zu. Das Geld verschwand in seinen gummihütchenbesetzten Fingern so schnell wie ein Insekt auf der Zunge eines Chamäleons.

»Was wollen Sie wissen?«

»Wohnt hier der Herr, von dem ich Ihnen sprach?«

»Er hat seit einer Woche ein Zimmer gemietet.«

»Wissen Sie, wie er heißt?«

»Er hat einen Monat zum Voraus bezahlt, also hab ich ihn nicht gefragt.«

»Wissen Sie, woher er kommt, was er macht?«

»Ich bin kein Briefkastenonkel. Wer zum Bumsen herkommt, den fragen wir nichts. Und der bumst nicht mal. Machen Sie sich Ihren Reim darauf.«

Ich dachte nach.

»Alles, was ich weiß, ist, dass er ab und zu für eine Weile rausgeht und dann wiederkommt. Manchmal lässt er sich eine Flasche Wein, Brot und etwas Honig raufbringen. Er zahlt gut und sagt keinen Piep.«

»Und Sie erinnern sich wirklich an keinen Namen?«

Er schüttelte den Kopf.

»Gut. Danke, und entschuldigen Sie die Störung.«

Ich wollte eben gehen, als er mir zurief:

»Romero.«

»Wie bitte?«

»Ich glaube, er sagte, er heißt Romero oder so ähnlich …«

»Romero de Torres?«

»Genau.«

»Fermín Romero de Torres?«, wiederholte ich ungläubig.

»So ist es. Hat es vorm Krieg nicht einen Torero gegeben, der so hieß?«, fragte er. »Ich sag ja, dass mir das gleich irgendwie bekannt vorkam …«

6

Auf dem Rückweg zur Buchhandlung war ich noch verwirrter als zuvor. Als ich am Virreina-Palast vorbeikam, winkte mir der Schreiber Oswaldo zu.

»Erfolg gehabt?«, fragte er.

Leise verneinte ich.

»Versuchen Sie's doch bei Luisito, vielleicht erinnert der sich an etwas.«

Ich nickte und ging zum Häuschen von Luisito, der gerade seine Federnsammlung reinigte. Er lächelte mir zu und lud mich ein, Platz zu nehmen.

»Was darf's denn sein? Liebe oder Arbeit?«

»Ihr Kollege Oswaldo schickt mich.«

»Unser aller Meister«, sagte Luisito, der noch keine fünfundzwanzig sein konnte. »Ein großer Homme de Lettres, dessen Meriten die Welt nicht erkannt hat, und da sitzt er nun, auf der Straße, wo er im Dienste des Analphabeten am Wort wirkt.«

»Oswaldo hat mir erzählt, Sie hätten neulich einen älteren Herrn bedient, hinkend und ziemlich verwahrlost, dem eine Hand fehlt und an der anderen einige Finger ...«

»Ich erinnere mich an ihn. An die Einhänder erinnere ich mich immer. Wegen Cervantes, wissen Sie.«

»Natürlich. Und können Sie mir sagen, aus welchem Grund er zu Ihnen kam?«

Unbehaglich rutschte Luisito auf seinem Stuhl hin und her, die Wendung des Gesprächs passte ihm offensichtlich nicht.

»Sehen Sie, das ist nahezu ein Beichtstuhl. Die Vertraulichkeit hat Vorrang vor allem anderen.«

»Das ist mir bewusst. Es geht aber um etwas Wichtiges.«

»Wie wichtig?«

»Wichtig genug, um das Wohlbefinden von Leuten zu gefährden, die mir sehr viel bedeuten.«

»Ja schon, aber ...«

Er reckte den Hals und suchte den Blick von Meister Oswaldo auf der anderen Seite des Patio. Ich sah Oswaldo nicken, und Luisito entspannte sich.

»Der Herr ist mit einem Brief gekommen, den er verfasst hatte und der in Schönschrift ins Reine gebracht werden sollte – mit seiner Hand ist ja ...«

»Und im Brief war die Rede von ...«

»Daran kann ich mich kaum noch erinnern, vergessen Sie nicht, dass wir hier täglich viele Briefe schreiben ...«

»Strengen Sie sich ein wenig an, Luisito. Wegen Cervantes.«

»Ich glaube, und auf die Gefahr hin, ihn mit dem Brief eines anderen Kunden zu verwechseln, dass es irgendwie um eine große Geldsumme ging, die der einhändige Herr bekommen oder wiederbekommen sollte oder so was. Und irgendwas von einem Schlüssel.«

»Einem Schlüssel.«

»Genau. Er hat nicht im Einzelnen erklärt, ob es um einen Schrauben-, einen Noten- oder einen Hausschlüssel ging.«

Er lächelte mir zu, sichtlich zufrieden, zum Gespräch eine Prise Witz beigesteuert zu haben.

»Erinnern Sie sich an sonst noch was?«

Nachdenklich leckte er sich die Lippen.

»Er sagte, die Stadt habe sich sehr verändert.«

»In welchem Sinn verändert?«

»Ich weiß nicht. Verändert. Ohne Tote auf der Straße.«

»Tote auf der Straße? Das hat er gesagt?«

»Wenn mich die Erinnerung nicht trügt …«

7

Ich bedankte mich bei Luisito für die Information und brachte eilig das letzte Stück Weges zum Laden hinter mich, um mit etwas Glück vor meinem Vater da zu sein. Das »Geschlossen«-Schild hing noch an der Tür. Ich schloss auf, nahm das Schild ab und stellte mich wieder hinter den Ladentisch; sicher war in der letzten knappen Dreiviertelstunde meiner Abwesenheit kein einziger Kunde gekommen.

Da ich nichts zu tun hatte, begann ich darüber nachzudenken, was ich mit dem Band des *Grafen von Monte Christo* tun und wie ich das Thema gegenüber Fermín anschneiden sollte, wenn er käme. Ich mochte ihn nicht über Gebühr beunruhigen, doch der Besuch des Unbekannten und mein fruchtloser Versuch, dessen Absichten zu ergründen, ließen mir keine Ruhe. In jedem anderen Fall hätte ich ihm ohne weiteres erzählt, was geschehen war, aber diesmal hielt ich Fingerspitzengefühl für angezeigt. Seit einiger Zeit war Fermín sehr niedergeschlagen und hatte eine Stinklaune. Und seit einiger Zeit versuchte ich, ihn mit meinen müden Witzchen aufzumuntern, aber nichts vermochte ihm ein Lächeln zu entlocken.

»Fermín, entstauben Sie die Bücher nicht allzu sehr, sonst bleibt in den wenigen einschlägigen Exemplaren, die man uns liefert, bald nichts mehr vom schwarzen Humor übrig.«

Fermín war weit davon entfernt, solch armselige Scherze mitleidig zu belächeln, sondern nutzte jeden beliebigen Anlass für seine Mutlosigkeits- und Überdrussapologien.

»In Zukunft wird der Humor überhaupt nur noch schwarz sein, denn für das dominierende Aroma in der zweiten Hälfte dieses blutrünstigen Jahrhunderts sind Falschheit und Seelenschwärze noch Euphemismen«, philosophierte er.

Es geht schon wieder los, dachte ich. Die Offenbarung des heiligen Fermín Romero de Torres.

»So schlimm wird es wohl nicht sein, Fermín. Sie sollten mehr an die Sonne gehen. Neulich hat in der Zeitung gestanden, dass Vitamin D den Glauben an den Nächsten stärkt.«

»Es hat dort auch gestanden, dass irgendein Gedichtschmöker eines Franco-Schützlings die Sensation des internationalen Literaturpanoramas ist, wo er doch in keiner Buchhandlung außerhalb Madrids verkauft wird«, antwortete er.

Wenn sich Fermín mit allen Organen dem Pessimismus hingab, warf man ihm besser keinen Köder hin.

»Wissen Sie, Daniel, manchmal denke ich, Darwin hat sich geirrt, und in Wirklichkeit stammt der Mensch vom Schwein oder vom Hund ab, denn in acht von zehn Hominiden steckt ein Schweinehund, der darauf wartet, rausgelassen zu werden.«

»Fermín, Sie gefallen mir besser, wenn Sie eine humanistischere, positivere Sicht der Dinge zum Ausdruck bringen, wie letzthin, als Sie sagten, es sei keiner wirklich schlecht, er habe bloß Angst.«

»Das muss ein Absinken des Blutzuckerspiegels gewesen sein. So ein Schwachsinn.«

Der Spaßvogel Fermín, an den ich mich so gern erinnerte, befand sich in jenen Tagen auf dem Rückzug, und seine Stelle schien ein Mann eingenommen zu haben, der von Sorgen und Widrigkeiten geplagt wurde, die ich nicht teilen mochte. Manchmal, wenn er sich unbeobachtet wähnte, hatte ich den Eindruck, er schrumpfe in einer Ecke, von Angst verzehrt, förmlich zusammen. Er hatte Gewicht verloren, und da er ohnehin fast nur aus Knorpeln bestand, sah er allmählich besorgniserregend aus. Ich hatte es ihm einige Male gesagt, aber er bestritt, dass es irgendein Problem gab, und wich mit seltsamen Ausreden aus.

»Es ist nichts, Daniel. Aber seit ich darauf verfallen bin, die Liga zu verfolgen, sackt mir jedes Mal der Blutdruck ab, wenn Barça verliert. Ein Stückchen Manchegokäse, und ich bin gleich wieder der alte Stier.«

»Sind Sie sicher? Sie sind doch Ihrer Lebtag noch nie zu einem Fußballspiel gegangen.«

»Das glauben Sie. Kubala und ich sind sozusagen zusammen aufgewachsen.«

»Mir kommen Sie jedenfalls im Moment wie ein Stück schlecht abgehangenes Fleisch vor. Entweder sind Sie krank, oder Sie achten überhaupt nicht auf Ihre Gesundheit.«

Zur Antwort zeigte er mir zwei Bizepse in Zuckermandelgröße und grinste wie ein Zahnpastavertreter.

»Fassen Sie's ruhig an – na, los schon. Gehärteter Stahl, wie das Schwert des Cid.«

Mein Vater schrieb seine schlechte Form der Nervosität wegen der Heirat zu und allem, was das mit sich brachte, bis hin zum Fraternisieren mit dem Klerus und der Suche nach einem Restaurant oder Ausflugslokal für das Bankett, aber ich hatte es in der Nase, dass diese Melancholie tiefer gründete. Hin- und hergerissen, ob ich Fermín von der Episode am Vormittag berichten und ihm das Buch zeigen oder einen günstigeren Moment abwarten sollte, sah ich ihn mit einer wahren Leichenbittermiene zur Tür hereintreten. Als er mich erblickte, quälte er sich ein schwaches Lächeln ab und deutete einen militärischen Gruß an.

»Sieh einer an, Fermín. Ich dachte schon, Sie kommen nicht mehr.«

»Als ich am Uhrenladen vorbeikam, hat mich Don Federico mit so einer Klatschgeschichte aufgehalten, dass heute Vormittag jemand Señor Sempere sehr schmuck in der Calle Puertaferrisa unterwegs zu einem unbekannten Ziel gesehen haben wollte. Don Federico und das dumme Stück von Merceditas haben gefragt, ob er sich eine Geliebte zugelegt habe, das sei ja jetzt schick geworden bei den Händlern des Viertels, und wenn das Mädchen auch noch Couplet-sängerin ist, umso mehr.«

»Und was haben Sie geantwortet?«

»Dass Ihr Herr Vater in seinem beispielhaften Wit-wertum in einen Zustand urtümlicher Jungfräulich-keit zurückgekehrt ist, die von der Wissenschaftler-gemeinde mit höchstem Interesse studiert wird und ihm beim Erzbistum einen Eilantrag auf Präkano-nisierung eingetragen hat. Über das Privatleben von Señor Sempere spreche ich weder mit Vertrauten noch mit Fremden, weil das nur ihn etwas angeht. Und wer mir mit Zoten kommt, der kriegt eine ge-klebt, und damit basta.«

»Sie sind ein Gentleman der alten Schule, Fermín.«

»Wer von der alten Schule ist, das ist Ihr Vater, Da-niel. Denn unter uns gesagt, es würde ihm ehrlich gut-tun, sich ab und zu eine Eskapade zu leisten. Seit bei uns der Ofen aus ist, schließt er sich den ganzen Tag mit diesem ägyptischen Totenbuch im Hinterzimmer ein.«

»Sie meinen das Geschäftsbuch«, stellte ich rich-tig.

»Was auch immer. Seit Tagen trage ich mich mit dem Gedanken, wir sollten ihn ins Molino mitschlep-pen und dann einen draufmachen, denn obwohl der

Held dieser Geschichte fader ist als eine Kohlpaella, glaube ich, so eine richtige Begegnung mit einer drallen Jungfer, die über einen guten Kreislauf verfügt, würde sein Mark aufwecken«, sagte er.

»Und das sagen ausgerechnet Sie! Die Freude des Obstgartens. Wenn ich Ihnen die Wahrheit sagen soll, dann sind Sie es, der mir Sorgen macht«, protestierte ich. »Seit Tagen sehen Sie aus wie ein Kakerlak im Regenmantel.«

»Tatsächlich ein trefflicher Vergleich, Daniel, denn obwohl der Kakerlak nicht das Komödiantengesichtchen hat, das die frivolen Regeln dieser dümmlichen Gesellschaft fordern, in der wir leben dürfen, so charakterisieren doch sowohl der glücklose Gliederfüßler wie meine Wenigkeit uns durch einen unvergleichlichen Überlebensinstinkt, durch unmäßige Gefräßigkeit und die Libido eines Löwen, die selbst bei höchster Verstrahlung nicht schwindet.«

»Mit Ihnen kann man einfach nicht diskutieren, Fermín.«

»Ich habe eben eine dialektische Veranlagung, die dazu neigt, beim geringsten Anzeichen von Täuschung oder Vertrottelung andere zu ärgern, mein Freund, Ihr Vater dagegen ist ein zartheikles Blümchen, und ich glaube, wir sollten jetzt eingreifen, ehe er gänzlich zum Fossil wird.«

»Und was für eine Art von Eingreifen soll das sein, Fermín?«, unterbrach uns die Stimme meines Vaters.

»Sagen Sie bloß nicht, Sie wollen mich zu Kaffee und Kuchen mit der Rociíto verführen.«

Wir wandten uns um wie zwei ertappte Pennäler. Streng und keineswegs wie ein zartheikles Blümchen beobachtete uns mein Vater von der Tür aus.

8

»Und woher wissen Sie das mit der Rociíto?«, murmelte Fermín verdutzt.

Mein Vater ergötzte sich an unserem Erschrecken und blinzelte uns dann freundlich lächelnd zu.

»Ich mag ja ein Fossil werden, aber noch habe ich gute Ohren. Gute Ohren, und der Kopf funktioniert ebenfalls. Darum habe ich beschlossen, etwas zu unternehmen, um das Geschäft wieder flottzukriegen«, verkündete er. »Das Molino kann warten.«

Erst jetzt fiel uns auf, dass er zwei enorme Tüten und eine große, in Packpapier geschlagene und dick verschnürte Schachtel mitgebracht hatte.

»Du wirst mir aber nicht sagen, dass du gerade die Bank an der Ecke überfallen hast«, fragte ich.

»Den Banken versuche ich wenn immer möglich aus dem Weg zu gehen, denn wie Fermín sehr richtig sagt, sind normalerweise sie es, die einen überfallen. Nein, ich komme vom Santa-Lucía-Markt.«

Fermín und ich wechselten einen verblüfften Blick.

»Wollt ihr mir nicht helfen? Das ist schwer wie eine Leiche.«

Wir verfrachteten den Inhalt der Tüten auf den Ladentisch, während mein Vater das Papier von der Schachtel entfernte. Die Tüten waren voll kleiner, ebenfalls in Packpapier steckender Gegenstände. Fermín wickelte einen aus und betrachtete ihn verständnislos.

»Was ist denn das?«, fragte ich.

»Ich würde sagen, es handelt sich um einen ausgewachsenen Esel im Maßstab 1:100«, antwortete Fermín.

»Was bitte?«

»Ein Esel, Grautier oder Langohr, liebenswerter einhufiger Vierfüßler, der charmant und selbstbewusst die Fluren unseres Spanien tüpfelt, nur eben en miniature, wie die Spielzeugeisenbähnchen aus der Casa Palau«, erklärte Fermín.

»Es ist ein Esel aus Ton, eine Krippenfigur«, sagte mein Vater.

»Was denn für eine Krippe?«

Wortlos öffnete mein Vater die Schachtel und zog eine riesige Krippe mit Lichtchen hervor, die er, wie ich ahnte, als Weihnachtsreklame ins Schaufenster stellen wollte. Inzwischen hatte Fermín schon mehrere Ochsen, Kamele, Schweine, Enten, morgenländische Monarchen, Palmen, einen heiligen Joseph und eine Jungfrau Maria ausgepackt.

»Sich vermittelst der Zurschaustellung von Krippenfigürchen und Ammenmärchen dem Joche des Nationalkatholizismus und seinen ihm innewohnenden Indoktrinationstechniken zu ergeben scheint mir nicht die Lösung zu sein«, sagte Fermín.

»Erzählen Sie doch keinen Unsinn, Fermín, das ist eine schöne Gepflogenheit, und zur Weihnachtszeit sehen die Leute gern Krippen«, unterbrach ihn mein Vater. »Dem Laden hat der Farben- und Freudefunken gefehlt, dessen diese Zeiten bedürfen. Wenn Sie einen Blick auf die Geschäfte des Viertels werfen, werden Sie sehen, dass wir im Vergleich dazu wie ein Bestattungsinstitut daherkommen. Los, helfen Sie mir, wir stellen sie ins Schaufenster. Und lassen Sie diese ganzen Bände der Säkularisierung des Mendizabal vom Ladentisch verschwinden, das vergrault ja jeden.«

»Na also«, murmelte Fermín.

Zu dritt hievten wir die Krippe aus der Schachtel und platzierten die Figuren. Widerwillig half Fermín mit, runzelte die Stirn und brachte ununterbrochen Einwände gegen das Projekt vor.

»Bei allem Respekt, Señor Sempere, aber dieses Jesuskind ist dreimal so groß wie sein angeblicher Vater und hat fast keinen Platz in der Krippe.«

»Macht doch nichts. Die kleinen waren ihnen ausgegangen.«

»Also neben der Muttergottes kommt er mir vor wie einer dieser japanischen Freistilringer mit Gewichtsproblemen, pomadisiertem Haar und den im Schritt geschnürten Unterhosen.«

»Die heißen Sumo-Ringer«, sagte ich.

»Genau die meine ich.«

Mein Vater seufzte kopfschüttelnd.

»Und dann schauen Sie sich mal seine Augen an. Der sieht ja aus wie ein Besessener.«

»So, Fermín, jetzt reicht's – schalten Sie die Beleuchtung ein.« Mein Vater reichte ihm das Kabel der Krippe.

In einem seiner Akrobatikakte gelang es Fermín, unter dem Tisch mit der Krippe hindurch zur Steckdose am anderen Ende des Ladentischs zu rutschen.

»Und es ward Licht«, verkündete mein Vater, während er begeistert die neue Leuchtkrippe von Sempere & Söhne betrachtete. »Sich erneuern oder sterben«, fügte er befriedigt hinzu.

»Sterben«, murmelte Fermín.

Noch war keine Minute seit der offiziellen Erleuchtung vergangen, als eine Mutter mit drei Kindern an den Händen vor dem Schaufenster stehen blieb, um die Krippe zu bewundern, und nach einem Moment des Zögerns eintrat.

»Guten Tag«, sagte sie. »Haben Sie Erzählungen über das Leben der Heiligen?«

»Aber natürlich«, antwortete mein Vater. »Erlauben Sie mir, Ihnen die Sammlung Unser Herr Jesus zu zeigen, die wird Ihren Kindern ganz sicher gefallen. Reich illustriert und mit einem Vorwort von keinem Geringeren als Don José María Pemán.«

»Oh, wie schön. Ehrlich gesagt, es ist heutzutage so schwer, Bücher mit einer positiven Botschaft zu finden, solche, bei denen man sich wohl fühlt, ohne die ganzen Verbrechen und Morde und all die Sachen, die keiner versteht … Finden Sie nicht auch?«

Fermín verdrehte die Augen. Als er schon den Mund aufklappen wollte, konnte ich ihn eben noch rechtzeitig von der Kundschaft entfernen.

»Da haben Sie vollkommen recht«, stimmte mein Vater bei, während er mir aus dem Augenwinkel und mit einer Grimasse bedeutete, Fermín zu fesseln und zu knebeln – diesen Umsatz wollten wir uns um nichts auf der Welt entgehen lassen.

Ich drängte Fermín ins Hinterzimmer und versicherte mich, dass der Vorhang zugezogen war, so dass mein Vater das Geschäft in aller Ruhe abwickeln konnte.

»Fermín, ich weiß auch nicht, was für eine Laus Ihnen über die Leber gelaufen ist, aber wenn ein Jesuskind von der Größe einer Straßenwalze und ein paar Tonschweine meinen Vater ermutigen und uns zudem Kunden zuführen, muss ich Sie bitten, Ihre existentialistischen Kanzelreden zu vergessen und wenigstens in den Geschäftsstunden ein zufriedenes Gesicht aufzusetzen, auch wenn ich weiß und respektiere, dass diese Krippengeschichte Sie nicht überzeugt.«

Fermín seufzte und nickte beschämt.

»Darum geht es nicht, lieber Daniel. Verzeihen Sie mir. Um Ihren Vater glücklich zu machen und die Buchhandlung zu retten, schreite ich nötigenfalls den Jakobsweg in Stierkämpfertracht ab.«

»Es reicht, wenn Sie ihm sagen, Sie finden die Sache mit der Krippe eine gute Idee, und ihm den Willen tun.«

Er nickte.

»Aber natürlich. Nachher werde ich Señor Sempere um Verzeihung bitten für meine unangebrachten Bemerkungen und als Akt der Reue ein Krippenfigürchen beisteuern, um zu beweisen, dass mir in puncto weihnachtlichen Geistes nicht einmal die Warenhäuser das Wasser reichen können. Ich habe einen Freund im Untergrund, der Francos Gattin als Tonscheißerfigur herstellt, mit einem so realistischen Finish, dass man Gänsehaut kriegt.«

»Passt bestimmt phantastisch zu einem Lämmchen oder einem König Balthasar.«

»Was immer Sie meinen, Daniel. Und jetzt, wenn es Ihnen recht ist, tue ich was Nützliches und öffne die Kisten mit dem Posten der Witwe Recasens, die seit einer Woche Staub ansetzen.«

»Soll ich Ihnen helfen?«

»Keine Sorge, Sie haben ja ebenfalls zu tun.«

Er ging aufs Lager am Ende des Hinterzimmers zu und schlüpfte in den blauen Arbeitskittel.

»Fermín«, setzte ich an.

Er wandte sich um und sah mich aufmerksam an. Ich zögerte einen Augenblick.

»Heute ist etwas geschehen, was ich Ihnen erzählen möchte.«

»Nur zu.«

»Ich weiß nicht recht, wie ich es erklären soll, ehrlich gesagt. Da ist jemand gekommen und hat nach Ihnen gefragt.«

»War sie hübsch?« Er versuchte eine scherzhafte Miene aufzusetzen, die aber den Schatten in seinen Augen nicht zu übertünchen vermochte.

»Es war ein Herr. Ziemlich verwahrlost und ein wenig merkwürdig, um ehrlich zu sein.«

»Hat er einen Namen hinterlassen?«

»Nein. Aber er hat etwas anderes für Sie dagelassen.«

Fermín blickte finster. Ich reichte ihm das Buch, das der Besucher ein paar Stunden zuvor gekauft hatte. Fermín ergriff es und studierte den Einband, ohne zu verstehen.

»Aber das ist doch der Dumas, den wir für sieben Duros in der Vitrine stehen hatten, oder?«

Ich nickte.

»Schlagen Sie die erste Seite auf.«

Er tat wie geheißen. Als er die Widmung las, wurde er bleich und schluckte. Einen Moment lang schloss er die Augen, dann schaute er mich wortlos an. Es kam mir vor, als sei er in fünf Sekunden fünf Jahre gealtert.

»Ich bin ihm von hier aus gefolgt«, sagte ich. »Er wohnt seit einer Woche in einem schäbigen Stundenhotel in der Calle Hospital, gegenüber der Pension Europa, und soweit ich habe herausfinden können, benutzt er einen falschen Namen, nämlich Ihren: Fermín Romero de Torres. Von einem der Schreiber vor dem Virreina-Palast habe ich erfahren, dass er einen Brief hat abschreiben lassen, in dem von einer großen Geldsumme die Rede ist. Kommt Ihnen irgendetwas von alledem bekannt vor?«

Er war mit jedem Wort dieser Geschichte mehr zusammengeschrumpft, als hätte er mit der Schaufel einen Schlag nach dem anderen auf den Kopf bekommen.

»Daniel, folgen Sie diesem Menschen auf keinen Fall mehr, und sprechen Sie auch nicht mehr mit ihm. Tun Sie gar nichts. Halten Sie sich von ihm fern. Er ist sehr gefährlich.«

»Wer ist dieser Mann, Fermín?«

Er klappte das Buch zu und versteckte es in einem Regal hinter einigen Schachteln. Zum Ladenlokal spähend, wo mein Vater noch mit der Kundin beschäftigt war und uns nicht hören konnte, trat er dicht an mich heran und sagte leise:

»Bitte, erzählen Sie Ihrem Vater nichts davon und auch sonst niemandem.«

»Fermín …«

»Tun Sie mir den Gefallen. Ich bitte Sie um unserer Freundschaft willen darum.«

»Aber, Fermín …«

»Bitte, Daniel. Nicht hier. Vertrauen Sie mir.«

Ich nickte widerwillig und zeigte ihm den Hundert-Peseten-Schein, mit dem der Unbekannte bezahlt hatte. Ich brauchte ihm nicht zu sagen, woher er stammte.

»Dieses Geld ist verflucht, Daniel. Geben Sie den Schein den Barmherzigen Nonnen oder einem Bettler auf der Straße. Oder noch besser, verbrennen Sie ihn.«

Ohne ein weiteres Wort zog er den Kittel wieder aus, schlüpfte in seinen abgetragenen Regenmantel und stülpte sich eine Baskenmütze auf seinen Streichholzkopf, der aussah wie eine geschmolzene Paellapfanne auf einem Bild von Dalí.

»Gehen Sie schon?«

»Sagen Sie Ihrem Vater, es sei mir etwas dazwischengekommen. Bitte.«

»Natürlich, aber …«

»Jetzt kann ich es Ihnen nicht erklären, Daniel.«

Als hätte er einen Knoten im Gedärm, griff er sich mit einer Hand an den Magen, und mit der anderen begann er zu gestikulieren, wie wenn er Worte, die er nicht über die Lippen brachte, im Flug aufschnappen wollte.

»Fermín, wenn Sie es mir erzählen, kann ich Ihnen vielleicht helfen …«

Er zögerte einen Augenblick, doch dann schüttelte er den Kopf und ging davon. Ich folgte ihm zur Tür und sah ihn im Sprühregen davongehen, ein kleines Männchen, auf dessen Schultern die Welt lastete, während die Nacht schwärzer denn je über Barcelona hereinbrach.

9

Es ist wissenschaftlich bewiesen, dass jedes wenige Monate alte Baby in der Lage ist, mit unfehlbarem Instinkt genau den Moment abzupassen, in dem seine Eltern des Nachts endlich haben einschlummern können, und dann zu seinem Geheule anzuheben und sie so daran zu hindern, länger als dreißig Minuten durchzuschlafen.

Diese Nacht erwachte der kleine Julián wie fast immer gegen drei Uhr und verkündete sein Dasein augenblicklich aus voller Lunge. Ich öffnete die Augen und drehte mich um. Leuchtend im Halbdunkel, rekelte sich Bea neben mir in einem langsamen Erwachen, das es mir erlaubte, die Konturen ihres Körpers unter den Laken zu betrachten, und murmelte etwas Unverständliches. Ich widerstand dem natürlichen Impuls, ihren Hals zu küssen und sie aus diesem endlos langen Panzernachthemd zu befreien, das ihr mein Schwiegervater, gewiss in voller Absicht, zum Geburtstag geschenkt hatte und das auch mit List und Tücken nicht aus dem Wäscheschrank zu verbannen war.

»Ich geh schon«, flüsterte ich und gab ihr einen Kuss auf die Stirn.

Sie drehte sich nur um und steckte den Kopf unters Kissen. Eine Weile genoss ich die geschwungene, gegen Ende sanft abfallende Linie ihres Rückens, die sämtliche Nachthemden der Welt nicht hätten zähmen können. Nun war ich schon fast zwei Jahre mit diesem wunderbaren Wesen verheiratet, und noch immer überraschte es mich, neben ihr zu erwachen und ihre Wärme zu spüren. Schon war ich dabei, das Laken beiseitezuschieben und diese samtenen Waden zu liebkosen, als Bea mir die Fingernägel ins Handgelenk bohrte.

»Nicht jetzt, Daniel. Der Kleine weint.«

»Ich wusste doch, dass du wach bist.«

»In diesem Haus ist es schwierig zu schlafen, weil die Männer nicht aufhören können, zu weinen oder einer armen Unglückseligen den Hintern zu befummeln, so dass sie nicht mehr als zwei Stunden Schlaf pro Nacht bekommt.«

»Du verpasst etwas.«

Ich stand auf und ging durch den Flur nach hinten zu Juliáns Zimmer. Kurz nach der Heirat waren wir in die Dachgeschosswohnung oberhalb der Buchhandlung gezogen. Fünfundzwanzig Jahre lang hatte hier Don Anacleto, der Hochschuldozent, gewohnt, und nun hatte er beschlossen, in den Ruhestand und zurück in seine Heimatstadt Segovia zu gehen, um im Schatten des Aquädukts pikante Gedichte zu verfassen und die Technik des Spanferkelbratens zu studieren.

Der kleine Julián empfing mich mit Geheul, dessen hohes Register mir das Trommelfell zu durchlöchern drohte. Ich nahm ihn auf den Arm, und nachdem ich der Windel angerochen hatte, dass die Luft ausnahmsweise rein war, tat ich, was jeder frischgebackene und einigermaßen vernunftbegabte Vater tun würde: Ich raunte ihm dummes Zeug ins Ohr und tanzte mit ihm in lächerlichen Sprüngen im Zimmer herum. Auf einmal entdeckte ich Bea auf der Schwelle, wo sie uns missbilligend zuschaute.

»Gib ihn mir, du weckst ihn ja nur noch mehr auf.«

»Er beklagt sich jedenfalls nicht.« Widerwillig legte ich ihr den Kleinen in die Arme.

Sie wiegte ihn sanft und summte ihm dabei eine Melodie ins Ohr. Fünf Sekunden später hörte er auf zu weinen und setzte dieses dümmliche Lächeln auf, das ihm seine Mutter immer zu entlocken wusste.

»Geh jetzt«, sagte Bea leise. »Ich komm gleich nach.«

Auf diese Weise aus dem Zimmer vertrieben und deutlich meiner Unfähigkeit überführt, mit Kleinkindern im Kriechalter umzugehen, kehrte ich ins Schlafzimmer zurück und legte mich wieder ins Bett. Für den Rest der Nacht würde ich sicher kein Auge mehr zutun. Ein wenig später erschien Bea und legte sich seufzend zu mir.

»Ich kann mich kaum noch auf den Beinen halten.«

Ich umarmte sie, und einige Minuten verharrten wir schweigend.

»Ich habe nachgedacht«, sagte sie dann.

Mach dich auf was gefasst, Daniel, dachte ich. Bea richtete sich auf und hockte sich auf dem Bett vor mich hin.

»Wenn Julián etwas größer ist und sich meine Mutter einige Stunden am Tag um ihn kümmern kann, ich glaube, dann will ich wieder arbeiten.«

Ich nickte.

»Wo denn?«

»Im Laden.«

Die Vorsicht gebot mir zu schweigen.

»Ich glaube, das käme euch allen gelegen«, fügte sie hinzu. »Für sein Alter arbeitet dein Vater zu viele Stunden, und ich glaube, ich kann, du entschuldigst schon, geschickter mit den Kunden umgehen als du und Fermín – der scheint mir in letzter Zeit die Leute eher zu vergraulen.«

»Das kann ich nicht bestreiten.«

»Was ist denn los mit dem armen Kerl? Neulich habe ich die Bernarda auf der Straße getroffen, und sie hat gleich angefangen zu heulen. Ich habe sie in eines der Cafés in der Petritxol entführt, und nachdem ich sie mit Sahnekakao abgefüllt hatte, hat sie mir erzählt, Fermín sei höchst seltsam. Anscheinend weigert er sich seit ein paar Tagen, die Papiere der Kirchgemeinde für die Heirat auszufüllen. Ich habe das Gefühl, der will nicht heiraten. Hat er dir etwas gesagt?«

»Mir ist schon auch etwas aufgefallen«, log ich. »Vielleicht übt die Bernarda zu viel Druck auf ihn aus …«

Bea betrachtete mich schweigend.

»Was?«, fragte ich schließlich.

»Die Bernarda hat mich gebeten, es niemandem zu sagen.«

»Was nicht zu sagen?«

Sie schaute mich fest an.

»Dass sie diesen Monat zu spät dran ist.«

»Zu spät? Hat sie sich zu viel Arbeit aufgebürdet?«

Bea schaute mich an wie einen Unterbelichteten, und da wurde es bei mir hell.

»Die Bernarda ist *schwanger*?«

»Red leiser, sonst weckst du Julián wieder auf.«

»Ist sie nun schwanger oder nicht?«, wiederholte ich mit hauchdünner Stimme.

»Wahrscheinlich.«

»Und weiß es Fermín?«

»Sie hat es ihm noch nicht sagen wollen. Sie hat Angst, dass er dann das Weite sucht.«

»Das würde er nie tun.«

»Alle Männer würden das tun, wenn sie könnten.«

Die Härte in ihrer Stimme überraschte mich, aber gleich wurde diese Stimme wieder weich und von einem gefügigen, wenn auch unglaubwürdigen Lächeln begleitet.

»Wie wenig du uns doch kennst.«

Im Halbdunkel stand sie auf, zog wortlos das

Nachthemd aus und ließ es neben das Bett fallen. Einige Sekunden lang durfte ich sie betrachten, dann beugte sie sich langsam über mich und leckte mir gemächlich die Lippen.

»Wie wenig ich euch doch kenne«, flüsterte sie.

10

Am nächsten Tag erwies sich die Leuchtkrippe tatsächlich als zugkräftige Werbung, und zum ersten
Mal seit Wochen sah ich meinen Vater lächeln, während er im Geschäftsbuch ein paar Verkäufe notierte.
Von den ersten Vormittagsstunden an tröpfelten einige alte Kunden herein, die sich lange nicht mehr
hatten blicken lassen, sowie Lesewillige, die uns zum
ersten Mal aufsuchten. Ich überließ sie alle meinem
Vater und seiner Erfahrung und sah mit Freuden, wie
er es genoss, ihnen Titel zu empfehlen, wie er ihre
Neugier weckte und ihre Vorlieben und Interessen
erahnte. Das versprach ein guter Tag zu werden, der
erste seit vielen Wochen.

»Daniel, wir werden die Reihe mit den illus-
trierten Klassikern für Kinder wieder hervorho-
len müssen. Die Vértice-Ausgaben mit dem blauen
Rücken.«

»Ich glaube, die sind im Keller. Hast du die Schlüssel?«

»Bea hat kürzlich danach gefragt, um irgendwelche
Kindersachen runterzubringen. Ich glaube, sie hat sie

mir nicht zurückgegeben. Schau doch mal in der Schublade nach.«

»Da sind sie nicht. Ich geh eben mal hoch und suche sie.«

Ich ließ meinen Vater mit einem Herrn allein, der gerade eingetreten war und ein Buch über die Geschichte der Barceloneser Cafés suchte, und ging durch das Hinterzimmer ins Treppenhaus. Unsere Dachgeschosswohnung war nicht nur sehr hell, sondern stärkte durch das viele Treppensteigen auch Seele und Schenkel. Unterwegs begegnete ich der Witwe Edelmira aus dem dritten Stock, einer ehemaligen Tänzerin, die jetzt in Heimarbeit Müttergottes und Heilige malte, um sich das tägliche Brot zu verdienen. Allzu viele Jahre auf den Brettern des Arnau-Theaters hatten ihr die Knie zuschanden gerichtet, und jetzt musste sie sich mit beiden Händen am Geländer festklammern, um ein schlichtes Stück Treppenhaus zu bewältigen. Trotzdem hatte sie immer ein Lächeln auf den Lippen und einige nette Worte bereit.

»Wie geht's denn deiner hübschen Frau, Daniel?«

»Nicht so hübsch wie Sie, Doña Edelmira. Kann ich Ihnen behilflich sein?«

Wie immer lehnte Edelmira mein Angebot ab und gab mir Grüße für Fermín mit, der stets eine Schmeichelei für sie zur Hand hatte und ihr bei jeder Begegnung unziemliche Anträge machte.

Als ich die Wohnungstür öffnete, roch es noch

nach Beas Parfüm und nach dieser Duftmischung, wie sie von Kindern und ihren Requisiten ausgeht. Bea stand immer früh auf und führte Julián in dem funknagelneuen Jané-Wägelchen spazieren, das uns Fermín geschenkt hatte und das alle den Mercedes nannten.

»Bea?«, rief ich.

Die Wohnung war klein, und das Echo kam zurück, bevor ich die Tür hinter mir geschlossen hatte. Sie war schon gegangen. Im Esszimmer stehend, versuchte ich den Gedankengang meiner Frau zu rekonstruieren und auf diese Weise herauszufinden, wo sie die Kellerschlüssel deponiert haben mochte. Sie war sehr viel ordentlicher und methodischer als ich. Zuerst suchte ich in den Buffetschubladen, wo sie Quittungen, zu beantwortende Briefe und Münzen zu verwahren pflegte. Dann ging ich weiter zu den kleinen Tischen, Obstschalen und Regalen.

Nächste Station war die Küche, wo Bea in einer Vitrine Notizen und Gedächtnishilfen hinterließ. Das Glück war mir nicht hold, und so endete ich im Schlafzimmer; ich blieb vor dem Bett stehen und blickte mich analytischen Sinnes um. Bea belegte fünfundsiebzig Prozent von Schrank, Schubladen und anderen Schlafzimmereinrichtungen, mit dem Argument, ich ziehe mich ja sowieso immer gleich an, also reiche ein Eckchen im Kleiderschrank für mich. Die Systematik ihrer Schubladen war von einer Raffinesse, vor der ich kapitulierte. Ein gewisses Schuldgefühl befiel mich, als ich das Reich meiner Frau durchforstete, aber nachdem ich glücklos alle sichtbaren Möbel abgesucht hatte, hatte ich die Schlüssel immer noch nicht gefunden.

Rekonstruieren wir doch den Ablauf, sagte ich mir. Vage erinnerte ich mich an eine Bemerkung von Bea, sie wolle eine Schachtel mit Sommerkleidern hinunterbringen. Das war vor zwei Tagen gewesen. Wenn mich die Erinnerung nicht täuschte, trug sie an jenem Tag den grauen Mantel, den ich ihr zu unserem ersten Hochzeitstag geschenkt hatte. Ich musste lachen über meine Kombinationsgabe und öffnete den Schrank, um unter Beas Kleidern den Mantel zu suchen. Da war er. Wenn alles von Sir Arthur Conan Doyle und seinen Adepten Gelernte stimmte, befanden sich die Kellerschlüssel in einer der Manteltaschen. Ich steckte die Hand in die rechte und stieß auf zwei Münzen und einige Mentholpastillen, wie man sie in den Apotheken geschenkt bekommt. Dann untersuchte ich die andere Tasche und sah meine These mit Befriedigung bestätigt – meine Finger berührten den Schlüsselbund.

Und noch etwas.

In der Tasche befand sich noch etwas. Ich zog die Schlüssel hervor und beschloss zögernd, auch das andere ans Tageslicht zu befördern. Eine von Beas Einkaufslisten konnte es nicht sein, dafür war es zu dick.

Es erwies sich als Kuvert. Ein Brief. Er war an Beatriz Aguilar gerichtet und laut dem Poststempel eine

Woche alt. Darauf stand die Adresse von Beas Eltern, nicht die der Wohnung in der Calle Santa Ana. Ich drehte ihn um, und als ich den Namen des Absenders las, fielen mir die Schlüssel aus der Hand.

Pablo Cascos Buendía

Ich setzte mich auf die Bettkante und schaute verwirrt diesen Umschlag an. Pablo Cascos Buendía war in den Tagen, als wir zu turteln begonnen hatten, Beas Verlobter gewesen. Einer begüterten Familie entstammend, die in El Ferrol mehrere Werften und Industriebetriebe besaß, hatte dieser Mensch, den ich so wenig hatte leiden können wie er mich, damals als Leutnant Militärdienst geleistet. Nachdem ihm Bea schriftlich die Auflösung der Verlobung mitgeteilt hatte, hatte sie nie wieder etwas von ihm gehört. Bis zu diesem Tag.

Was hatte ein Brief jüngsten Datums von Beas ehemaligem Verlobten in ihrer Manteltasche zu suchen? Der Umschlag war geöffnet, aber einen Moment lang hielten mich die Skrupel zurück, den Brief hervorzuziehen. Es war mir klar, dass ich Bea zum ersten Mal nachspionierte, und schon wollte ich den Umschlag wieder in den Mantel zurückstecken und mich verziehen. Mein tugendhafter Moment dauerte wenige Sekunden. Noch ehe ich am Ende des ersten Absatzes angelangt war, verflog jeder Anflug von Schuldgefühl und Scham.

Liebe Beatriz,

ich hoffe, es geht dir gut und du bist glücklich in deinem neuen Leben in Barcelona. Obwohl schon einige Monate vergangen sind, habe ich keine Antwort auf meine Briefe bekommen, und manchmal frage ich mich, ob ich mir etwas habe zuschulden kommen lassen, dass du nichts mehr von mir wissen willst. Ich verstehe ja, dass du eine verheiratete Frau und Mutter eines Kindes bist und dass es vielleicht nicht angebracht ist, dir zu schreiben. Dennoch muss ich dir gestehen, dass es mir, soviel Zeit auch verstrichen ist und trotz aller Anstrengung, nicht gelingt, dich zu vergessen, und ich schäme mich nicht, zu gestehen, dass ich immer noch in dich verliebt bin.

Auch mein Leben hat eine neue Richtung eingeschlagen. Vor einem Jahr habe ich eine Stelle als kaufmännischer Direktor eines wichtigen Verlagsunternehmens angetreten. Ich weiß, wie viel dir Bücher immer bedeutet haben, und zwischen Büchern zu arbeiten gibt mir das Gefühl, dir näher zu sein. Mein Büro befindet sich in der Madrider Filiale, aber meine Arbeit führt mich oft durch ganz Spanien.

Ich denke fortwährend an dich, an das Leben, das wir hätten teilen, an die Kinder, die wir zusammen hätten haben können ... Täglich frage ich mich, ob dich dein Mann glücklich machen kann und ob du ihn nicht nur umständehalber geheiratet hast. Ich kann mir nicht vorstellen, dass du dir das bescheidene Leben, das er dir bietet, tatsächlich wünschst. Ich kenne dich genau. Wir sind Kollegen und Freunde gewesen, und zwischen uns hat es keine Geheimnisse gegeben. Kannst du dich an unsere gemeinsamen Nachmittage am San-Pol-Strand erinnern? Kannst du dich an die Pläne, an die Träume erinnern, die wir geteilt, an die Versprechen, die wir uns gegeben haben? Nie habe ich mich mit jemandem so gefühlt wie mit dir. Seit der Auflösung unserer Verlobung war ich mit einigen Mädchen befreundet, doch mittlerweile weiß ich, dass keine an dich heranreicht. Immer wenn ich andere Lippen küsse, denke ich an die deinen, und immer wenn ich eine andere Haut liebkose, spüre ich die deine.

In einem Monat werde ich unser Verlagsbüro in Barcelona besuchen und mit dem Personal eine Reihe von Gesprächen über eine künftige Restrukturierung des Unternehmens führen. Eigentlich hätte ich diese Formalitäten auch per Post und telefonisch erledigen können. Der wirkliche Grund meiner Reise ist kein anderer als die Hoffnung, dich sehen zu können. Ich weiß, du wirst denken, ich sei verrückt, aber besser so, als dass du denkst, ich hätte dich vergessen. Ich komme am 20. Januar und werde im Ritz in *der Gran Vía absteigen. Ich möchte dich zu gern sehen, und sei es nur eine Weile, damit ich dir persönlich sagen kann, was ich im Herzen trage. Ich habe für den 21. im Hotelrestaurant auf zwei Uhr einen Tisch reserviert. Dort werde ich dich erwarten. Wenn du kommst, wirst du mich zum glücklichsten Menschen auf Erden machen, und ich werde die Gewissheit haben, dass meine Träume, deine Liebe wiederzuzugewinnen, nicht hoffnungslos sind.*

Dich seit je liebend

Pablo

Einige Sekunden lang blieb ich weiter auf dem Bett sitzen, das ich erst vor ein paar Stunden noch mit Bea geteilt hatte. Dann steckte ich den Brief wieder in den Umschlag, und als ich aufstand, hatte ich das Gefühl, ich hätte eben einen Faustschlag in den Magen bekommen. Ich rannte ins Bad und erbrach den Morgenkaffee ins Waschbecken. Dann klatschte ich mir kaltes Wasser ins Gesicht. Im Spiegel schaute mich das Gesicht des sechzehnjährigen Daniel an, dessen Hände gezittert hatten, als er Bea zum ersten Mal liebkost hatte.

11

Als ich in den Laden zurückkam, warf mir mein Vater einen forschenden Blick zu und schaute auf die Armbanduhr. Vermutlich fragte er sich, wo ich die letzte halbe Stunde gesteckt haben mochte, doch er sagte nichts. Seinem Blick ausweichend, gab ich ihm die Kellerschlüssel.

»Aber wolltest nicht du runtergehen und die Bücher holen?«, fragte er.

»Ja, klar, entschuldige. Ich geh gleich.«

Er sah mich misstrauisch an.

»Ist alles in Ordnung, Daniel?«

Ich nickte, scheinbar erstaunt über die Frage. Bevor er sie wiederholen konnte, machte ich mich zum Keller auf. Der Zugang befand sich ganz hinten im Hausflur. Eine mit einem Vorhängeschloss verriegelte Metalltür unter dem ersten Treppenstück öffnete sich zu einer Wendeltreppe, die sich im Dunkeln verlor und nach Feuchtigkeit roch und an etwas Undefinierbares wie gestampfte Erde oder verwelkte Blumen erinnerte. An der Decke hing eine Reihe anämisch flackernder Glühbirnen, die das Ganze gleichsam zu einem Luftschutzkeller machten. Ich stieg hinunter und tastete an der Kellerwand nach dem Lichtschalter.

Über meinem Kopf hing eine gelbliche Birne und erhellte notdürftig eine Art größenwahnsinnige Rumpelkammer. Mumien herrenloser Fahrräder, von Spinnweben überzogene Bilder und gestapelte Kartonschachteln in von der Feuchtigkeit aufgeweichten Holzregalen bildeten eine Kulisse, die nicht unbedingt zu längerem Verweilen einlud. Erst jetzt ging mir auf, wie merkwürdig es war, dass Bea selbst da herunterzukommen beschlossen hatte, statt mich um diesen Gang zu bitten. Ich fragte mich, was der Raum außer all dem Gerümpel sonst noch für Geheimnisse bergen mochte.

Als mir bewusst wurde, in was ich mich da hineinsteigerte, seufzte ich. Die Worte dieses Briefes tropften mir stetig in den Geist wie Säure. Ich nahm mir das Versprechen ab, zwischen diesen Schachteln nicht nach Bündeln parfümierter Briefe dieses Individuums zu suchen. Dieses Versprechen hätte ich schon nach wenigen Sekunden gebrochen, hätte ich auf der Treppe nicht Schritte gehört. Ich schaute auf und erblickte Fermín, der die Szenerie angeekelt betrachtete.

»Na, hier riecht's ja nach wurmstichiger Leiche. Sie bewahren doch nicht etwa in einer dieser Kisten zwischen Häkelmustern die einbalsamierte Mutter der Merceditas auf?«

»Wenn Sie schon da sind, helfen Sie mir doch ein paar Schachteln für meinen Vater hinaufzutragen.«

Fermín krempelte sich die Ärmel hoch. Ich deutete auf zwei Schachteln mit dem Siegel des Vértice-Verlags, und wir fassten beide je eine.

»Daniel, Sie sehen ja elender aus als ich. Ist was?«

»Das müssen die Ausdünstungen dieses Kellers sein.«

Er ließ sich von meinem Versuch zu scherzen nicht täuschen. Ich stellte die Schachtel wieder hin und setzte mich darauf.

»Darf ich Sie etwas fragen, Fermín?«

Nun benutzte auch er seine Schachtel als Hocker. Ich schaute ihn an, wollte reden, brachte aber kein Wort über die Lippen.

»Probleme im Ehebett?«, fragte er.

Ich errötete, als ich feststellte, wie gut mich mein Freund kannte.

»So was Ähnliches.«

»Fehlt es der Señora Beatriz, gebenedeit unter den Frauen, an Gefechtslust, oder hat sie im Gegenteil zu viel davon, und Sie schaffen mit Mühe und Not den Dienst nach Vorschrift? Vergessen Sie nicht, dass bei jungen Müttern eine Hormonbombe im Blut gezündet worden ist. Eines der großen Geheimnisse der Natur ist, wie sie es schaffen, in den zwanzig Sekunden nach der Geburt nicht den Verstand zu verlieren. Das alles weiß ich, weil die Geburtshilfe eines meiner Hobbys ist, gleich nach dem Sonett.«

»Nein, das ist es nicht. Soviel ich weiß.«

Er schaute mich erstaunt an.

»Ich muss Sie bitten, nicht weiterzuerzählen, was ich Ihnen sagen werde.«

Er bekreuzigte sich feierlich.

»Gerade eben habe ich zufällig in Beas Manteltasche einen Brief gefunden.«

Meine Pause schien ihn nicht zu beeindrucken.

»Und?«

»Der Brief stammt von ihrem ehemaligen Verlobten.«

»Dem Verflossenen? Ist der denn nicht nach des Caudillos El Ferrol gegangen, um eine spektakuläre Karriere als Herrensöhnchen zu absolvieren?«

»Das dachte ich auch. Aber nun schreibt er in seiner Freizeit meiner Frau Liebesbriefe.«

Fermín schoss auf.

»Gottverdammte Scheiße«, knurrte er, empörter als ich.

Ich zog den Brief aus der Tasche und reichte ihn ihm. Fermín beroch ihn, ehe er ihn entfaltete.

»Bin ich das, oder schreibt dieser Hurenbock seine Briefe auf parfümiertem Papier?«

»Ich habe nicht drauf geachtet, aber wundern würde es mich nicht. Der Mann ist so. Das Beste kommt noch. Lesen Sie, los …«

Fermín las leise, den Kopf schüttelnd.

»Das ist nicht nur ein fieses Schwein, sondern auch ein gewaltiger Lackaffe. ›Andere Lippen küssen‹, das reicht eigentlich schon, um ihn für eine Nacht hinter Gitter zu bringen.«

Ich steckte den Brief wieder ein und schleifte den Blick über den Boden.

»Sie werden mir ja wohl nicht sagen, dass Sie Señora Bea verdächtigen …?«, fragte er ungläubig.

»Nein, natürlich nicht.«

»Schwindler.«

Ich stand auf und begann im Keller Runden zu drehen.

»Was würden denn Sie tun, wenn Sie in der Tasche der Bernarda einen solchen Brief fänden?«

Fermín dachte lange nach.

»Was ich täte, wäre, der Mutter meines Kindes Vertrauen schenken.«

»Vertrauen schenken?«

Er nickte.

»Ich will Sie nicht beleidigen, Daniel, aber Sie haben das klassische Problem der Männer, die ein Superweib heiraten. Señora Bea, die für mich eine Heilige ist und immer sein wird, da kann man nur, um es volkstümlich auszudrücken, das Brot tunken und den Teller mit den Fingern auswischen. Also ist vorherzusehen, dass Lustmolche, Unglückliche, Muskelprotze und typische Angeber aller Gattungen hinter ihr her sind. Mit Ehemann und Kind oder nicht, das ist dem in einem Anzug steckenden Affen, den wir wohlwollend Homo sapiens nennen, vollkommen wurscht. Sie werden es nicht bemerken, aber ich verwette meine Unterhose, dass Ihre heilige Frau von mehr Fliegen umschwirrt wird als ein Honigtopf auf der Aprilmesse. Dieser Kretin ist doch bloß ein Aasvogel, der mit Steinen um sich wirft, um zu sehen, ob einer irgendwo landet. Hören Sie auf mich, eine Frau mit Köpfchen und dem Unterrock am rechten Fleck riecht Typen dieses Schlages von weitem.«

»Sind Sie sich da sicher?«

»Der Zweifel beleidigt. Glauben Sie denn, wenn Ihnen Doña Beatriz Hörner aufsetzen wollte, müsste sie warten, bis ihr ein halbseidener Schleimer aufgewärmte Boleros schickt, um sie zu verführen? Wenn ihr nicht jedes Mal, wenn sie mit dem Kleinen und ihrem hübschen Gesichtchen spazieren geht, zehn Freier schöne Augen machen, macht ihr keiner welche. Glauben Sie mir – ich weiß, wovon ich rede.«

»Ich weiß nicht recht, ob mir das im Moment ein großer Trost ist.«

»Passen Sie auf, Sie stecken jetzt diesen Brief wieder in die Manteltasche, wo Sie ihn gefunden haben, und vergessen das Ganze. Und kommen Sie mir ja nicht auf die Idee, Ihrer Frau etwas davon zu sagen.«

»Das würden Sie tun?«

»Was ich tun würde, wäre, diesen Idioten heimsuchen und ihm einen solchen Tritt in die Schamteile geben, dass er, wenn man sie ihm aus dem Genick operiert, bloß noch in einem Kartäuserkloster verschwinden will. Aber ich bin ich. Und Sie sind Sie.«

Ich spürte, wie sich die Angst in mir ausbreitete wie ein Öltropfen auf klarem Wasser.

»Ich weiß nicht, ob Sie mir damit helfen, Fermín.« Er zuckte die Schultern, stemmte die Schachtel hoch und verschwand treppauf.

Den Rest des Vormittags gingen wir den Obliegenheiten der Buchhandlung nach. Nachdem ich zwei Stunden über den Brief nachgegrübelt hatte, kam ich zum Schluss, dass Fermín recht hatte. Ob er allerdings wirklich darin recht hatte, dass ich vertrauen und schweigen sollte oder ob ich mir diesen Mistkerl nicht besser vorknöpfen und ihm ein neues Gesicht verpassen sollte, war mir letztlich nicht klar. Der Kalender über dem Ladentisch zeigte den 20. Dezember an. Ich hatte einen Monat Zeit für eine Entscheidung.

Der Tag verlief rege und mit bescheidenen, aber konstanten Verkäufen. Fermín ließ sich keine Gelegenheit entgehen, meinen Vater für den Segen der Krippe und dieses Jesuskinds mit der Statur eines baskischen Gewichthebers zu loben.

»Da ich sehe, dass Sie ein echtes Verkaufsgenie sind, ziehe ich mich nach hinten zurück, um sauberzumachen und die Sammlung durchzusehen, die uns die Witwe neulich anvertraut hat.«

Ich packte die Gelegenheit beim Schopf, folgte Fermín nach hinten und zog den Vorhang zum Laden zu. Er schaute mich einigermaßen beunruhigt an, und ich lächelte versöhnlich.

»Wenn Sie wollen, helfe ich Ihnen.«

»Wie Sie belieben, Daniel.«

Einige Minuten lang packten wir die Bücherkartons aus und stapelten den Inhalt nach Gattung, Zustand und Größe. Fermín öffnete die Lippen keinen Spaltbreit und wich meinem Blick aus.

»Fermín …«

»Ich habe Ihnen schon gesagt, dass Sie sich wegen des Briefes keine Sorgen zu machen brauchen. Ihre Frau Gemahlin ist kein Flittchen, und wenn sie Sie eines Tages sitzenlassen will, und da sei Gott vor, wird sie es Ihnen ins Gesicht sagen, ohne Groschenromanintrigen.«

»Botschaft angekommen, Fermín. Aber es ist nicht das.«

Er schaute bekümmert auf, da er ahnte, was kommen würde.

»Ich habe gedacht, wir beide könnten heute Abend nach Ladenschluss essen gehen«, begann ich. »Um über unsere Angelegenheiten zu plaudern. Über den Besuch von neulich. Und über das, was Ihnen Sorgen macht – ich spüre es im Urin, dass es da einen Zusammenhang gibt.«

Fermín legte das Buch, das er gerade saubermachte, auf den Tisch. Er schaute mich mutlos an und seufzte.

»Ich stecke in der Klemme, Daniel«, murmelte er schließlich. »Und ich weiß nicht, wie ich da rauskommen soll.«

Ich legte ihm die Hand auf die Schulter. Unter dem Kittel war nichts weiter zu spüren als Haut und Knochen.

»Dann erlauben Sie mir, Ihnen zu helfen. Wenn man sie gemeinsam angeht, sehen solche Dinge gleich etwas weniger schlimm aus.«

Er schaute mich verloren an.

»Bestimmt haben wir schon aus größeren Schwierigkeiten herausgefunden, Sie und ich«, setzte ich nach.

Er lächelte traurig, wenig überzeugt von meiner Diagnose.

»Sie sind ein guter Freund, Daniel.«

Nicht halb so gut, wie er es verdiente, dachte ich.

12

Zu jener Zeit hauste Fermín noch in der alten Pension in der Calle Joaquín Costa, wo, wie ich aus sicherer Quelle wusste, die anderen Untermieter in engem Zusammenwirken mit der Rociíto und ihren Kampfgefährtinnen einen Junggesellenabschied für ihn vorbereiteten, der in die Geschichte eingehen würde. Fermín erwartete mich schon vor dem Hauseingang, als ich ihn kurz nach neun Uhr abholte.

»Großen Hunger habe ich eigentlich nicht«, sagte er zur Begrüßung.

»Schade, ich hatte gedacht, wir könnten ins Can Lluís gehen«, schlug ich vor. »Heute Abend gibt's gekochte Kichererbsen mit Schweinekopf und -füßchen …«

»Na ja, man darf auch nicht allzu voreilig sein«, stimmte er zu. »Gutes Essen ist wie junge Mädchenblüte – nur Schwachköpfe wissen es nicht zu schätzen.«

Mit dieser Perle aus dem Aphorismenschatz des vortrefflichen Don Fermín Romero de Torres als Motto spazierten wir zum Can Lluís hinunter, das

unter allen Lokalen in Barcelona wie auch im Groß-
teil der restlichen bekannten Welt eines der Lieb-
lingslokale meines Freundes war. Es lag in der Calle
de la Cera 49, auf der Schwelle zum Herzstück des
Raval-Viertels. Sich schlicht gebend, mit einem Hauch
von Wanderbühnennostalgie und randvoll von den
Geheimnissen des alten Barcelona, zeichnete sich das
Can Lluís durch eine hervorragende Küche, einen
Service wie aus dem Lehrbuch und durch selbst für
Fermín oder mich erschwingliche Preise aus. Unter
der Woche versammelte sich da abends eine Boheme-
gemeinde – Theater- und Literaturmenschen und
weitere Kreaturen, die gut oder elend lebten und alle
miteinander anstießen.

Im Can Lluís trafen wir einen Stammkunden des
Ladens an, Professor Alburquerque, stadtbekannter
Gelehrter, Dozent an der philosophischen Fakultät
und feinsinniger Kritiker und Artikelschreiber, der
hier sein zweites Zuhause hatte und jetzt an der
Theke zur Zeitungslektüre dinierte.

»Sie lassen sich selten blicken, Professor«, sagte ich
im Vorbeigehen. »Besuchen Sie uns doch mal wieder,
um Ihre Bestände aufzustocken – der Mensch lebt
nicht von der Lektüre der Todesanzeigen in der *Vanguardia* allein.«

»Das würde ich nur zu gern tun. Das sind diese
verflixten Diplomarbeiten. Bei dem ganzen Schwachsinn, den dieses eingebildete Pack heute zusammen-

stottert, werde ich über kurz oder lang legasthenisch.«

Da servierte ihm ein Kellner den Nachtisch: einen runden Flan, der in einem Tränenmeer aus gebranntem Zucker wabbelte und nach delikater Vanille roch.

»Diese Anwandlung dürfte Euer Hochwohlgeboren nach zwei Löffeln von diesem Wunderwerk sogleich vergehen«, sagte Fermín, »wo es mit seinem Karamellwackeln dermaßen Doña Margarita Xirgus Busen gleicht.«

Der gelahrte Dozent betrachtete seine Nachspeise im Lichte dieser Überlegung und stimmte verzückt bei. Wir überließen ihn dem Genuss der zuckersüßen Reize der Bühnendiva und fanden an einem Ecktisch im hinteren Speisesaal ein Unterkommen. Nach kurzer Zeit wurde uns ein üppiges Essen aufgetragen, das Fermín wie ein Scheunendrescher wegputzte.

»Und ich dachte, Sie hätten keinen Hunger«, warf ich hin.

»Es ist der Muskel, der Kalorien heischt«, erklärte er, während er mit dem letzten Stück Brot den Teller auf Hochglanz polierte, aber ich hatte das Gefühl, es sei pure Beklemmung, was ihn aufzehrte.

Pere, unser Kellner, trat an den Tisch und erkundigte sich nach unserem Ergehen. Als er sah, dass Fermín keinen Stein auf dem anderen gelassen hatte, reichte er ihm die Dessertkarte.

»Ein Nachtischchen, um das Werk zu vollenden, Meister?«

»Also zu zwei Flans nach Art des Hauses, wie ich vorher einen gesehen habe, würde ich nicht nein sagen, nach Möglichkeit mit je einer blutroten Sauerkirsche.«

Pere nickte und erzählte, als der Wirt gehört habe, wie Fermín die Konsistenz und die metaphorische Kraft dieses Rezepts glossierte, habe er beschlossen, den Flan in *Margarita* umzutaufen.

»Für mich nur einen kleinen Kaffee«, sagte ich.

»Der Chef sagt, Dessert und Kaffees gehen aufs Haus«, sagte Pere.

Wir prosteten mit den Weingläsern dem Wirt zu, der sich hinter der Theke mit Professor Alburquerque unterhielt.

»Ein guter Mensch«, murmelte Fermín. »Manchmal vergisst man geradezu, dass es auf dieser Welt nicht nur Gesindel gibt.«

Die Härte und Bitterkeit seines Tons überraschte mich.

»Warum sagen Sie das, Fermín?«

Mein Freund zuckte die Achseln. Gleich darauf kamen die beiden Flans, auf denen sich die Sauerkirschen verführerisch in prekärem Gleichgewicht hielten.

»Ich möchte Sie daran erinnern, dass Sie in ein paar Wochen heiraten, und dann ist Schluss mit den Margaritas«, scherzte ich.

»Ich Ärmster«, sagte er. »Ich bin bloß noch Mundwerk. Ich bin nicht mehr der von früher.«

»Keiner von uns ist der von früher.«

Wonniglich genoss er seine beiden Flans.

»Jetzt weiß ich gar nicht mehr, wo, aber einmal habe ich gelesen, dass wir im Grunde nie die von früher gewesen sind, dass wir uns nur an das erinnern, was nie geschehen ist …«, sagte Fermín.

»Das stammt aus dem Anfang eines Romans von Julián Carax«, antwortete ich.

»Stimmt. Was mag wohl aus dem guten Carax geworden sein? Fragen Sie sich das nie?«

»Jeden Tag.«

Fermín lächelte, als er sich an unsere Abenteuer aus früheren Zeiten erinnerte. Dann deutete er mit dem Finger fragend auf meine Brust.

»Tut es noch weh?«

Ich knöpfte ein Stück weit das Hemd auf und zeigte ihm die Narbe, die Inspektor Fumeros Kugel hinterlassen hatte, nachdem sie mir an jenem weit zurückliegenden Tag in den Ruinen der Nebelburg in die Brust gedrungen war.

»Manchmal.«

»Narben verschwinden nie, nicht wahr?«

»Sie kommen und gehen, glaube ich. Fermín, schauen Sie mich an.«

Fermíns scheuer Blick blieb an meinem hängen.

»Wollen Sie mir jetzt erzählen, was los ist?«

Er zögerte einige Sekunden.

»Haben Sie gewusst, dass die Bernarda guter Hoffnung ist?«, fragte er.

»Nein«, log ich. »Ist es das, was Ihnen Sorgen macht?«

Er schüttelte den Kopf, löffelte den zweiten Flan zu Ende und schlürfte den Rest des gebrannten Zuckers auf.

»Sie hat es mir noch nicht sagen wollen, das arme Ding, weil sie sich Sorgen macht. Aber mich wird sie zum glücklichsten Mann der Welt machen.«

Ich schaute ihn aufmerksam an.

»Wenn ich Ihnen die Wahrheit sagen soll, jetzt und aus nächster Nähe, glücklich sehen Sie überhaupt nicht aus. Ist es wegen der Hochzeit? Macht Ihnen die kirchliche Trauung und all das Bauchweh?«

»Nein, Daniel. Ich freue mich wirklich darauf, obwohl Pfaffen mit im Spiel sind. Die Bernarda würde ich jeden Tag heiraten.«

»Also?«

»Wissen Sie, was als Erstes von einem verlangt wird, wenn man heiraten will?«

»Der Name«, sagte ich spontan.

Er nickte bedächtig. Dieser Gedanke war mir bisher noch nicht gekommen. Schlagartig begriff ich das Problem, dem sich mein guter Freund gegenübersah.

»Wissen Sie noch, was ich Ihnen vor Jahren erzählt habe, Daniel?«

Ich konnte mich bestens erinnern. Während des Bürgerkriegs und dank den unheilvollen Machenschaften Inspektor Fumeros, der, bevor er bei den Faschisten anheuerte, als gedungener Killer der Kommunisten wirkte, war mein Freund im Gefängnis gelandet, wo er beinahe den Verstand und das Leben verloren hätte. Als es ihm gelang herauszukommen, wie durch ein Wunder noch am Leben, beschloss er, eine neue Identität anzunehmen und die Vergangenheit auszulöschen. Todkrank hatte er sich einen Namen ausgeliehen, den er auf einem alten Stierkampfplakat bei der Monumental-Arena gesehen hatte. So war Fermín Romero de Torres geboren worden, ein Mann, der seine Geschichte täglich neu erfand.

»Darum wollten Sie also die Papiere der Kirchgemeinde nicht ausfüllen«, sagte ich. »Weil Sie den Namen Fermín Romero de Torres nicht benutzen können.«

Er nickte.

»Ich bin sicher, dass wir einen Weg finden, neue Papiere für Sie zu beschaffen. Erinnern Sie sich noch an Leutnant Palacios, der den Polizeidienst aufgegeben hat? Jetzt erteilt er Sportunterricht an einer Schule der Bonanova, aber einmal ist er im Laden vorbeigekommen und hat allerlei erzählt, unter anderem, dass es einen regelrechten Schwarzmarkt gibt für Leute, die eine neue Identität brauchen, weil sie jahrelang im Ausland gelebt haben und nun nach Spanien zurückkommen. Und er kenne jemand mit einer Werkstatt in der Nähe der Atarazanas, der Kontakte zur Polizei habe und einem für hundert Peseten einen neuen Personalausweis beschaffe und diese Identität im Ministerium registrieren lasse.«

»Das weiß ich. Er hieß Heredia. Ein Künstler.«

»Hieß?«

»Vor zwei Monaten hat man ihn im Hafen gefunden, im Wasser treibend. Es hieß, er sei auf der Fahrt zum Wellenbrecher von einem der Ausflugsboote gefallen. Die Hände auf dem Rücken gefesselt. Faschohumor.«

»Haben Sie ihn gekannt?«

»Wir haben miteinander verkehrt.«

»Aber dann haben Sie ja Papiere, die Sie als Fermín Romero de Torres ausweisen …«

»Heredia hat sie mir anno 39 beschafft, gegen Kriegsende. Damals war es noch einfacher, alles war ein einziges Tohuwabohu, und als die Leute merkten, dass das Schiff unterging, haben sie einem für zwei Duros sogar das Namensschildchen verkauft.«

»Warum können Sie dann Ihren Namen nicht verwenden?«

»Weil Fermín Romero de Torres 1940 gestorben ist. Das waren schlechte Zeiten, Daniel, sehr viel schlechter als heute. Kein Jahr hat es der Arme ausgehalten.«

»Er ist gestorben? Wo? Wie?«

»Im Gefängnis des Kastells von Montjuïc. In Zelle 13.«

Ich erinnerte mich an die Widmung, die der Unbekannte für Fermín in den *Grafen von Monte Christo* geschrieben hatte.

Für Fermín Romero de Torres, der von den Toten auferstanden ist und den Schlüssel zur Zukunft hat.

13

»An jenem Abend habe ich Ihnen nur einen kleinen Teil der Geschichte erzählt, Daniel.«

»Ich dachte, Sie hätten Vertrauen zu mir.«

»Ihnen würde ich mit geschlossenen Augen mein Leben anvertrauen. Darum geht es nicht. Wenn ich Ihnen nur einen Teil der Geschichte erzählt habe, dann, um Sie zu schützen.«

»Um mich zu schützen? Wovor?«

Geschlagen senkte Fermín die Augen.

»Vor der Wahrheit, Daniel …, vor der Wahrheit.«

Zweiter Teil

AUS DER WELT DER TOTEN

1

Barcelona, 1939

Die neuen Gefangenen wurden nachts vom Präsidium in der Vía Layetana in schwarzen Personenoder Lieferwagen gebracht, die lautlos und ohne dass jemand sie beachtete oder beachten wollte, die Stadt durchquerten. Die Fahrzeuge der politischen Polizei fuhren über die alte Straße auf den Montjuïc, und manch einer erzählte, sowie er auf dem Hügel die Umrisse des Kastells vor den schwarzen, vom Meer heraufkriechenden Wolken gesehen habe, sei ihm klargeworden, dass er nie wieder lebend von da wegkommen werde.

Die Festung war zuoberst auf dem Felsen verankert, zwischen dem Meer im Osten, dem Schattenteppich, den Barcelona im Norden auslegte, und im Süden der endlosen Stadt der Toten, dem alten Friedhof Montjuïc, dessen Gestank den Fels hochkletterte und durch die Spalten im Gestein und die Gitterstäbe der Zellen sickerte. In früheren Zeiten war die Stadt vom Kastell aus mit Kanonenkugeln beschossen worden, aber nur wenige Monate nach dem Fall Barcelonas im Januar und der endgültigen

Niederlage im April nistete hier still der Tod, und die in der längsten Nacht ihrer Geschichte gefangenen Barcelonesen schauten lieber nicht zum Himmel empor, um die Silhouette des Gefängnisses oben auf dem Hügel nicht sehen zu müssen.

Den Gefangenen der politischen Polizei wurde beim Eintritt eine Nummer zugeteilt, normalerweise die ihrer künftigen Zelle, in der sie höchstwahrscheinlich auch sterben würden. Für die meisten Mieter, wie einer der Wärter sie gern nannte, war der Weg ins Kastell eine Einbahnstraße. In der Nacht, in der der Mieter Nr. 13 ankam, regnete es in Strömen. Durch die Steinmauern bluteten kleine schwarze Wasseradern, und die Luft stank nach umgegrabener Erde. Zwei Offiziere begleiteten ihn zu einem Raum, in dem nichts weiter als ein Metalltisch und ein Stuhl standen. Von der Decke hing eine nackte Glühbirne, die bei abnehmender Leistung des Generators flackerte. Bewacht von einem Posten mit Gewehr, wartete er hier in klatschnassen Kleidern beinahe eine halbe Stunde im Stehen.

Schließlich hallten Schritte, die Tür ging auf, und ein junger Mann, kaum älter als dreißig Jahre, trat ein. Er trug einen frisch gebügelten Wollstoffanzug und roch nach Kölnischwasser. Er sah nicht martialisch aus wie ein Berufsmilitär oder Polizeioffizier, sondern hatte weiche Züge und ein freundliches Gesicht. Dem Gefangenen fielen sein Gebaren des jungen Herrn aus gutem Hause und die Herablassung eines Mannes auf, der sich erhaben fühlt über die ihm zugewiesene Stellung und die dazu gehörende Umgebung. Das Auffälligste an seinem Gesicht waren die Augen. Blau, durchdringend, verengt vor Habgier und Argwohn. Nur sie verrieten hinter der Fassade einstudierter Eleganz und leutseliger Gebärde seine wahre Natur.

Runde Brillengläser vergrößerten seinen Blick, und das nach hinten gekämmte pomadisierte Haar gab ihm etwas Affektiertes, was nicht recht zur unheilschwangeren Kulisse passen wollte. Er nahm auf dem Stuhl hinter dem Tisch Platz und klappte das Dossier auf, das er mitgebracht hatte. Nachdem er seinen Inhalt überflogen hatte, hielt er die Hände zusammen, mit den Fingerspitzen das Kinn stützend, und schaute den Gefangenen lange an.

»Verzeihen Sie, ich glaube, da hat es eine Verwechslung gegeben …«

Der Hieb mit dem Gewehrkolben in den Magen benahm dem Gefangenen den Atem, und er stürzte wie ein Knäuel zu Boden.

»Du hast nur zu sprechen, wenn dich der Herr Direktor fragt«, sagte der Posten.

»Aufstehen«, befahl der Direktor mit leicht zitternder Stimme, die das Befehlen noch nicht so richtig gewohnt war.

Der Gefangene rappelte sich wieder hoch und stellte sich dem unbehaglichen Blick des Direktors.

»Name?«

»Fermín Romero de Torres.«

Der Gefangene beobachtete diese blauen Augen und las in ihnen Verachtung und Desinteresse.

»Was ist denn das für ein Name? Willst du mich für dumm verkaufen? Los, den richtigen Namen.«

Der Gefangene, ein mickriges Männchen, reichte dem Direktor seine Papiere. Der Posten riss sie ihm aus der Hand und legte sie auf den Tisch. Der Direktor warf einen raschen Blick darauf und schnalzte lächelnd mit der Zunge.

»Noch einer mit welchen von Heredia …«, murmelte er, bevor er die Dokumente in den Papierkorb warf. »Diese Papiere taugen nichts. Willst du mir nun sagen, wie du heißt, oder muss ich ernst werden?«

Der Mieter Nr. 13 versuchte, einige Worte zu formulieren, doch er brachte nur etwas Unverständliches über die zitternden Lippen.

»Keine Angst, mein Lieber, wir fressen hier keinen auf. Was hat man dir denn erzählt? Es gibt viele Scheißrote, die mit falschen Anschuldigungen um sich werfen, aber wenn die Leute kooperativ sind, behandeln wir sie gut hier, wie Spanier. Los, zieh dich aus.«

Der neue Mieter zauderte einen Augenblick. Der Direktor senkte den Blick, als ob ihm dieses ganze Prozedere lästig fallen und ihn nur die Sturheit des Gefangenen an Ort und Stelle halten würde. Einen Moment später verpasste der Posten dem Mieter einen zweiten Schlag mit dem Gewehrkolben, diesmal in die Nieren, der ihn abermals umwarf.

»Du hast doch gehört, was der Herr Direktor gesagt hat. Splitternackt. Wir haben nicht die ganze Nacht Zeit.«

Der Mieter Nr. 13 raffte sich auf die Knie auf, und in dieser Stellung schälte er sich aus den blutigen, verschmutzten Kleidern. Als er völlig nackt war, rammte ihm der Posten den Gewehrlauf unter die eine Schulter und zwang ihn aufzustehen. Der Direktor blickte auf und betrachtete angewidert die Verbrennungen auf seinem Rücken, dem Gesäß und einem großen Teil der Schenkel.

»Sieht aus, als wär der Held hier ein alter Bekannter von Fumero«, bemerkte der Posten.

»Halten Sie den Mund«, befahl ihm der Direktor wenig überzeugend.

Ungeduldig schaute er den Gefangenen an, dem die Tränen übers Gesicht liefen.

»Los, flenn nicht und sag mir, wie du heißt.«

Der Gefangene flüsterte abermals seinen Namen.

»Fermín Romero de Torres …«

Angewidert seufzte der Direktor.

»Hör gut zu, mir reißt allmählich der Geduldsfaden. Ich will dir helfen, und ich habe keine Lust, Fumero zu rufen und ihm zu sagen, dass du hier bist …«

Der Gefangene begann zu wimmern wie ein verwundeter Hund und zitterte so heftig, dass der Direktor, dem die Szene deutlich unangenehm war und der die Formalitäten so schnell wie möglich hinter sich bringen wollte, einen Blick mit dem Posten wechselte und leise fluchend den Namen aufschrieb, den ihm der Gefangene genannt hatte.

»Scheißkrieg«, murmelte er wie zu sich selbst, als der Gefangene nackt durch die Tunnel voller Pfützen in seine Zelle abgeführt wurde.

2

Die Zelle war ein feuchtdunkles Rechteck mit einem kleinen, in den Fels gehauenen Loch, durch das kalte Luft pfiff. Die Mauern waren übersät von Einkerbungen und Inschriften ehemaliger Mieter. Einige hatten ihren Namen und die Daten ihres Hierseins oder sonst einen Hinweis auf ihre Existenz eingeritzt. Einer hatte sich damit unterhalten, Kreuzworträtsel in die Dunkelheit zu kratzen, doch der Himmel schien keine Notiz davon genommen zu haben. Rostige Eisenstäbe vergitterten die Zelle und hinterließen bei der Berührung einen braunen Schleier an den Händen.

Fermín hatte sich auf einer Pritsche zusammengekauert und versuchte mit einem zerlumpten Stück Stoff, in dem er Decke, Matratze und Kopfkissen in einem vermutete, seine Blöße zu bedecken. Das Halbdunkel hatte einen kupferfarbenen Schimmer wie der Hauch einer verglimmenden Kerze. Nach einer Weile gewöhnten sich die Augen an dieses Dauerdunkel, und die Ohren wurden so fein, dass sie in der Litanei von Tropfen und Echos der Außenluft die leiseste Bewegung von Körpern wahrnahmen.

Er hatte bereits eine halbe Stunde auf seiner Pritsche verbracht, als er am anderen Ende der Zelle undeutliche Umrisse erkannte. Er stand auf, ging langsam näher und stellte fest, dass es ein schmutziger Segeltuchsack war. Kälte und Feuchtigkeit waren ihm allmählich in die Knochen gedrungen, und obwohl der von diesem dunkel gesprenkelten Bündel ausgehende Gestank zu wenig beglückenden Vermutungen einlud, dachte Fermín, darin vielleicht die Gefangenenuniform zu finden, die ihm zu geben sich niemand die Mühe gemacht hatte, und mit etwas Glück sogar eine Decke. Er kniete vor dem Sack nieder und löste am einen Ende den Knoten.

Als er das Segeltuch wegzog, enthüllte der zittrige Widerschein der auf dem Gang flackernden Lampen etwas, was er im ersten Moment für das Gesicht einer Schneiderpuppe hielt, wie sie in Schaufenstern die Anzüge ihrer Schöpfer anpreisen, aber der Gestank und die sofort einsetzende Übelkeit machten ihm klar, dass es sich mitnichten um eine Puppe handelte. Sich mit einer Hand Nase und Mund zuhaltend, zog er das Segeltuch ganz weg und wich bis an die Zellenwand zurück.

Die Leiche schien ein Erwachsener in einem unbestimmten Alter zwischen vierzig und fünfundsiebzig Jahren zu sein und konnte nicht mehr als fünfzig Kilo wiegen. Lange Haare und ein weißer Bart bedeckten einen großen Teil des skeletthaften Oberkörpers. Die knochigen Hände mit langen, krummen Fingernägeln sahen aus wie Vogelklauen. Die Hornhaut in den weit offenen Augen wirkte zerknittert wie die Schale einer reifen Frucht. Der Mund war halb geöffnet und die aufgequollene, schwärzliche Zunge zwischen den fauligen Zähnen verklemmt.

»Ziehen Sie ihm die Kleider aus, bevor er abtransportiert wird«, hörte er eine Stimme aus der gegenüberliegenden Zelle. »Bis zum nächsten Monat werden Sie von niemandem welche bekommen.«

Fermín spähte ins Dunkel und sah zwei leuchtende Augen, die ihn von der Pritsche der anderen Zelle aus beobachteten.

»Nur keine Angst, der Arme kann niemandem mehr etwas antun«, sagte die Stimme.

Fermín nickte und trat wieder zu dem Sack, ohne recht zu wissen, wie er die Operation durchführen sollte.

»Verzeihen Sie bitte«, flüsterte er dem Toten zu. »Ruhen Sie in Frieden, und Gott sei Ihnen gnädig.«

»Er war Atheist«, erklärte die Stimme in der anderen Zelle.

Fermín nickte und vergaß das Zeremoniell. Die Kälte in der Zelle schnitt ihm in die Knochen, so dass sich jede freundliche Geste erübrigte. Er hielt den Atem an und machte sich ans Werk. Die Kleider rochen nach Leiche. Mittlerweile hatte sich die Totenstarre über den ganzen Körper ausgebreitet, und es war schwieriger als vermutet, die Gestalt zu entkleiden. Nachdem er es geschafft hatte, deckte Fermín den Mann wieder mit dem Segeltuchsack zu und verschloss diesen mit einem Seemannsknoten, der selbst für den großen Houdini eine Herausforderung gewesen wäre. Angetan mit diesen stinkenden Lumpen, legte er sich schließlich wieder auf die Pritsche und fragte sich, wie viele Gefangene diese selbe Uniform getragen haben mochten.

»Vielen Dank«, sagte er dann.

»Den habe ich nicht verdient«, antwortete die Stimme auf der anderen Seite des Gangs.

»Fermín Romero de Torres, zu dienen.«

»David Martín.«

Fermín runzelte die Stirn. Der Name kam ihm bekannt vor. Fast fünf Minuten lang jonglierte er mit Erinnerungen und Echos, dann ging ihm ein Licht auf, und er erinnerte sich an geraubte Nachmittage in einem Winkel der Bibliothek in der Calle del Carmen, als er eine Serie Bücher mit anzüglichem Umschlag und Titel verschlungen hatte.

»Martín, der Schriftsteller? Der von *Die Stadt der Verdammten*?«

Ein Seufzer im Dunkeln.

»In diesem Land hat keiner mehr Achtung vor Pseudonymen.«

»Verzeihen Sie die Indiskretion, aber meine Verehrung für Ihre Bücher war scholastisch, und von daher weiß ich, dass Sie es waren, der die Feder des berühmten Ignatius B. Samson führte ...«

»Zu dienen.«

»Nun, es ist mir ein Vergnügen, Sie kennenzulernen, Señor Martín, sogar unter diesen unglücklichen Umständen, denn ich bin seit vielen Jahren ein großer Bewunderer von Ihnen und ...«

»Ob wir wohl endlich den Schnabel halten, ihr Turteltäubchen – hier gibt es Leute, die schlafen möchten«, brüllte eine mürrische Stimme, die aus der Nachbarzelle zu kommen schien.

»Da hat die Sonne des Hauses gesprochen«, mischte sich eine zweite Stimme ein, etwas weiter entfernt auf dem Gang. »Beachten Sie ihn einfach nicht, Martín – wenn man hier einschläft, wird man bei lebendigem Leib von den Wanzen aufgefressen, angefangen bei den Schamteilen. Los, Martín, warum erzählen Sie uns nicht eine Geschichte? Eine von denen mit Chloé ...«

»Damit du dir wieder einen abwichsen kannst wie ein Affe, was?«, antwortete die feindselige Stimme.

»Lieber Fermín«, sagte Martín in seiner Zelle, »ich habe das Vergnügen, Ihnen Nr. 12 vorzustellen, die alles schlecht findet, was es auch sei, und Nr. 15, schlaflos, gebildet und offizieller Ideologe der Galerie. Die anderen reden wenig, vor allem Nr. 14.«

»Ich rede, wenn ich etwas zu sagen habe«, meldete sich eine tiefe, eiskalte Stimme, die Fermín der Nr. 14 zuordnete. »Wenn alle hier das täten, hätten wir in der Nacht Ruhe.«

Fermín schätzte diese gesamte so eigenartige Gruppe ab und sagte:

»Guten Abend, alle zusammen. Ich bin Fermín Romero de Torres, und es ist mir ein Vergnügen, Sie kennenzulernen.«

»Das Vergnügen ist ganz auf Ihrer Seite«, erwiderte Nr. 12.

»Willkommen – hoffentlich ist Ihr Aufenthalt hier von kurzer Dauer«, sagte Nr. 14.

Fermín warf wieder einen Blick auf den Sack mit der Leiche und schluckte.

»Der war Lucio, die vorherige Nr. 13«, erklärte Martín. »Wir wissen nichts von ihm, der Ärmste war stumm. Eine Kugel hat ihm auf dem Ebro den Kehlkopf zertrümmert.«

»Schade, dass er der Einzige war«, erwiderte Nr. 14.

»Woran ist er gestorben?«, fragte Fermín.

»Hier stirbt man am bloßen Dasein«, antwortete Nr. 12. »Viel mehr braucht es nicht.«

3

Die Routine half. Einmal am Tag wurden die Gefangenen der ersten beiden Gänge für eine Stunde auf den Rasen im Graben hinausgeführt und dort der Sonne, dem Regen oder irgendeiner anderen Witterung ausgesetzt. Das Essen bestand aus einer halbvollen Tasse kalten, schmierig gräulichen Kleisters unbestimmten Ursprungs und ranzigen Geschmacks, an den sich der vor Hunger verkrampfte Magen nach einigen Tagen gewöhnte. Er wurde gegen Abend ausgeteilt, und mit der Zeit begannen sich die Gefangenen geradezu danach zu sehnen.

Einmal monatlich wurden ihre schmutzigen Kleider durch andere ersetzt, die eine Minute lang in einen Kessel mit kochendem Wasser getaucht worden waren, obwohl die Wanzen davon offensichtlich keine Kenntnis genommen hatten. Sonntags wurde eine Messe zelebriert und zur Teilnahme empfohlen, und niemand wagte es, ihr fernzubleiben, da der Geistliche die Gefangenen einzeln aufrief und sich die Namen der Abwesenden notierte. Zweimaliges Ausbleiben hatte eine Woche Essensentzug, dreimaliges einen Monat Ferien in einer der Isolierzellen im Turm zur Folge.

Die Gänge, der Hof und die anderen den Insassen zugänglichen Räume standen unter strenger Bewachung. Ein ganzes Heer gewehr- und pistolenbewehrter Wachposten patrouillierte im Gefängnis, und wenn sich die Gefangenen außerhalb ihrer Zellen befanden, konnte man nirgends hinblicken, ohne zumindest ein Dutzend von ihnen mit scharfem Blick und angelegter Waffe zu sehen. Ihnen gesellten sich, weniger bedrohlich, die Wärter zu. Keiner von ihnen sah militärisch aus, und unter den Gefangenen war man sich einig, dass es sich um eine Gruppe armer Tröpfe handelte, die in diesen Tagen allgemeinen Elends keine bessere Arbeit gefunden hatten.

Jedem Gang war ein Wärter zugeteilt, der, mit einem Schlüsselbund auf einem Stuhl am einen Ende des Gangs sitzend, eine Zwölf-Stunden-Schicht absolvierte. Die meisten von ihnen vermieden es, mit den Gefangenen zu fraternisieren, ja sie auch nur anzusprechen oder ihnen über das unbedingt Notwendige hinaus einen Blick zu schenken. Die einzige Ausnahme war ein armer Teufel mit dem Spitznamen Bebo, der in seinen Zeiten als Nachtwächter in einer Fabrik des Pueblo Seco bei einem Bombenangriff ein Auge verloren hatte.

Es hieß, Bebo habe einen Zwillingsbruder in einem Gefängnis in Valencia und vielleicht behandle er aus diesem Grund die Gefangenen einigermaßen höflich;

wenn niemand es sah, gab er ihnen Trinkwasser, ein wenig trockenes Brot oder irgendetwas aus der Beute, zu der die Wachen die Fresspakete machten, die die Angehörigen den Gefangenen schickten. Gern rückte Bebo seinen Stuhl in die Nähe von David Martíns Zelle und hörte sich die Geschichten an, die der Schriftsteller manchmal den Mitgefangenen erzählte. In dieser ganz besonderen Hölle war Bebo fast so etwas wie ein Engel.

Normalerweise richtete der Direktor nach der Sonntagsmesse einige erbauende Worte an die Insassen. Man wusste von ihm gerade einmal seinen Namen, Mauricio Valls, und dass er vor dem Krieg ein bescheidener Literatenanwärter gewesen war, der als Sekretär und Zuträger eines in Barcelona ansässigen, recht namhaften Autors und ewigen Rivalen des frühverstorbenen Pedro Vidal gearbeitet hatte. In seiner Freizeit übersetzte er glücklos griechische und lateinische Klassiker, gab zusammen mit ein paar Zwillingsseelen eine kulturell hochambitionierte, kaum verbreitete Postille heraus und organisierte private Gesprächszirkel, bei denen Heerscharen geistesverwandter Eminenzen den Stand der Dinge beklagten und prophezeiten, wenn eines Tages sie die Fäden in der Hand hielten, werde die Welt in den Olymp aufsteigen.

Sein Leben schien auf diese bittergraue Existenz der Mittelmäßigen zuzulaufen, die Gott in seiner unendlichen Grausamkeit mit dem Größenwahnsinn und dem Hochmut der Titanen gesegnet hat. Doch der Krieg hatte sein Schicksal wie das so vieler anderer umgeschrieben, und es nahm eine Wende, als Mauricio Valls, bisher einzig in sein wundersames Talent und seine erlesene Raffinesse verliebt, halb aus Zufall, halb mit Blick auf eine gute Partie, die Tochter eines mächtigen Industriellen ehelichte, dessen Tentakel zu einem guten Teil das Budget von General Franco und seinen Truppen stützten.

Die Braut, acht Jahre älter als Mauricio, war seit ihrem dreizehnten Jahr an den Rollstuhl gefesselt, wo ihr eine angeborene Krankheit Muskeln und Leben aufzehrte. Kein Mann hatte ihr je in die Augen geschaut noch ihre Hand ergriffen, um ihr zu sagen, sie sei schön, und sich nach ihrem Namen zu erkundigen. Mauricio, wie alle unbegabten Literaten im Grunde ein ebenso praktisch veranlagter wie eingebildeter Mann, tat das als Erster und Letzter, und ein Jahr später heiratete das Paar in Sevilla im Beisein von Stars wie General Queipo de Llanos und anderen Großkopfeten des nationalen Apparats.

»Sie werden Karriere machen, Valls«, verhieß ihm Serrano Súñer höchstpersönlich bei einer Privataudienz in Madrid, wo Valls um die Stelle des Direktors der Nationalbibliothek betteln gegangen war.

»Spanien macht schwierige Zeiten durch, und jeder wohlgeborene Spanier muss sich ins Zeug legen, um die marxistischen Horden, die unsere geistige Reserve unterminieren wollen, in ihre Schranken zu weisen«, verkündete der Schwager des Caudillo, dem soeben die Uniform eines Operettenadmirals angepasst worden war.

»Sie können auf mich zählen, Exzellenz«, sagte Valls. »Was auch immer es ist.«

Was-auch-immer-es-ist erwies sich als Direktorenstelle, aber nicht in der wundervollen Nationalbibliothek, wie er es sich gewünscht hatte, sondern in einer übelbeleumdeten Strafanstalt auf einem Felsen hoch über der Stadt Barcelona. Die Liste der Angehörigen und Günstlinge, denen es prestigeträchtige Posten zuzuschanzen galt, war lang, und Valls befand sich trotz all seiner Bemühungen im unteren Drittel.

»Haben Sie Geduld, Valls. Ihre Bemühungen werden sich lohnen.«

So lernte Mauricio Valls seine erste Lektion in der vielschichtigen nationalen Kunst, nach jedem Machtwechsel Ränke zu schmieden und aufzusteigen – Tausende getreuer Schatten und Bekehrter hatten sich der Kletterpartie angeschlossen, und die Konkurrenz war enorm.

4

Das wenigstens besagte die Legende. Diese Anhäufung von Vermutungen und Gerüchten aus dritter Hand war den Gefangenen dank den Machenschaften des vorherigen Direktors zu Ohren gekommen, der nach kaum zwei Wochen im Amt abgesetzt worden und jetzt von Ressentiments gegen diesen Emporkömmling vergiftet war, welcher ihm den Titel gestohlen hatte, für den er den ganzen Krieg lang gekämpft hatte. Der scheidende Direktor erfreute sich keiner familiären Beziehungen und schleppte die verhängnisvolle Last mit, dabei ertappt worden zu sein, wie er in betrunkenem Zustand über den Generalísimo aller Spanier und seine überraschende Ähnlichkeit mit Winnie the Pooh gewitzelt hatte. Bevor er in einem Subdirektorenposten in einem Gefängnis von Ceuta begraben wurde, hatte er seine Zeit dazu genutzt, bei jedem, der es hören wollte, über Mauricio Valls herzuziehen.

Außer jedem Zweifel stand, dass es niemandem gestattet war, von Valls anders als vom Herrn Direktor zu sprechen. Die von ihm selbst in Umlauf gesetzte offizielle Version besagte, dass Don Mauricio ein angesehener Literat war, über einen kultivierten Intellekt und eine in seinen Pariser Studienjahren erworbene exquisite Gelehrsamkeit verfügte und vom Schicksal mit der Mission betraut war, nach diesem Interim im Strafvollzug des Regimes mit Hilfe eines auserwählten Kreises gleichgesinnter Intellektueller das einfache Volk des dezimierten Spaniens zu erziehen und ihm das Denken beizubringen.

Oft enthielten seine Diskurse ausführliche Zitate aus den Schriften, Gedichten oder pädagogischen Artikeln, die er emsig in der nationalen Presse über Literatur, Philosophie und die notwendige Wiedergeburt des westlichen Denkens veröffentlichte. Wenn die Gefangenen nach diesen meisterlichen Darbietungen kräftig applaudierten, ließ der Direktor die Wärter in einer Anwandlung von Großzügigkeit Zigaretten, Kerzen oder sonst einen Luxusgegenstand aus dem Posten Geschenke und Pakete verteilen, die den Gefangenen von ihren Familien geschickt wurden. Die begehrenswertesten Artikel waren vorgängig von den Wärtern konfisziert worden, die sie nach Hause mitnahmen oder manchmal auch unter den Gefangenen verkauften, aber das war immerhin etwas.

Die eines natürlichen oder vage unnatürlichen Todes Gestorbenen, gewöhnlich einer bis drei pro Woche, wurden um Mitternacht abgeholt, ausgenommen an Wochenenden oder gebotenen Feiertagen, an denen die Leiche bis zum Montag oder nächsten Arbeitstag in der Zelle blieb, üblicherweise schon als Gesellschaft des neuen Mieters. Wenn die Gefangenen den Tod eines ihrer Kameraden meldeten, kam ein Wärter, kontrollierte Puls oder Atmung und steckte ihn dann in einen der eigens dafür vorgesehenen Segeltuchsäcke. Danach lag der verschnürte Sack in der Zelle, bis ihn das Bestattungsunternehmen des angrenzenden Friedhofs Montjuïc abholen kam. Niemand wusste, was mit ihnen geschah, und auf eine entsprechende Frage hin hatte Bebo mit gesenktem Blick die Antwort verweigert.

Alle zwei Wochen wurde ein militärisches Schnellstverfahren durchgeführt, und im Morgengrauen wurden die Gefangenen füsiliert. Manchmal schaffte es ein Erschießungskommando wegen des schlechten Zustands der Gewehre oder der Munition nicht, ein lebenswichtiges Organ zu treffen, und danach waren die Klagelaute der in den Graben gefallenen Füsilierten noch stundenlang zu hören. Gelegentlich vernahm man auch eine Explosion, und die Schreie verstummten schlagartig. Die Theorie, die unter den Gefangenen zirkulierte, besagte, einer der Offiziere habe ihnen mit einer Granate den Rest gegeben, aber niemand war sicher, ob das wirklich die Erklärung war.

Ein weiteres Gerücht unter den Insassen lautete, immer am Freitagvormittag empfange der Direktor in seinem Büro Frauen, Töchter, Freundinnen, ja selbst Tanten und Großmütter von Gefangenen. Ohne seinen Ehering, den er in die oberste Schreibtischschublade verbannt hatte, hörte er sich ihre Bitten an, wog ihre Ansuchen ab, reichte ihnen ein Taschentuch für ihre Tränen und akzeptierte ihre Geschenke und Gefälligkeiten anderer Natur, die ihm für das Versprechen besserer Ernährung und Behandlung oder der Revision undurchsichtiger, aber nie wirklich angefochtener Urteile gewährt wurden.

Andere Male servierte ihnen Mauricio Valls einfach Teegebäck und ein Glas Muskateller, und wenn sie trotz der elenden Zeiten und der schlechten Ernährung noch gut aussahen und bekneifenswert waren, las er ihnen eine seiner Schriften vor und gestand, die Ehe mit einer Kranken gleiche dem Leidensweg eines Heiligen, fand tausend Worte für den Abscheu, den er vor seiner Kerkerarbeit empfand, und die Erniedrigung, die es für einen Mann von so hoher Kultur, Raffinesse und Vortrefflichkeit bedeutete, auf diesen schäbigen Posten verbannt worden zu sein, wo es doch sein eigentliches Schicksal war, zur Elite des Landes zu zählen.

Die Veteranen rieten, den Direktor gar nicht zu erwähnen und möglichst nicht an ihn zu denken. Die meisten Gefangenen sprachen lieber über die Familien, die sie zurückgelassen hatten, über ihre Frauen und das Leben, an das sie sich noch erinnerten. Einige hatten Fotos von Verlobten oder Ehefrauen, die sie horteten und mit ihrem Leben verteidigten, wenn jemand sie ihnen wegnehmen wollte. Mehr als einer hatte Fermín erzählt, am schlimmsten seien die ersten drei Monate. Danach, wenn jede Hoffnung verloren sei, vergehe die Zeit wie im Flug, und die Sinnlosigkeit der Tage schläfere die Seele ein.

5

Sonntags nach der Messe und der Ansprache des Direktors setzten sich einige Gefangene in einer son-
nigen Ecke auf dem Rasen des Grabens zusammen,
um eine Zigarette zu rauchen und den Geschichten
zu lauschen, die ihnen David Martín erzählte, wenn
er die nötige geistige Klarheit aufbrachte. Fermín, der
die ganze Serie von *Die Stadt der Verdammten* gelesen hatte und deshalb fast alle schon kannte, gesellte
sich zu ihnen und ließ seinen Träumereien freien
Lauf. Oft aber schien Martín nicht in der Lage, auch
nur bis fünf zu zählen, so dass man ihn in Ruhe ließ,
während er in den Ecken Selbstgespräche zu führen
begann. Fermín beobachtete ihn ausgiebig und hielt
sich manchmal dicht bei ihm – etwas an diesem armen Teufel griff ihm an die Seele. Mit Tricks und Listen versuchte er, Zigaretten oder sogar einige Stück
Zucker für ihn zu beschaffen, die er über alles liebte.

»Fermín, Sie sind ein guter Mensch. Versuchen Sie
es nicht zu zeigen.«

Martín hatte immer eine alte Fotografie bei sich,
die er gern lange anschaute. Darauf sah man einen

weißgekleideten Herrn mit einem etwa zehnjährigen Mädchen an der Hand. Gemeinsam betrachteten sie vom äußersten Rand einer kleinen Holzmole aus, die sich wie ein über glasklares Wasser gespannter Laufsteg über einen Strand zog, den Sonnenuntergang. Wenn ihn Fermín nach dem Foto fragte, schwieg Martín und steckte es lächelnd wieder ein.

»Wer ist das Mädchen auf dem Bild, Señor Martín?«

»Ich weiß es nicht genau, Fermín. Manchmal versagt mein Gedächtnis. Geht es Ihnen nicht auch so?«

»Natürlich. Das geht uns allen so.«

Man munkelte, Martín sei nicht ganz bei Trost, aber Fermín vermutete schon bald, der Arme sei noch verrückter, als die übrigen Gefangenen annahmen. Manchmal war er bei klarerem Verstand als jeder andere, aber oft schien er nicht zu begreifen, wo er sich befand, und sprach von Orten und Menschen, die ganz offensichtlich nur in seiner Phantasie oder Erinnerung existierten.

Oft erwachte Fermín mitten in der Nacht und hörte Martín in seiner Zelle sprechen. Wenn er sich leise den Gitterstäben näherte und die Ohren spitzte, vernahm er ganz deutlich, wie Martín mit jemandem diskutierte, den er Señor Corelli nannte und der, nach Martíns Worten zu schließen, eine ziemlich unheimliche Person zu sein schien.

In einer dieser Nächte zündete Fermín seinen letzten Kerzenstummel an und erhob die Flamme in

Richtung der gegenüberliegenden Zelle, um sich zu vergewissern, dass Martín wirklich allein war und dass beide Stimmen, die seines Gegenübers und die dieses Corelli, von ein und denselben Lippen stammten. Martín drehte Runden in seiner Zelle, und als sein Blick auf den Fermíns traf, erkannte dieser sofort, dass ihn sein Gangkollege nicht bemerkte und sich benahm, als ob es die Gefängnismauern nicht gebe und seine Unterhaltung mit diesem Herrn in weiter Ferne stattfinde.

»Beachten Sie ihn überhaupt nicht«, flüsterte Nr. 15 aus dem Schatten. »Es ist jede Nacht dasselbe. Er ist total bescheuert. Aber glücklich dabei.«

Als ihn Fermín am nächsten Morgen nach Corelli und den mitternächtlichen Gesprächen fragte, schaute ihn Martín befremdet an und lächelte bloß verwirrt. Ein andermal, als er wegen der Kälte nicht einschlafen konnte, trat Fermín wieder an die Gitterstäbe und hörte Martín mit einem seiner unsichtbaren Freunde sprechen. Diesmal wagte es Fermín, ihn zu unterbrechen.

»Martín? Ich bin Fermín, der Nachbar von gegenüber. Geht es Ihnen gut?«

Martín trat ebenfalls ans Gitter, und Fermín sah sein tränenüberströmtes Gesicht.

»Señor Martín? Wer ist Isabella? Eben haben Sie von ihr gesprochen.«

Martín schaute ihn lange an.

»Isabella ist noch das einzig Gute auf dieser Scheißwelt«, antwortete er ungewohnt rau. »Gäbe es sie nicht, müsste man diesen Planeten anzünden und so lange brennen lassen, bis nicht einmal die Asche übrig bliebe.«

»Verzeihen Sie, Martín. Ich wollte Sie nicht stören.«

Martín zog sich in die Schatten zurück. Am nächsten Tag fand man ihn zuckend in einer Blutlache. Bebo war auf seinem Stuhl eingeschlafen, und davon hatte Martín profitiert, um seine Handgelenke an der Mauer bis auf die Adern aufzuscheuern. Als er auf der Trage weggebracht wurde, war er kreideweiß, und Fermín dachte, er würde ihn nie wiedersehen.

»Machen Sie sich keine Sorgen um Ihren Freund«, sagte Nr. 15. »Jeder andere würde direkt im Sack landen, doch Martín lässt der Herr Direktor nicht sterben. Warum, weiß niemand.«

Fünf Wochen lang blieb David Martíns Zelle leer. Als Bebo ihn in einem weißen Pyjama hertrug wie ein Kind, steckten seine Arme bis zu den Ellbogen in Verbänden. Er erinnerte sich an niemanden und verbrachte die erste Nacht in Selbstgesprächen und Gelächter. Bebo rückte seinen Stuhl vors Gitter, passte die ganze Nacht auf ihn auf und gab ihm Zuckerstücke, die er im Offiziersraum gestohlen und in seinen Taschen versteckt hatte.

»Señor Martín, sagen Sie nicht solche Dinge, Gott wird Sie strafen dafür«, raunte ihm der Wärter zwischen den Zuckerstückchen zu.

In der wirklichen Welt war Nr. 12 Dr. Román Sanahuja gewesen, Chefarzt der inneren Medizin am Klinikum, ein integrer, von Größenwahn und ideologischen Eiterbeulen geheilter Mann, den sein Gewissen und die Weigerung, seine Kollegen zu denunzieren, ins Kastell gebracht hatten. Eine Regel besagte, dass keinem Gefangenen in diesen Mauern ein Beruf oder Vorteil zuerkannt wurde, es sei denn, der betreffende Beruf verschaffe dem Direktor einen Vorteil. Bald zeigte sich, dass ihm Dr. Sanahuja sehr nützlich war.

»Leider Gottes verfüge ich hier nicht über die wünschenswerten medizinischen Mittel«, erklärte ihm der Direktor. »Es ist nun einmal so, dass das Regime andere Prioritäten hat, und es ist kaum von Bedeutung, ob einer von Ihnen in seiner Zelle an Brand verfault. Nach langem Kämpfen habe ich erreicht, dass man mir eine schlecht bestückte Apotheke und einen Quacksalber schickt, der vermutlich nicht einmal in der veterinärmedizinischen Fakultät saubermachen dürfte. Aber so ist das nun mal. Ich weiß, dass Sie, bevor Sie dem Blendwerk der Neutralität verfallen sind, als Arzt ein gewisses Renommee hatten. Aus Gründen, die nichts zur Sache tun, habe ich ein besonderes Interesse, dass uns der Gefangene David Martín nicht vor der Zeit wegstirbt. Wenn Sie sich kooperativ zeigen und mir helfen, ihn in einem annehmbaren Gesundheitszustand zu erhalten, kann ich Ihnen versichern, dass ich Ihnen im Rahmen der Umstände den Aufenthalt an diesem Ort erträglicher machen und persönlich dafür sorgen werde, dass man Ihren Fall überprüft und das Strafmaß mildert.«

Dr. Sanahuja stimmte zu.

»Einige Mitgefangene sollen der Meinung sein, dass Martín einen ziemlichen Dachschaden hat, wie man sich hier ausdrückt. Ist dem so?«, fragte der Direktor.

»Ich bin kein Psychiater, aber meiner bescheidenen Meinung nach ist Martín sichtlich geistesgestört.«

Der Direktor dachte über diese Einschätzung nach.

»Und nach Ihrer ärztlichen Meinung – wie lange, glauben Sie, wird er es schaffen? Zu überleben, meine ich.«

»Das weiß ich nicht. Die Zustände im Gefängnis sind ungesund, und …«

Der Direktor nickte und unterbrach ihn mit einer gelangweilten Handbewegung.

»Und bei Verstand? Wie lange kann Martín Ihrer Meinung nach seine geistigen Fähigkeiten behalten?«

»Nicht sehr lange, nehme ich an.«

»Verstehe.«

Der Direktor bot ihm eine Zigarette an, die der Arzt ablehnte.

»Sie schätzen ihn, nicht wahr?«

»Ich kenne ihn ja kaum«, erwiderte der Arzt. »Er scheint ein guter Mensch zu sein.«

Der Direktor lächelte.

»Und ein miserabler Schriftsteller. Der schlechteste, den dieses Land je gekannt hat.«

»Der Herr Direktor ist anerkannter Literaturexperte. Ich verstehe von diesem Thema nichts.«

Der Direktor schaute ihn frostig an.

»Ich habe schon Leute für geringere Unverschämtheiten drei Monate in Isolationshaft geschickt. Wenige überleben sie, und die Überlebenden kommen schlimmer als Ihr Freund Martín zurück. Glauben Sie nicht, Ihr Titel verschaffe Ihnen irgendein Privileg. In Ihrem Dossier steht, Sie hätten eine Frau und drei Töchter. Ihr Schicksal und das Ihrer Familie hängen davon ab, wie nützlich Sie für mich sind. Ist das deutlich genug?«

Dr. Sanahuja schluckte.

»Ja, Herr Direktor.«

»Danke, *Doktor*.«

In regelmäßigen Abständen verlangte der Direktor von Sanahuja, einen Blick auf Martín zu werfen. Die Lästerzungen sagten, er traue dem Gefängnisarzt nicht über den Weg, einem Quacksalber, der nach dem Unterschreiben so vieler Totenscheine vergessen zu haben schien, was Vorbeugemaßnahmen waren, und den er kurze Zeit später entließ.

»Wie geht's denn unserem Patienten, Doktor?«

»Schwach.«

»Hm. Und seine Dämonen? Führt er immer noch Selbstgespräche und hat Halluzinationen?«

»Zustand unverändert.«

»Im *ABC* habe ich einen großartigen Artikel meines guten Freundes Sebastián Jurado gelesen, in dem er von der Schizophrenie spricht, der Dichterkrankheit.«

»Ich fühle mich nicht befähigt, diese Diagnose abzugeben.«

»Ihn am Leben zu erhalten aber schon, nicht wahr?«

»Ich versuche es.«

»Tun Sie etwas mehr, als es nur zu versuchen. Denken Sie an Ihre Töchter. So jung. So schutzlos, wo es doch von Schurken und untergetauchten Roten nur so wimmelt.«

Mit den Monaten nahm Dr. Sanahujas Zuneigung für Martín zu, und eines Tages, als sie gemeinsam einen Zigarettenstummel rauchten, erzählte er Fermín, was er von der Geschichte dieses Mannes wusste, dem einige, sich über seine Wahnvorstellungen und seinen Rang als offizieller Gefängnisspinner mokierend, den Spitznamen »der Gefangene des Himmels« verpasst hatten.

6

»Ehrlich gesagt, glaube ich, dass David Martín schon einige Zeit krank war, als man ihn hierherbrachte. Haben Sie schon einmal von der Schizophrenie gehört, Fermín? Das ist eines der neuen Lieblingswörter des Herrn Direktor.«

»Das ist das, was die Zivilisten gern als ›nicht alle Tassen im Schrank haben‹ bezeichnen.«

»Damit ist nicht zu scherzen, Fermín. Es ist eine sehr schwere Krankheit. Es ist zwar nicht mein Spezialgebiet, aber ich habe einige Fälle kennengelernt. Oft hören die Patienten Stimmen, sehen Menschen und erinnern sich an Ereignisse, die nie geschehen sind. Der Geist nimmt immer mehr ab, und die Patienten können nicht mehr zwischen Wirklichkeit und Fiktion unterscheiden.«

»Wie siebzig Prozent der Spanier … Und Sie glauben, der arme Martín leidet an dieser Krankheit, Doktor?«

»Ich weiß es nicht mit Sicherheit. Ich sage ja, es ist nicht mein Spezialgebiet, aber ich glaube, er zeigt einige der üblichsten Symptome.«

»Vielleicht ist diese Krankheit in seinem Fall ein Segen.«

»Ein Segen ist sie nie, Fermín.«

»Und weiß er, dass er, sagen wir, dass er davon betroffen ist?«

»Der Verrückte sieht immer in den anderen die Verrückten.«

»Was ich von den siebzig Prozent aller Spanier sagte.«

Oben in seinem Kontrollhäuschen beobachtete sie ein Posten, als wollte er ihnen von den Lippen ablesen.

»Sprechen Sie leiser. Sonst kriegen wir einen Rüffel.« Der Arzt bedeutete Fermín, sie sollten sich ans andere Ende des Grabens begeben. »Heutzutage haben die Wände Ohren.«

»Jetzt fehlt nur noch, dass sie dazwischen ein halbes Hirn haben, dann kämen wir vielleicht hier raus«, antwortete Fermín.

»Wissen Sie, was mir Martín gesagt hat, als ich ihn auf Ersuchen des Herrn Direktor zum ersten Mal untersuchte?

›Doktor, ich glaube, ich habe die einzige Art entdeckt, wie man hier rauskommt.‹

›Und die wäre?‹

›Tot.‹

›Kennen Sie keine praktischere Methode?‹

›Haben Sie den Grafen von Monte Christo *gelesen, Doktor?‹*

›Als Junge. Ich kann mich kaum noch daran erinnern.‹

›Dann lesen Sie ihn wieder. Dort steht alles.‹

Ich mochte ihm nicht sagen, dass der Herr Direktor sämtliche Bücher von Alexandre Dumas aus der Bibliothek hatte entfernen lassen, zusammen mit denen von Dickens, Galdós und vielen anderen Autoren, weil er in ihnen Schundliteratur für einen ungebildeten Plebs sah, und sie durch eine Reihe unveröffentlichter Romane und Erzählungen aus eigener Feder und der einiger seiner Freunde ersetzte. Er ließ sie von Valentí in Leder binden, einem Gefangenen, der aus dem graphischen Gewerbe stammte und den er nach getaner Arbeit erfrieren ließ, indem er ihn zwang, im Januar fünf Nächte unter strömendem Regen im Graben zu verbringen, weil er sich über die Vorzüglichkeit seiner Prosa lustig gemacht hatte. Valentí hatte es geschafft, von hier wegzukommen – nach der Methode Martín: tot.

Nachdem ich einige Zeit hier war und Gespräche zwischen den Wärtern mit angehört hatte, wurde mir klar, dass David Martín auf Ersuchen des Herrn Direktor persönlich hierhergekommen ist. Er hatte im Modelo-Gefängnis eingesessen, weil man ihm eine Reihe Verbrechen zur Last legte, an die meiner Meinung nach niemand wirklich glaubte. Unter anderem hieß es, er habe aus Eifersucht seinen Mentor und besten Freund, einen wohlhabenden Herrn namens Pedro Vidal, Schriftsteller wie er, und seine Gattin

Cristina umgebracht. Auch habe er kaltblütig mehrere Polizisten und weiß Gott wen sonst noch umgelegt. In letzter Zeit werden so viele Leute so vieler Dinge angeklagt, dass man gar nicht mehr weiß, was man glauben soll. Ich kann mir nicht vorstellen, dass Martín ein Mörder ist, aber andererseits habe ich in den Kriegsjahren so viele Leute beider Seiten gesehen, die sich die Maske vom Gesicht rissen und ihr wahres Gesicht zeigten, so dass man wirklich nicht mehr weiß … Alle werfen den ersten Stein und zeigen dann auf den Nachbarn.«

»Wenn ich Ihnen erzählte …«, bemerkte Fermín.

»Jedenfalls ist der Vater dieses Vidal ein mächtiger Industrieller, betucht bis zu den Brauen, und er soll einer der wichtigsten Bankiers der Nationalen gewesen sein. Warum nur werden alle Kriege von den Bankiers gewonnen? Kurzum, der Potentat Vidal hat das Justizministerium persönlich ersucht, nach Martín zu fahnden und dafür zu sorgen, dass er im Gefängnis verfaule für das, was er mit seinem Sohn und seiner Schwiegertochter angestellt habe. Anscheinend war Martín schon fast drei Jahre lang im Ausland flüchtig gewesen, als man ihn in der Nähe der Grenze aufgriff. Er war wohl nicht ganz bei Sinnen, in ein Spanien zurückzukehren, wo man nur darauf wartete, ihn ans Kreuz zu nageln. Und das auch noch in den letzten Kriegsjahren, wo Tausende Menschen den umgekehrten Weg gingen.«

»Manchmal hat man es satt zu fliehen«, sagte Fermín. »Die Welt ist sehr klein, wenn man keinen Ort hat, wohin man gehen kann.«

»Vermutlich hatte das auch Martín gedacht. Ich weiß nicht, wie er es schaffte, die Grenze zu überschreiten, aber einige Bewohner von Puigcerdá benachrichtigten die Guardia Civil, nachdem sie ihn tagelang in Lumpen und Selbstgesprächen hatten durchs Dorf streifen sehen. Einige Hirten sagten, sie hätten ihn auf dem Weg nach Bolvir gesehen, zwei Kilometer vom Dorf entfernt. Dort gab es ein altes Gemäuer namens La Torre del Remei, das im Krieg zu einem Hospital für an der Grenze Verwundete geworden war. Es wurde von einer Gruppe Frauen geleitet, die sich vermutlich Martíns erbarmten und dem vermeintlichen Milizangehörigen Kost und Logis gaben. Als man ihn suchte, war er schon nicht mehr da, aber noch in der Nacht überraschte man ihn dabei, wie er auf den gefrorenen See hinausging und mit einem Stein ein Loch ins Eis zu schlagen versuchte. Anfänglich dachte man, er wolle sich umbringen, und übergab ihn dem Sanatorium Villa San Antonio. Offenbar erkannte ihn da einer der Ärzte, fragen Sie mich nicht, wie, und als sein Name den Behörden zu Ohren kam, wurde er nach Barcelona überführt.«

»In die Höhle des Löwen.«

»Das kann man wohl sagen. Natürlich hat der Prozess keine zwei Tage gedauert. Die Liste dessen, was man ihm anhängte, war endlos, und es gab kaum Indizien oder Beweise, um eine der Anklagen zu stützen, aber aus irgendeinem seltsamen Grund brachte es der Staatsanwalt fertig, dass zahllose Zeugen gegen ihn aussagten. Durch den Gerichtssaal zogen Dutzende Menschen, die Martín mit einer Inbrunst hassten, die sogar den Richter überraschte, und die vermutlich vom alten Vidal bestochen worden waren. Ehemalige Kollegen aus seiner Zeit bei einem unbedeutenden Blatt namens *Die Stimme der Industrie*, Kaffeehausliteraten, Unglückliche und Neider aller Art entstiegen den Gullys und schworen, dass Martín all das auf dem Gewissen hatte, wessen man ihn anklagte, und noch mehr. Sie wissen ja, wie so was läuft. Auf Anordnung des Richters – und Anraten Vidals – wurden alle seine Werke konfisziert und verbrannt, da man sie als subversiv und gegen Moral und gute Sitten verstoßend betrachtete. Als Martín im Prozess aussagte, die einzige gute Sitte, die er verteidige, sei die des Lesens und alles andere sei Sache jedes Einzelnen, fügte der Richter den vielen Jahren Freiheitsentzug noch einmal weitere zehn hinzu. Anscheinend nahm Martín im Prozess, anstatt auf die Frage hin zu schweigen, kein Blatt vor den Mund und schaufelte sich so sein eigenes Grab.«

»In diesem Leben wird einem alles verziehen, außer die Wahrheit zu sagen.«

»Jedenfalls wurde er zu lebenslänglich verurteilt. *Die Stimme der Industrie*, im Besitz des alten Vidal, zählte in einem ausführlichen Artikel all seine Vergehen auf, ergänzt durch einen Leitartikel. Dreimal dürfen Sie raten, aus wessen Feder er stammte.«

»Aus der des vortrefflichen Herrn Direktor, Mauricio Valls.«

»Genau. Dort bezeichnete er ihn als ›schlechtesten Autor der Geschichte‹ und pries den Umstand, dass seine Bücher verbrannt worden waren, denn sie seien ›ein Affront gegen die Menschheit und den guten Geschmack‹.«

»Dasselbe hat man auch vom Palau de la Música gesagt«, ergänzte Fermín. »Da haben wir die Creme der internationalen Intelligenz. Schon Unamuno hat geschrieben: Sollen doch die anderen erfinden, wir beurteilen es dann.«

»Unschuldig oder nicht, nachdem Martín öffentlich gedemütigt und jede einzelne von ihm verfasste Seite verbrannt worden war, landete er in einer Zelle des Modelo-Gefängnisses, wo er wahrscheinlich innerhalb weniger Wochen gestorben wäre, wenn nicht der Herr Direktor, der den Fall mit größtem Interesse verfolgt hatte und aus irgendeinem Grund von Martín besessen war, Zugang zu den Akten bekommen und seine Versetzung hierher beantragt hätte. Martín hat mir erzählt, am Tag seiner Ankunft habe ihn Valls in sein Büro bringen lassen und eine seiner Reden vom Stapel gelassen:

›Martín, obwohl Sie ein überführter Krimineller und sicherlich ein überzeugter Subversiver sind, haben wir

*etwas gemeinsam. Wir sind beide Literaten, und ob-
wohl Sie Ihre unglückliche Laufbahn mit dem Verfassen von Schund für die ignorante Masse ohne geistige Leitlinien vertan haben, glaube ich, dass Sie mir
vielleicht helfen und so Ihre Fehler abarbeiten können. Ich habe eine Reihe Romane und Gedichte, an
denen ich in diesen letzten Jahren gearbeitet habe. Sie
stehen auf höchstem literarischem Niveau, und leider
muss ich sehr bezweifeln, dass es in diesem Lande der
Analphabeten mehr als dreihundert Leser gibt, die
ihren Wert zu verstehen und zu schätzen wissen. Darum habe ich gedacht, vielleicht könnten Sie, der Sie
sich beim Pöbel mit seiner Straßenbahnlektüre pro-
fessionell prostituiert haben, mir helfen, einige kleine
Änderungen vorzunehmen, um mein Werk dem tris-
ten Niveau der Leser in diesem Lande anzunähern.
Wenn Sie sich kooperativ zeigen, versichere ich Ihnen,
dass ich Ihr Hiersein sehr viel angenehmer gestalten
kann. Ich könnte sogar erreichen, dass Ihr Fall wie-
deraufgenommen wird. Ihre kleine Freundin … Wie
heißt sie noch mal? Ach ja, Isabella. Ein hübsches
Mädchen, wenn Sie mir die Bemerkung gestatten.
Nun, Ihre Freundin hat mich aufgesucht und mir
erzählt, sie habe einen jungen Anwalt, einen gewissen Brians, in ihre Dienste genommen und das nötige
Geld für Ihre Verteidigung zusammengekratzt. Machen wir uns nichts vor – wir wissen beide, dass Ihr
Fall keinerlei Fundament hat und dass Sie aufgrund
sehr fraglicher Aussagen verurteilt worden sind. Sie*

scheinen ein unglaubliches Talent zu haben, sich Feinde zu schaffen, Martín, sogar bei Leuten, von denen Sie sicherlich nicht einmal wissen, dass es sie gibt. Begehen Sie nicht den Fehler, sich in mir einen weiteren Feind zu schaffen, Martín. Ich bin keiner dieser armen Teufel. Hier, in diesen Mauern, bin ich, um es klar zu sagen, Gott.‹

Ich weiß nicht, ob Martín auf den Vorschlag des Herrn Direktor einging oder nicht, muss aber annehmen, dass er es tat, denn er ist noch am Leben, und unser Privatgott ist nach wie vor ganz klar daran interessiert, dass sich das nicht ändert, wenigstens nicht im Moment. Er hat ihm sogar das Papier und das Schreibwerkzeug in seiner Zelle verschafft, vermutlich, damit er ihm seine erhabenen Werke umschreiben und unser Herr Direktor damit in den Olymp des Ruhms und des so ersehnten literarischen Erfolgs eintreten kann. Ehrlich gesagt, ich weiß nicht, was ich denken soll. Meinem Eindruck nach ist der arme Martín nicht einmal in der Lage, seine Schuhgröße niederzuschreiben, und verharrt meistens in einer Art Fegefeuer, das er in seinem eigenen Kopf aufgebaut hat, wo ihn Gewissensbisse und Schmerz bei lebendigem Leib aufzehren. Aber mein Gebiet ist die innere Medizin, und es steht mir nicht zu, Diagnosen zu stellen …«

7

Die Geschichte, die ihm der Arzt erzählt hatte, ließ Fermín keine Ruhe. Getreu seinem ewigen Engagement für hoffnungslose Fälle beschloss er, auf eigene Faust Nachforschungen anzustellen, um mehr über Martín zu erfahren und nebenbei den Gedanken der Flucht *via mortis* im Stil von Alexandre Dumas zu perfektionieren. Je mehr er über das Ganze nachdachte, desto mehr kam er zur Überzeugung, dass der Gefangene des Himmels wenigstens in dieser Hinsicht nicht so verrückt war, wie alle es darstellten. Wann immer es im Burggraben einen freien Moment gab, näherte sich Fermín Martín und sprach ihn an.

»Fermín, ich glaube langsam, Sie und ich sind fast eine Art Paar. Immer wenn ich mich umdrehe, stehen Sie da.«

»Verzeihen Sie, Señor Martín, aber da gibt es etwas, was mir keine Ruhe lässt.«

»Und welches ist der Grund für solche Ruhelosigkeit?«

»Schauen Sie, um es ohne Umschweife zu sagen, verstehe ich nicht, wie ein anständiger Mensch wie

Sie sich hat dazu hergeben können, dem eingebildeten Ekelkloß von Herrchen Direktor bei seinen hochstaplerischen Versuchen zu helfen, als Salonliterat aufzutreten.«

»Na, Sie reden aber wirklich nicht um den heißen Brei herum. Offenbar gibt es in diesem Haus keine Geheimnisse.«

»Ich habe eben eine Sonderbegabung für hochverwickelte Causae und andere Detektivgeschichten.«

»Dann wissen Sie ja auch, dass ich kein anständiger Mensch bin, sondern ein Krimineller.«

»Das hat der Richter gesagt.«

»Und einhalb Heere von vereidigten Zeugen.«

»Gekauft von einem Verbrecher und sämtlich verseucht von Neid und anderen Schäbigkeiten.«

»Sagen Sie, gibt es auch etwas, was Sie nicht wissen, Fermín?«

»Einen Haufen Dinge. Aber was mir seit Tagen den Filter verstopft, ist, warum Sie mit diesem hochmütigen Kretin Umgang haben. Leute wie er sind die Fäulnis dieses Landes.«

»Leute wie ihn gibt es überall, Fermín. Niemand hat ein Patent drauf.«

»Aber nur hier nehmen wir sie ernst.«

»Urteilen Sie nicht vorschnell über ihn. In dieser ganzen Posse spielt er eine komplexere Rolle, als es den Anschein hat. Dieser hochmütige Kretin, wie Sie ihn nennen, ist zunächst einmal ein überaus mächtiger Mann.«

»Gott, wie er selber sagt.«

»In diesem ganz besonderen Fegefeuer, da hat er nicht ganz unrecht.«

Fermín rümpfte die Nase. Es gefiel ihm nicht, was er da hörte. Fast sah es aus, als hätte Martín den Wein seiner Niederlage genossen.

»Hat er Ihnen denn gedroht? Ist es das? Was kann er Ihnen noch antun?«

»Mir nichts, außer zu lachen. Aber anderen, draußen, denen kann er sehr wohl großen Schaden zufügen.«

Fermín schwieg lange.

»Entschuldigen Sie, Señor Martín. Ich wollte Sie nicht beleidigen. Daran hatte ich nicht gedacht.«

»Sie beleidigen mich nicht, Fermín. Im Gegenteil. Ich glaube, Sie haben eine zu großmütige Sicht meiner Umstände. Ihre Redlichkeit sagt mehr über Sie aus als über mich.«

»Es ist diese Señorita, nicht? Isabella?«

»Señora.«

»Ich wusste nicht, dass Sie verheiratet sind.«

»Das bin ich auch nicht. Isabella ist nicht meine Frau. Auch nicht meine Geliebte, falls Sie das denken.«

Fermín schwieg. Er mochte Martíns Worte nicht anzweifeln, aber allein wenn er ihn von ihr sprechen hörte, war ihm vollkommen klar, dass diese Señorita oder Señora das war, was Martín auf der Welt am meisten liebte, wahrscheinlich überhaupt das Einzige, was ihn in diesem elenden Loch am Leben erhielt. Und am traurigsten war, dass er es vermutlich nicht einmal merkte.

»Isabella und ihr Mann führen eine Buchhandlung, ein Ort, der seit meiner Kindheit für mich immer von ganz besonderer Bedeutung gewesen ist. Der Herr Direktor hat mir gesagt, wenn ich seinen Wünschen nicht nachkomme, werde er dafür sorgen, dass man die beiden des Verkaufs subversiven Materials bezichtigt, sie enteignet, beide hinter Gitter bringt und ihnen den noch nicht einmal dreijährigen Sohn wegnimmt.«

»Dieser gottverdammte Schweinehund«, murmelte Fermín.

»Nein, Fermín«, sagte Martín. »Das ist nicht Ihr Krieg, es ist meiner. Es ist das, was ich verdiene für das, was ich getan habe.«

»Sie haben nichts getan, Martín.«

»Sie kennen mich nicht, Fermín. Das ist auch nicht nötig. Was Sie tun müssen, ist, sich darauf konzentrieren, wie Sie hier rauskommen.«

»Das ist das andere, was ich Sie fragen wollte. Soviel ich weiß, haben Sie eine experimentelle Methode in Entwicklung, um aus diesem Nachttopf zu entkommen. Falls Sie ein gut abgehangenes, aber hochbegeistertes Versuchskaninchen brauchen, stehe ich Ihnen zu Diensten.«

Martín schaute ihn nachdenklich an.

»Haben Sie Dumas gelesen?«

»Von vorn bis hinten.«

»So sehen Sie auch aus. Wenn dem so ist, wissen Sie ja, wie der Hase läuft. Hören Sie mir gut zu.«

8

Nachdem er sechs Monate in Gefangenschaft verbracht hatte, veränderte eine Reihe von Ereignissen Fermíns bisheriges Leben grundlegend. Das erste
war, dass in diesen Tagen, als das Regime noch
glaubte, Hitler, Mussolini und Konsorten würden
den Krieg gewinnen und Europa hätte bald dieselbe Farbe wie die Unterhosen des Generalísimo,
eine tollwütige Flut von Schlächtern, Angebern und
frischbekehrten politischen Kommissaren es geschafft
hatte, die Zahl gefangener, verhafteter, gerichtlich
verfolgter oder verschwundener Bürger auf ein histo-
risches Ausmaß ansteigen zu lassen.

Da die Kerker des Landes aus allen Nähten platzten,
hatte die Gefängnisdirektion auf Anweisung der Mi-
litärbehörden die Anzahl der Plätze verdoppelt, ja
verdreifacht, um einen Teil der unzähligen Angeklag-
ten aufzunehmen, die das ruinierte, elende Barcelona
des Jahres 1940 überschwemmten. Zu diesem Behufe
informierte der Direktor die Gefangenen in seiner
schwülstigen Sonntagsansprache, dass sie von nun an

ihre Zelle zu teilen hätten. Dr. Sanahuja wurde in Martíns Loch gesteckt, vermutlich, um ihn im Auge zu behalten und vor seinen selbstmörderischen Anwandlungen zu schützen. Fermín hatte die Zelle 13 mit seinem ehemaligen Nachbarn zu teilen, Nr. 14, und so weiter. Sämtliche Insassen des Gangs wurden zu Paaren gefügt, um Platz für die Neuen zu schaffen, die allnächtlich vom Modelo-Gefängnis oder von der Festung Campo de la Bota in Lieferwagen angekarrt wurden.

»Machen Sie kein solches Gesicht, mir passt das noch viel weniger als Ihnen«, sagte Nr. 14 nach dem Einzug bei seinem neuen Kollegen.

»Ich mache Sie darauf aufmerksam, dass Feindseligkeit bei mir Aerophagie auslöst«, drohte ihm Fermín. »Also hören Sie auf, anzugeben wie Buffalo Bill, und geben Sie sich ein wenig Mühe, höflich zu sein und mit dem Gesicht zur Wand zu pissen und nicht herumzuspritzen, oder Sie erwachen eines Morgens unter einer Pilzschicht.«

Fünf Tage lang richtete die ehemalige Nr. 14 kein Wort an Fermín. Schließlich, übermannt von den Schwefelfürzen, die ihm dieser jeden Morgen zukommen ließ, änderte er seine Strategie.

»Ich habe Sie ja gewarnt«, sagte Fermín.

»Na gut. Ich ergebe mich. Mein Name ist Sebastián Salgado. Gewerkschafter von Beruf. Geben Sie mir die Hand und lassen Sie uns Freunde sein, aber hören Sie ums Himmels willen auf mit diesen Fürzen, ich habe schon Halluzinationen und sehe im Traum den *Zuckerjungen* Charleston tanzen.«

Fermín gab dem anderen die Hand und stellte dabei fest, dass ihm der kleine und der Ringfinger fehlten.

»Fermín Romero de Torres, sehr angenehm, Sie endlich kennenzulernen. Von Beruf Geheimdienstler auf dem Sektor Karibik der Generalitat de Catalunya, jetzt nicht mehr in Betrieb, aber von Berufung Bibliograph und Liebhaber der schöngeistigen Literatur.«

Salgado schaute seinen neuen Leidensgenossen an und verdrehte die Augen.

»Und da heißt es, der Spinner sei Martín.«

»Ein Spinner ist der, der sich für vernünftig hält und glaubt, die Idioten seien nicht von seinem Stand.«

Salgado gab sich geschlagen und nickte.

Das zweite Ereignis fand einige Tage später statt, als ihn in der Abenddämmerung zwei Posten abholen kamen. Bebo öffnete ihnen die Zelle und versuchte, seine Besorgnis zu übertünchen.

»Los, Zahnstocher, auf«, murmelte einer der Posten.

Einen Augenblick glaubte Salgado, seine Bittgebete seien erhört worden und Fermín werde vors Erschießungskommando geführt.

»Nur Mut, Fermín«, sagte er lächelnd. »Für Gott und Spanien zu sterben, das ist das Schönste, was es gibt.«

Die beiden Posten packten Fermín, legten ihm Fußeisen und Handschellen an und schleiften ihn vor den sorgenvollen Blicken des ganzen Gangs und unter Salgados Gelächter weg.

»Hier windest du dich auch mit Fürzen nicht raus«, sagte sein Kamerad lachend.

9

Er wurde durch ein Gewirr von Tunnels zu einem langen Gang geführt, an dessen Ende man ein großes Holztor erblickte. Fermín fühlte Übelkeit in sich aufsteigen und dachte, so weit habe ihn also die elende Reise seines Lebens geführt und hinter dieser Tür erwarte ihn Fumero mit einem Lötkolben und einer Freinacht. Zu seiner Überraschung nahm ihm einer der Posten vor dem Tor die Schellen ab, während der andere sacht anklopfte.

»Herein«, antwortete eine vertraute Stimme.

So fand sich Fermín im Büro des Direktors wieder, einem luxuriös ausgestatteten Raum mit Stilmöbeln und Teppichen aus irgendeiner alten Villa der Bonanova. Das Bild wurde vervollständigt durch eine große spanische Flagge mit Adler, Schild und Beschriftung, ein Porträt des Caudillo, stärker retuschiert als ein Werbefoto von Marlene Dietrich, und den Herrn Direktor in persona, Mauricio Valls, der sich hinter seinem Schreibtisch lächelnd eine Importzigarette und ein Glas Brandy zu Gemüte führte.

»Setz dich. Nur keine Angst.«

Fermín sah neben sich einen Teller mit Fleisch, Erbsen und nach heißer Butter riechendem Kartoffelbrei dampfen.

»Das ist keine Fata Morgana«, sagte der Direktor sanft. »Es ist dein Abendessen. Hoffentlich schmeckt es dir.«

Fermín, der seit Juli 1936 kein derartiges Wunder mehr gesehen hatte, stürzte sich auf die Leckerbissen, ehe sie sich verflüchtigten. Mit einer Abneigung und Verachtung, die sein aufgesetztes Lächeln kaum verhehlen konnte, schaute ihm der Direktor beim Essen zu, steckte eine Zigarette an der anderen an und fuhr sich jede Minute durch sein pomadisiertes Haar. Als Fermín fertig war, bedeutete Valls den Posten, sich zurückzuziehen. Unter vier Augen wirkte der Direktor auf den Gefangenen viel unheilvoller als im Beisein bewaffneter Wachen.

»Fermín, nicht wahr?«, fragte er beiläufig.

Fermín nickte langsam.

»Du wirst dich fragen, warum ich dich habe kommen lassen.«

Fermín sank auf seinem Stuhl in sich zusammen.

»Nichts, weswegen du dir Sorgen machen müsstest. Ganz im Gegenteil. Ich habe dich kommen lassen, weil ich deine Lebensbedingungen verbessern und, wer weiß, vielleicht sogar dein Urteil überprüfen lassen will – wir wissen ja beide, dass die Anklagepunkte, die dir zur Last gelegt wurden, unhaltbar

sind. Das haben diese Zeiten so an sich, viel aufge-
wühltes Wasser, und manchmal büßen Gerechte für
Sünder. Das ist der Preis für die nationale Wiedergeburt. Diese Erwägungen am Rande, sollst du verstehen, dass ich auf deiner Seite bin. Auch ich bin ein
wenig ein Gefangener hier. Ich glaube, wir möchten
beide so rasch wie möglich von hier wegkommen,
und ich habe gedacht, wir könnten einander dabei
helfen. Zigarette?«

Schüchtern nahm Fermín sie entgegen.

»Wenn es Ihnen nichts ausmacht, hebe ich sie mir
für nachher auf.«

»Natürlich. Da, nimm das Päckchen.«

Fermín steckte das Paket ein. Lächelnd beugte sich
der Direktor über dem Schreibtisch vor. Im Zoo gab
es eine Schlange, die genauso aussah, dachte Fermín,
aber die fraß nur Mäuse.

»Wie geht's denn mit deinem neuen Zellenkollegen?«

»Salgado? Eine Seele von Mensch.«

»Ich weiß nicht, ob dir bekannt ist, dass dieser
Schuft, bevor er eingebuchtet wurde, ein Revolver-
held und Killer im Dienst der Kommunisten war.«

Fermín schüttelte den Kopf.

»Mir hat er gesagt, er sei Gewerkschafter.«

Valls lachte leise.

»Im Mai 38 ist er allein ins Haus der Familie Vila-
joana im Paseo de la Bonanova eingedrungen und hat
alle umgelegt, sogar die fünf Kinder, die vier Dienst-

mädchen und die sechsundachtzigjährige Großmutter. Weißt du, wer die Vilajoanas waren?«

»Im Moment ...«

»Juweliere. Zum Zeitpunkt des Verbrechens befand sich im Haus eine Summe von fünfundzwanzigtausend Peseten in Juwelen und in bar. Weißt du, wo dieses Geld jetzt ist?«

»Das weiß ich nicht.«

»Weder du noch sonst jemand. Der Einzige, der es weiß, ist Genosse Salgado, der beschlossen hatte, es nicht dem Proletariat zukommen zu lassen, sondern es zu verstecken, um nach dem Krieg auf großem Fuß leben zu können. Was er aber nie tun wird, denn wir behalten ihn hier, bis er singt oder bis ihn dein Freund Fumero schließlich in Stückchen zerlegt.«

Fermín nickte und zog seine Schlüsse.

»Ich hatte schon gesehen, dass ihm an der einen Hand zwei Finger fehlen und dass er ein wenig seltsam geht.«

»Eines Tages sagst du ihm, er soll die Hose runterlassen, und dann siehst du, dass ihm unterwegs noch etwas anderes abhandengekommen ist, weil er sich so stur zu gestehen weigert.«

Fermín schluckte.

»Du sollst wissen, dass mich solche Brutalitäten anwidern. Das ist einer der beiden Gründe, derentwegen ich Salgado in deine Zelle habe stecken lassen. Ich glaube, man muss miteinander reden. Darum will ich, dass du für mich rauskriegst, wo er die Beute der

Vilajoanas versteckt hat, und auch die aus allen anderen Diebstählen und Verbrechen, die er in den letzten Jahren begangen hat.«

Fermín spürte, wie ihm das Herz auf die Füße hinunterfiel.

»Und der andere Grund?«

»Der andere Grund ist, dass ich bemerkt habe, dass du dich in letzter Zeit sehr mit David Martín angefreundet hast. Das finde ich sehr gut. Die Freundschaft ist ein Wert, der den Menschen veredelt und zur Rehabilitierung der Gefangenen beiträgt. Ich weiß nicht, ob dir bekannt ist, dass Martín Schriftsteller ist.«

»Ich habe so was läuten hören.«

Der Direktor warf ihm einen eiskalten Blick zu, lächelte aber versöhnlich weiter.

»Martín ist kein schlechter Mensch, aber er irrt sich in vielem. Einer seiner Irrtümer ist die naive Vorstellung, er müsse Menschen und unangenehme Geheimnisse schützen.«

»Er ist eben sehr sonderbar und hat solche Eigenheiten.«

»Natürlich. Darum habe ich gedacht, vielleicht wäre es gut, wenn du bei ihm wärst, mit weit offenen Augen und Ohren, und mir erzählen würdest, was er sagt, was er denkt, was er fühlt … Sicherlich hat er dir irgendwas erzählt, was dir aufgefallen ist.«

»Nun, jetzt, da der Herr Direktor es sagt – in letzter Zeit klagt er immer wieder über einen Pickel, der ihm durch die Reibung mit den Unterhosen in der Leiste gewachsen ist.«

Der Direktor seufzte und schüttelte langsam den Kopf, sichtlich müde, für ein unerwünschtes Element so viel Freundlichkeit aufzubringen.

»Hör mir gut zu, du Witzfigur, wir können das im Guten oder im Schlechten regeln. Ich versuche vernünftig zu sein, aber ich brauche nur zu diesem Telefon zu greifen, und dein Freund Fumero ist in einer halben Stunde hier. Man hat mir zugetragen, seit einiger Zeit habe er nebst dem Lötkolben in einem der Kerker im Keller eine Kiste mit Tischlerwerkzeug, mit dem er wahre Wunder vollbringt. Verstehen wir uns?«

Fermín hielt sich die Hände, um das Zittern zu verstecken.

»Bestens. Verzeihen Sie mir, Herr Direktor. Ich habe schon so lange kein Fleisch mehr gegessen, dass mir das Protein in den Kopf gestiegen sein muss. Es wird nicht wieder vorkommen.«

Der Direktor lächelte wieder und fuhr fort, als wäre nichts geschehen.

»Insbesondere möchte ich erfahren, ob er einmal einen Friedhof der Vergessenen oder Toten Bücher erwähnt hat oder so ähnlich. Denk gut nach, bevor du antwortest. Hat Martín dir einmal etwas von diesem Ort erzählt?«

Fermín schüttelte den Kopf.

»Ich schwöre Eurer Hochwohlgeboren, dass ich

weder Señor Martín noch sonst jemanden je im Leben von diesem Ort habe sprechen hören ...«

Der Direktor zwinkerte ihm zu.

»Ich glaube dir. Und darum weiß ich, dass du es mir sagen wirst, wenn er ihn erwähnt. Und wenn er ihn nicht erwähnt, wirst du das Thema zur Sprache bringen und herausfinden, wo er sich befindet.«

Fermín nickte mehrmals.

»Und noch was. Wenn Martín dir etwas von einem bestimmten Auftrag erzählt, den er von mir bekommen hat, überzeug ihn, dass es zu seinem Besten ist und vor allem zum Besten einer gewissen Dame, die er sehr schätzt, und ihres Mannes und des Sohnes der beiden, wenn er alles daransetzt, sein Meisterwerk zu schreiben.«

»Sie meinen Señora Isabella?«

»Aha, ich sehe, dass er dir von ihr erzählt hat ... Du müsstest sie sehen«, sagte er, während er seine Brille mit dem Taschentuch reinigte. »So jung, mit dieser straffen Haut einer Schülerin ... Du weißt nicht, wie oft sie da gesessen hat, wo du jetzt sitzt, und um den armen unglücklichen Martín gefleht hat. Ich werde dir nicht sagen, was sie mir angeboten hat, denn ich bin ein Gentleman, aber unter uns beiden, die Verehrung, die dieses junge Ding Martín entgegenbringt, ist schon fast kitschig. Ich würde wetten, dieser Junge, Daniel, ist nicht von ihrem Mann, sondern von Martín, der zwar einen miserablen literarischen Geschmack hat, aber einen auserlesenen für Flittchen.«

Der Direktor unterbrach sich, als er bemerkte, dass ihn der Gefangene mit einem undurchdringlichen Blick ansah.

»Was glotzt du denn so?«

Er klopfte auf den Tisch, und sogleich ging hinter Fermín die Tür auf. Die beiden Posten packten ihn an den Armen und hoben ihn vom Stuhl auf, so dass seine Füße in der Luft schwebten.

»Denk an das, was ich dir gesagt habe«, bemerkte der Direktor. »In vier Wochen will ich dich wieder auf diesem Stuhl haben. Wenn du Resultate mitbringst, versichere ich dir, dass dein Aufenthalt hier um einiges angenehmer wird. Andernfalls mache ich einen Termin für dich im Keller bei Fumero und seinen Spielsachen aus. Ist das klar?«

»Wie Glas.«

Dann bedeutete er seinen Leuten mit einer überdrüssigen Geste, den Gefangenen abzuführen, und trank seinen Brandy aus, voller Ekel, sich tagtäglich mit diesen ungebildeten, verachtenswerten Menschen abgeben zu müssen.

10

Barcelona, 1957

»Sie sind ja ganz weiß, Daniel«, murmelte Fermín und riss mich damit aus meiner Trance.

Der Speiseraum von Can Lluís und die Straßen, durch die wir hergekommen waren, gab es nicht mehr. Alles, was ich zu sehen imstande war, war das Büro im Kastell auf dem Montjuïc und das Gesicht dieses Mannes, der von meiner Mutter in Worten und Anspielungen sprach, die mich marterten. Ich spürte, wie sich in mir etwas Kaltes, Schneidendes Bahn brach, eine Wut, wie ich sie noch nie gekannt hatte. Einen Moment lang wünschte ich mir nichts sehnlicher auf der Welt, als diesen elenden Mistkerl vor mir zu haben, um ihm den Hals umzudrehen und von nahem zu verfolgen, wie ihm die Adern in den Augen platzten.

»Daniel …«

Ich schloss einen Augenblick die Augen und atmete durch. Als ich sie wieder öffnete, war ich zurück im Can Lluís, und Fermín Romero de Torres schaute mich völlig niedergeschlagen an.

»Verzeihen Sie mir, Daniel«, sagte er.

Mein Mund war ausgetrocknet. Ich schenkte mir ein Glas Wasser ein und leerte es in der Hoffnung, wieder Worte über die Lippen bringen zu können.

»Da gibt es nichts zu entschuldigen, Fermín. Nichts von dem, was Sie mir erzählt haben, ist Ihre Schuld.«

»Zuerst einmal ist es meine Schuld, weil ich es Ihnen erzählen muss«, sagte er fast unhörbar leise.

Er senkte den Blick, als getraute er sich nicht, mich anzuschauen. Ich begriff, wie sehr ihn die Erinnerung an jene Episode schmerzte und auch die Verpflichtung, mir die Wahrheit zu sagen, und schämte mich des Grolls, der mich gepackt hatte.

»Fermín, sehen Sie mich an.«

Er schaffte es, mich aus dem Augenwinkel anzuschauen, und ich lächelte ihn an.

»Sie sollen wissen, dass ich Ihnen dankbar bin dafür, dass Sie mir die Wahrheit erzählt haben, und dass ich verstehe, warum Sie mir vor zwei Jahren nichts von alledem sagen wollten.«

Er nickte schwach, aber etwas in seinem Blick gab mir zu verstehen, dass ihn meine Worte keineswegs trösteten. Ganz im Gegenteil. Eine Weile schwiegen wir.

»Da ist noch mehr, nicht wahr?«, fragte ich schließlich.

Er nickte.

»Und was noch kommt, ist schlimmer?«

Wieder nickte er.

»Viel schlimmer.«

Ich wandte den Blick ab und lächelte Professor Alburquerque zu, der den Rückzug antrat und uns zum Abschied zuwinkte.

»Warum bestellen wir also nicht noch eine Flasche Tafelwasser, und Sie erzählen mir den Rest?«

»Besser Wein. Vom Fusel.«

11

Barcelona, 1940

Eine Woche nach dem Gespräch zwischen Fermín und dem Direktor führten zwei Männer, die noch nie jemand auf dem Gang gesehen hatte und die schon von weitem nach politischer Polizei rochen, Salgado wortlos und in Handschellen ab.

»Weißt du, wohin sie ihn bringen, Bebo?«, fragte Nr. 12.

Der Wärter verneinte, aber in seinen Augen konnte man sehen, dass er etwas gehört hatte, worauf er lieber nicht näher einging. Da es sonst keine Neuigkeiten gab, weckte Salgados Abtransport die Spekulationen unter den Gefangenen, und sie legten sich Theorien aller Art zurecht.

»Der war ein Spion der Nationalen, der uns mit seiner Geschichte als eingebuchteter Gewerkschafter die Würmer aus der Nase ziehen sollte.«

»Ja, darum haben Sie ihm zwei Finger ausgerissen und weiß Gott was noch, damit das Ganze überzeugender aussieht.«

»Jetzt sitzt er bestimmt schon im Amaya und schlägt sich in Gesellschaft seiner Spezis den Bauch mit Seehecht nach Baskenart voll und lacht über uns alle.«

»Ich glaube, der hat irgendwas gestanden, was man von ihm verlangt hat, und dann hat man ihn mit einem Stein um den Hals zehn Kilometer meereinwärts versenkt.«

»Der hatte eine Visage wie ein Falangist. Zum Glück hab ich keinen Piep gesagt, die werden euch schön fertigmachen.«

»Ja, Mensch, womöglich stecken die uns noch ins Gefängnis.«

Mangels eines anderen Zeitvertreibs zogen sich die Diskussionen dahin, bis ihn zwei Tage später dieselben Männer zurückbrachten, die ihn geholt hatten. Alle bemerkten sofort, dass sich Salgado nicht auf den Beinen halten konnte und sie ihn wie ein Bündel herschleppten. Er war leichenblass und in kalten Schweiß gebadet. Sein halbnackter Körper war mit einer braunen Kruste überzogen, die nach einer Mischung aus getrocknetem Blut und Exkrementen aussah. Sie ließen ihn in die Zelle plumpsen wie einen Sack Mist und zogen wortlos von dannen.

Fermín bettete ihn auf die Pritsche und begann dann langsam, ihn mit Stofffetzen, die er aus seinem eigenen Hemd riss, und ein wenig von Bebo herbeigeschmuggeltem Wasser zu waschen. Salgado war bei Bewusstsein und atmete mühsam, doch seine Augen glühten, als hätte ihn jemand innerlich in Brand gesteckt. Wo früher seine rechte Hand gewesen war, pulsierte jetzt ein violetter, mit Teer verätzter Stummel. Während ihm Fermín das Gesicht wusch, lächelte ihm Salgado mit den paar verbliebenen Zähnen zu.

»Warum sagen Sie diesen Schlächtern nicht ein für alle Mal, was sie wissen wollen, Salgado? Es ist doch bloß Geld. Ich weiß ja nicht, wie viel Sie versteckt haben, aber das ist es doch nicht wert.«

»Sie können mich mal«, murmelte Salgado mit dem bisschen Atem, den er noch hatte. »Dieses Geld gehört mir.«

»Es gehört wohl all denen, die Sie ermordet und ausgeraubt haben, wenn Ihnen die Richtigstellung nichts ausmacht.«

»Ich habe niemand ausgeraubt. Sie haben es vorher dem Volk gestohlen. Und wenn ich sie hingerichtet habe, dann, um dem Volk Gerechtigkeit widerfahren zu lassen.«

»Klar. Zum Glück sind Sie gekommen, der Robin Hood von Matadepera, um jegliches Unrecht wiedergutzumachen. Sie sind mir vielleicht ein mutiger Rächer.«

»Dieses Geld ist meine Zukunft«, spuckte Salgado aus.

Fermín strich ihm mit dem feuchten Lappen über die kalte, zerkratzte Stirn.

»Die Zukunft wünscht man sich nicht, man verdient sie sich. Und Sie haben keine Zukunft, Salgado. Weder Sie noch ein Land, das Ungeziefer wie Sie und den Herrn Direktor hervorbringt und dann wegschaut. Die Zukunft haben wir alle gemeinsam zerstört, und das Einzige, was uns erwartet, ist Scheiße wie die, die Sie ausströmen, und jetzt hab ich's satt, Sie sauberzumachen.«

Salgado gab eine Art gutturales Wimmern von sich, das Fermín als Gelächter interpretierte.

»Sparen Sie sich Ihre Reden, Fermín. Jetzt wollen Sie sich wohl auch noch als Held aufspielen.«

»Nein. Helden gibt es mehr als genug. Ich bin bloß ein Feigling. Nichts mehr und nichts weniger. Aber ich weiß es wenigstens und gebe es zu.«

Schweigend wusch ihn Fermín weiter, so gut er konnte, dann deckte er ihn mit dem Überbleibsel ihrer verwanzten und nach Urin stinkenden Decke zu. Er blieb bei ihm, bis er die Augen schloss und einschlief, und Fermín war sich nicht sicher, ob er je wieder erwachen würde.

»Sagen Sie schon, dass er endlich gestorben ist«, hörte er die Stimme von Nr. 12.

»Wetten werden angenommen«, fügte Nr. 17 hinzu. »Eine Zigarette darauf, dass er abkratzt.«

»Gehen Sie alle schlafen oder aber zum Teufel«, sagte Fermín.

Er kauerte sich in der entferntesten Ecke der Zelle nieder und versuchte einzuschlafen, aber bald war ihm klar, dass er diese Nacht kein Auge zutun würde. Nach einer Weile hielt er das Gesicht an die Gitterstäbe und ließ die Arme auf die Querstange fallen.

Auf der anderen Seite des Gangs beobachteten ihn aus den Schatten heraus zwei Augen in der Glut einer Zigarette.

»Sie haben mir nicht gesagt, warum Valls Sie neulich zu sich bestellt hat«, sagte Martín.

»Sie können es sich ja etwa vorstellen.«

»Irgendeine außergewöhnliche Bitte?«

»Ich soll Sie aushorchen über irgendeinen Bücherfriedhof oder so was Ähnliches.«

»Interessant.«

»Faszinierend.«

»Hat er Ihnen erklärt, warum ihn dieses Thema interessiert?«

»Ehrlich gesagt, Señor Martín, unsere Beziehung ist nicht so eng. Der Herr Direktor beschränkt sich darauf, mir verschiedenartigste Verstümmelungen anzudrohen, wenn ich seinem Gebot nicht in vier Wochen nachkomme, und ich beschränke mich darauf, ja zu sagen.«

»Machen Sie sich keine Sorgen, Fermín. In vier Wochen sind Sie hier raus.«

»Ja, an einem Karibikstrand mit zwei gutgepolsterten Mulattinnen, die mir eine Fußmassage verabreichen.«

»Haben Sie Vertrauen.«

Fermín gab einen mutlosen Seufzer von sich. Die Karten seiner Zukunft wurden zwischen Verrückten, Schlächtern und Todgeweihten ausgeteilt.

12

An jenem Sonntag warf der Direktor nach seiner Ansprache einen fragenden Blick auf Fermín, gekrönt von einem Lächeln, das ihn die Galle bis zur Zunge hinauf schmecken ließ. Sowie die Posten den Gefangenen erlaubten wegzutreten, schlich sich Fermín an Martín an.

»Eine brillante Rede«, kommentierte dieser.

»Historisch. Jedes Mal, wenn dieser Mann spricht, nimmt das westliche Denken eine kopernikanische Wendung.«

»Sarkasmus passt nicht zu Ihnen, Fermín. Er steht im Widerspruch zu Ihrer natürlichen Sanftheit.«

»Fahren Sie zur Hölle.«

»Ich bin dabei. Zigarette?«

»Ich bin Nichtraucher.«

»Offenbar lässt sich's so schneller sterben.«

»Also her damit, an mir soll's nicht liegen.«

Fermín kam nicht über den ersten Zug hinaus. Als er sich die Lunge bis auf die Erinnerung an seine Erstkommunion aus dem Leib hustete, nahm ihm Martín die Zigarette ab und klopfte ihm auf den Rücken.

»Ich verstehe nicht, wie Sie so was schlucken können. Das schmeckt nach angesengtem Hund.«

»Es ist das Beste, was man hier kriegen kann. Sie
sollen aus Stummelresten gefertigt sein, die auf den
Gängen des Monumental-Gefängnisses zusammen-
gekehrt werden.«

»Mich jedenfalls erinnert das Bukett eher an ein
Pissoir.«

»Atmen Sie tief durch, Fermín. Besser so?«

Fermín nickte.

»Wollen Sie mir nun etwas über diesen Friedhof
erzählen, damit ich dem Oberschwein einen Köder
hinwerfen kann? Es muss ja gar nicht stimmen. Mir
ist mit jedem Unsinn gedient, der Ihnen einfällt.«

Lächelnd stieß Martín den stinkenden Rauch zwischen den Zähnen aus.

»Wie geht's denn Ihrem Zellengenossen Salgado,
dem Rächer der Enterbten?«

»Tja, da hat man gedacht, man habe ein gewisses
Alter und in diesem Weltenzirkus alles gesehen. Und
wo es heute früh schon den Anschein machte, als
hätte er den Löffel abgegeben, hör ich, wie er auf-
steht und sich zu meiner Schlafstätte schleicht wie ein
Vampir.«

»Etwas Vampirhaftes hat er tatsächlich.«

»Jedenfalls tritt er an meinen Schlafplatz und starrt
mich an. Ich stelle mich schlafend, Salgado beißt an,
und ich sehe, wie er lautlos in eine Ecke der Zelle geht
und mit der verbleibenden Hand dort zu stochern

beginnt, wo die Medizin das Rektum beziehungsweise den Mastdarm ansiedelt«, fuhr Fermín fort.

»Wie bitte?«

»Sie hören schon recht. Von seiner jüngsten Sitzung mittelalterlicher Verstümmelung genesend, feiert der gute Salgado die erstbeste Gelegenheit, wo er imstande ist, aufzustehen und diesen geduldigen Winkel der menschlichen Anatomie auszukundschaften, den die Natur dem Sonnenlicht entzogen hat. Ungläubig wage ich nicht einmal zu atmen. Es vergeht eine Minute, und es sieht aus, als wollte Salgado mit seinen zwei oder drei verbliebenen Fingern dort den Stein der Weisen oder irgendeine tiefsitzende Hämorrhoide suchen. All das begleitet von einem dumpfen Ächzen, das ich lieber nicht wiedergebe.«

»Ich bin vollkommen baff.«

»Nun, dann setzen Sie sich hin fürs große Finale. Nach einer oder zwei Minuten rektaler Schürfarbeit lässt er einen Seufzer à la heiliger Johannes vom Kreuz fahren, und das Wunder geschieht. Wie er die Finger rauszieht, leuchtet etwas zwischen ihnen, was selbst von meiner Ecke aus kein landläufiger Kot ist.«

»Nämlich was?«

»Ein Schlüssel. Kein Schraubenschlüssel, sondern einer von diesen kleinen Schlüsseln wie von einem Köfferchen oder einem Garderobenschrank.«

»Und dann?«

»Und dann nimmt er den Schlüssel, poliert ihn mit

Spucke, ich nehme an, dass er nach wilden Rosen roch, und geht damit zur Wand, wo er, nachdem er sich überzeugt hat, dass ich immer noch schlafe, was ich mit einigen hochvirtuosen Schnarchern wie von einem Bernhardinerwelpen bestätige, den Schlüssel in einer Spalte zwischen den Steinen versteckt, die er anschließend mit Schmutz zukleistert und vielleicht auch mit ein wenig Derivat aus seinem Untergeschoss.«

Martín und Fermín schauten sich schweigend an.

»Denken Sie dasselbe wie ich?«, fragte Fermín.

Martín nickte.

»Wie viel, glauben Sie, hat dieses Levkojenknöspchen wohl im Nest der Habgier versteckt?«, fragte Fermín.

»Genug, um zu glauben, der Verlust von Fingern, Händen, Teilen der Hodensubstanz und weiß Gott noch was sei die entsprechende Geheimhaltung wert«, vermutete Martín.

»Und was soll ich jetzt tun? Denn bevor ich zulasse, dass diese Viper von Herrn Direktor seine Klauen in Salgados Schätze steckt, um sich eine kartonierte Ausgabe seiner Opera Magna zu finanzieren und sich einen Sitz in der Königlichen Sprachakademie zu erkaufen, verschlucke ich diesen Schlüssel oder stecke ihn mir nötigenfalls genauso in die Niederungen meines Intestinaltrakts.«

»Im Augenblick tun Sie gar nichts«, sagte Martín.

»Versichern Sie sich, dass der Schlüssel noch dort ist,

und warten Sie meine Anweisungen ab. Ich bin dabei, die letzten Details für Ihre Flucht auszuarbeiten.«

»Ich will Sie ja nicht kränken, Señor Martín, und bedanke mich aufs Herzlichste für Ihre Beratung und Ihre moralische Unterstützung, aber diese Geschichte kann mich Kopf und Kragen und das eine oder andere liebe Anhängsel kosten, und angesichts dessen, dass die weitverbreitete Meinung die ist, Sie seien vollkommen bescheuert, beunruhigt mich der Gedanke, mein Leben in Ihre Hände zu geben.«

»Wenn Sie einem Romancier nicht trauen, wem wollen Sie denn dann trauen?«

Fermín sah Martín in der tragbaren Rauchwolke seiner Patchworkzigarette im Burggraben davongehen.

»Gütiger Gott«, murmelte er in den Wind.

13

Das von Nr. 17 organisierte makabre Wettbüro blieb mehrere Tage geöffnet, in denen Salgado bald von einem Moment auf den anderen den Geist aufzugeben schien, bald aufstand und sich zu den Gitterstäben der Zelle schleppte, wo er aus voller Kehle ein »Ihrgottverdammtenscheißkerlewerdetkeinencentvonmeinemgeldkriegenhurensöhnemistige« und entsprechende Varianten ausstieß, bis ihm die Seele aus dem Leib fiel und er wie leblos zu Boden sackte, so dass ihn Fermín wieder auf die Beine stellen und zur Pritsche zurückschleifen musste.

»Ist's endlich aus mit dem Kakerlak, Fermín?«, fragte Nr. 17, sobald er ihn hinschlagen hörte.

Fermín gab sich nicht mehr die Mühe, ärztliche Bulletins über seinen Zellenkollegen herauszugeben. Sollte es so weit kommen, würden sie ja den Segeltuchsack abziehen sehen.

»Passen Sie auf, Salgado, wenn Sie sterben wollen, dann sterben Sie endlich, und wenn Sie vorhaben weiterzuleben, dann tun Sie es bitte in aller Stille – Ihre Geiferrezitale hängen mir zum Hals raus«, sagte

Fermín, während er ihn mit einem Stück schmutzigen Segeltuchs zudeckte, das er in Bebos Abwesenheit von einem der Wärter bekommen hatte; den hatte er mit einem angeblich wissenschaftlichen Rezept eingeseift, um erblühende Teenager mit Milcheis und Marzipanbaisers zu benebeln und dann aufs Kreuz zu legen.

»Spielen Sie nicht den Barmherzigen, ich riech den Braten und weiß, dass Sie auch nicht anders sind als diese Aasfresserseilschaft, die sogar ihre Unterhosen darauf verwettet, dass ich abkratze.« Salgado schien bereit, seine blendende Laune bis zum letzten Atemzug beizubehalten.

»Ich habe zwar keine Lust, einem Sterbenden in seinen letzten oder bestenfalls vorletzten Zügen zu widersprechen, aber Sie sollen wissen, dass ich in diesem Spiel keinen Real gesetzt habe, und sollte ich eines Tages ebenfalls der Sucht verfallen, dann gewiss nicht mit Wetten auf ein Menschenleben, obwohl Sie von einem Menschen etwa so viel haben wie ich von einem Käfer.«

»Glauben Sie ja nicht, Sie können mich mit dem ganzen Geschwätz hinters Licht führen«, sagte Salgado böse. »Ich weiß haargenau, was Sie und Ihr Seelenfreund Martín mit dieser *Monte Christo*-Geschichte im Schilde führen.«

»Ich weiß nicht, wovon Sie reden, Salgado. Schlafen Sie eine Weile, oder ein Jahr, keiner wird Sie vermissen.«

»Wenn Sie glauben, Sie kommen hier weg, dann sind Sie genauso durchgedreht wie der.«

Fermín spürte kalten Schweiß auf dem Rücken. Salgado verpasste ihm sein zahnloses Grinsen wie mit Knüppelschlägen und sagte:

»Wusst ich es doch.«

Fermín schüttelte den Kopf und kauerte sich in seiner Ecke nieder, in größtmöglichem Abstand zu Salgado. Der Frieden dauerte eine knappe Minute.

»Mein Schweigen hat einen Preis«, fing Salgado wieder an.

»Ich hätte Sie sterben lassen sollen, als Sie zurückgebracht wurden«, murmelte Fermín.

»Zum Zeichen der Dankbarkeit gewähre ich Ihnen einen Nachlass. Ich bitte Sie nur um einen letzten Gefallen, und ich werde Ihr Geheimnis für mich behalten.«

»Wie kann ich wissen, dass es der letzte sein wird?«

»Weil man Sie schnappen wird wie alle, die auf eigenen Füßen von hier wegzukommen versucht haben, und nachdem man ein paar Tage mit Ihnen gespielt hat, wird man Sie im Graben als erbauendes Schauspiel für die anderen garrottieren, und dann werde ich Sie um nichts mehr bitten können. Was meinen Sie? Ein kleiner Gefallen und meine absolute Kooperation. Ich gebe Ihnen mein Ehrenwort.«

»Ihr Ehrenwort? Mann, warum haben Sie das nicht gleich gesagt? Das ändert alles.«

»Kommen Sie ...«

Fermín zögerte einen Augenblick, doch dann sagte er sich, er habe nichts zu verlieren.

»Ich weiß, dass dieses Schwein von Valls Sie damit beauftragt hat, herauszufinden, wo ich das Geld versteckt habe«, sagte er. »Bemühen Sie sich nicht, es zu leugnen.«

Fermín zuckte bloß die Schultern.

»Sie sollen es ihm sagen«, fuhr Salgado fort.

»Zu Diensten, Salgado. Wo ist das Geld?«

»Sagen Sie dem Direktor, er soll allein hingehen, er persönlich. Wenn er jemand mitnimmt, kriegt er keinen Duro. Sagen Sie ihm, er soll zu der alten Fabrik Vilardell in Pueblo Nuevo gehen, hinter dem Friedhof. Um Mitternacht. Weder vor- noch nachher.«

»Das klingt geradezu wie ein Schwank von Carlos Arniches, Salgado ...«

»Hören Sie mir gut zu. Sagen Sie ihm, er soll in die Fabrik hineingehen und das alte Wächterhäuschen neben dem Saal mit den Webstühlen suchen. Dort soll er anklopfen und auf die entsprechende Frage die Losung sagen: ›Durruti lebt.‹«

Fermín unterdrückte einen Lachanfall.

»Das ist der größte Schwachsinn, den ich seit der letzten Ansprache des Herrn Direktor gehört habe.«

»Sie sollen nichts weiter tun, als ihm das sagen, was ich Ihnen sage.«

»Und wie können Sie sicher sein, dass nicht ich gehe und mit Ihren Tricks und Groschenromanlosungen das Geld selbst hole?«

In Salgados Augen funkelte die Habsucht.

»Sagen Sie es nicht – weil ich tot sein werde«, antwortete Fermín sich selbst.

Salgados Reptiliengrinsen überflutete seine Lippen. Fermín betrachtete diese von Rachedurst erfüllten Augen. Da wurde ihm klar, was Salgado vorhatte.

»Eine Falle, nicht wahr?«

Der andere gab keine Antwort.

»Und wenn Valls überlebt? Haben Sie mal kurz darüber nachgedacht, was man dann mit Ihnen macht?«

»Nichts, was man nicht schon gemacht hat.«

»Ich würde sagen, Sie sind sehr mannhaft, wenn ich nicht wüsste, dass man Sie schon zu drei Vierteln entmannt hat, und wenn dieser Streich in die Hose geht, kann von Mann überhaupt keine Rede mehr sein«, sagte Fermín.

»Das ist mein Bier. Wie verbleiben wir also, Monte Christo? Abgemacht?«

Salgado streckte seine einzige Hand aus. Fermín betrachtete sie einige Augenblicke und drückte sie dann lustlos.

14

Er musste die traditionelle Sonntagsansprache nach der Messe und den kurzen Moment im Freien auf dem Rasen des Grabens abwarten, um sich Martín nähern und ihm anvertrauen zu können, worum Salgado ihn gebeten hatte.

»Das durchkreuzt unseren Plan nicht«, antwortete Martín. »Tun Sie, was er sagt. Wir können es uns jetzt nicht leisten, verpfiffen zu werden.«

Fermín, seit Tagen bald von Übelkeit, bald von Herzjagen heimgesucht, trocknete sich den kalten Schweiß von der Stirn.

»Señor Martín, nicht, dass ich Ihnen nicht traue, aber wenn der Plan, den Sie da vorbereiten, so gut ist, warum benutzen Sie ihn dann nicht selbst, um von hier wegzukommen?«

Martín nickte, als erwarte er diese Frage seit Tagen.

»Weil ich es verdiene, hier zu sein, und selbst wenn es nicht so wäre, habe ich auf der Welt keinen Platz außerhalb dieser Mauern. Ich weiß nicht, wo ich hingehen könnte.«

»Sie haben doch Isabella …«

»Isabella ist mit einem Mann verheiratet, der zehnmal besser ist als ich. Wenn ich von hier wegkäme, würde das nur ihr Unglück bedeuten.«

»Aber sie unternimmt doch das Menschenmögliche, um Sie hier rauszukriegen …«

Martín schüttelte den Kopf.

»Sie müssen mir eines versprechen, Fermín. Es ist das Einzige, was ich von Ihnen als Gegenleistung erbitte, wenn ich Ihnen zur Flucht verhelfe.«

Das ist der Monat der Bitten, dachte Fermín und willigte gern ein.

»Was immer Sie von mir wollen.«

»Wenn Ihnen die Flucht gelingt, bitte ich Sie, dass Sie sich um sie kümmern, wenn es in Ihrer Hand liegt. Aus der Ferne, ohne ihr Wissen, sogar ohne dass sie überhaupt weiß, dass es Sie gibt. Dass Sie sich um sie und ihren Sohn Daniel kümmern. Wollen Sie das für mich tun, Fermín?«

»Aber selbstverständlich.«

Martín lächelte traurig.

»Sie sind ein guter Mensch, Fermín.«

»Das ist schon das zweite Mal, dass Sie mir das sagen, und jedes Mal tönt es schrecklicher in meinen Ohren.«

Martín zündete sich eine seiner Stinkzigaretten an.

»Wir haben nicht viel Zeit. Brians, der Anwalt, den Isabella verpflichtet hat, um meinen Fall zu übernehmen, war gestern da. Ich habe ihm dummerweise erzählt, was Valls von mir will.«

»Dass Sie ihm seinen Schund umschreiben …«

»Genau. Ich habe ihn gebeten, Isabella nichts davon zu sagen, aber ich kenne ihn, und früher oder später wird er es tun, und sie, die ich noch besser kenne, wird wie eine Furie herkommen und Valls damit drohen, sein Geheimnis in alle Winde auszuposaunen.«

»Und können Sie sie nicht stoppen?«

»Isabella stoppen wollen ist wie einen Güterzug stoppen wollen: eine Aufgabe für Dummköpfe.«

»Je mehr Sie mir von ihr erzählen, desto größere Lust bekomme ich, sie kennenzulernen. Frauen mit Charakter sind für mich …«

»Fermín, ich erinnere Sie an Ihr Versprechen.«

Fermín legte sich die Hand aufs Herz und nickte feierlich. Martín fuhr fort:

»Also, was ich sagen wollte. Wenn das geschieht, ist Valls jede Dummheit zuzutrauen. Dieser Mann wird von Eitelkeit, Neid und Habsucht bewegt. Wenn er sich in die Enge getrieben fühlt, wird er einen falschen Schritt tun. Ich weiß zwar nicht, was, aber ich bin sicher, dass er etwas aushecken wird. Es ist wichtig, dass Sie dann schon weg sind.«

»Tatsächlich habe ich keine große Lust zu bleiben …«

»Sie verstehen mich nicht. Wir müssen den Plan früher durchführen.«

»Früher? Wann denn?«

Martín betrachtete ihn lange durch den Rauchvorhang hindurch, der von seinen Lippen aufstieg.

»Heute Nacht.«

Fermíns Mund war so staubtrocken, dass er nicht einmal schlucken konnte.

»Aber ich weiß ja noch nicht einmal, worin der Plan besteht …«

»Spitzen Sie gut die Ohren.«

15

Bevor Fermín an diesem Nachmittag in seine Zelle zurückgebracht wurde, trat er auf einen der Posten zu, die ihn in Valls Büro gebracht hatten.

»Sagen Sie dem Herrn Direktor, dass ich mit ihm sprechen muss.«

»Worüber, wenn man fragen darf?«

»Sagen Sie ihm, ich habe die Ergebnisse, die er erwartet. Er weiß dann schon, wovon ich spreche.«

Noch vor Ablauf einer Stunde erschienen der Posten und sein Kollege vor der Zelle Nr. 13, um Fermín abzuholen. Salgado verfolgte von seiner Pritsche aus alles mit hündischem Blick und massierte sich den Armstummel. Fermín blinzelte ihm zu und zog von den Posten eskortiert ab.

Der Direktor empfing ihn mit herzlichem Lächeln und einem Teller Feingebäck aus dem Hause Escribà.

»Fermín, mein Freund, welch ein Vergnügen, Sie wieder hier zu haben, um ein intelligentes, produktives Gespräch zu führen. Nehmen Sie doch bitte Platz und kosten Sie nach Vergnügen die erlesene Auswahl an Süßigkeiten, die mir die Gattin eines Gefangenen mitgebracht hat.«

Fermín war schon seit Tagen außerstande, auch nur ein Körnchen Vogelfutter zu verzehren, doch um dem Direktor den Willen zu tun, nahm er eine Zuckerbrezel und hielt sie wie ein Amulett in der Hand. Er hatte festgestellt, dass ihn der Direktor jetzt siezte, und das konnte nur Unheilvolles bedeuten. Valls schenkte sich ein Glas Brandy ein und sank in seinen Generalssessel zurück.

»Na? Ich höre, dass Sie gute Nachrichten für mich haben«, forderte er Fermín zum Sprechen auf.

Dieser nickte.

»Was das schöngeistige Kapitel betrifft, so kann ich Euer Hochwohlgeboren bestätigen, dass Martín die Polier- und Plättarbeit, um die Sie ihn gebeten haben, mehr als überzeugt und motiviert angehen wird. Ja, er hat mir gegenüber gesagt, das Material, das Sie ihm gegeben haben, sei von so hoher Qualität und Feinsinnigkeit, dass er glaubt, seine Aufgabe sei einfach – mit zwei, drei i-Tüpfelchen auf der Genialität des Herrn Direktor erhalte man ein des vortrefflichsten Paracelsus würdiges Meisterwerk.«

Valls absorbierte einen Moment lang Fermíns Wortbombardement und nickte höflich, ohne das eisige Lächeln zu entspannen.

»Sie brauchen es mir nicht zu versüßen, Fermín. Es genügt mir, dass Martín tut, was er zu tun hat. Wir wissen beide, dass ihm diese Arbeit nicht zusagt, aber es freut mich, dass er Belehrung annimmt und versteht, dass es uns allen zugutekommt, wenn man die Dinge befördert. Und im Hinblick auf die beiden anderen Punkte ...«

»Darauf wollte ich gleich kommen. Was den Gottesacker der vergorenen Bände betrifft ...«

»Friedhof der Vergessenen Bücher«, korrigierte Valls. »Haben Sie den Ort aus Martín rausgekriegt?«

Fermín nickte voller Überzeugung.

»Soweit ich habe folgern können, befindet sich das betreffende Beinhaus hinter einem Labyrinth aus Tunneln und Kammern unter dem Born-Markt versteckt.«

Sichtlich überrascht, dachte Valls über diese Enthüllung nach.

»Und der Eingang?«

»So weit bin ich nicht gekommen, Herr Direktor. Vermutlich bei irgendeiner hinter stinkigen Engrosgemüseständen verborgenen Falltür. Martín mochte nicht darüber sprechen, und ich dachte, wenn ich zu viel Druck ausübe, würde er sich noch hartnäckiger weigern.«

Valls nickte langsam.

»Gut gemacht. Fahren Sie fort.«

»Was schließlich den dritten Punkt im Ansuchen Eurer Exzellenz betrifft, konnte ich, das Verröcheln und die Todeszuckungen des niederträchtigen Salgado nutzend, denselbigen dazu bringen, in seinem Delirium auszuplaudern, wo er die fette Beute aus seiner Verbrecherlaufbahn im Dienste von Freimaurerei und Marxismus versteckt hat.«

»Sie glauben also, er wird sterben?«

»Jeden Augenblick. Ich glaube, er hat sich bereits dem heiligen Leo Trotzki überantwortet und wartet auf den letzten Hauch, um ins Politbüro der Nachwelt einzugehen.«

Valls schüttelte den Kopf.

»Ich habe diesen brutalen Kerlen bereits gesagt, dass mit Gewalt nichts abzuzwacken ist.«

»Technisch gesehen, haben sie ihm das eine oder andere Gliedmaß abgezwackt, aber bei Ungeziefer wie Salgado führt einzig die angewandte Psychologie zum Ziel.«

»Also? Wo ist das Geld versteckt?«

Fermín beugte sich vor und verlieh seiner Stimme einen vertraulichen Ton.

»Das ist sehr schwierig zu erklären.«

»Keine Umschweife jetzt, sonst schicke ich Sie in den Keller, damit man Ihrer Zunge auf die Sprünge hilft.«

Also verkaufte Fermín Valls die merkwürdige Geschichte wie von Salgado beauftragt. Ungläubig hörte ihm der Direktor zu.

»Fermín, ich mache Sie darauf aufmerksam, dass Sie es bereuen werden, wenn Sie mich belügen. Dann wird das, was man mit Salgado gemacht hat, nicht einmal der Aperitif dessen sein, was man mit Ihnen machen wird.«

»Ich versichere Eurer Gnaden, dass ich Wort für Wort wiederhole, was mir Salgado gesagt hat. Wenn Sie wollen, beschwöre ich es beim glaubwürdigen Porträt des Caudillo, das sich im Namen Gottes über Ihrem Schreibtisch befindet.«

Valls schaute ihm fest in die Augen. Fermín hielt seinem Blick stand, ohne mit der Wimper zu zucken, wie es ihm Martín beigebracht hatte. Schließlich hörte der Direktor auf zu lächeln und schob, da er die gewünschten Informationen erhalten hatte, den Teller mit dem Gebäck weg. Diesmal machte er sich nicht einmal die Mühe, Fermín zu bedrohen. Ohne noch irgendwelche Herzlichkeit vorzugaukeln, schnalzte er mit den Fingern, und die beiden Posten traten ein, um Fermín in seine Zelle zurückzuschleifen.

Auf dem Gang begegneten sie dem Sekretär des Direktors, der dann auf der Schwelle von Valls' Büro stehen blieb.

»Herr Direktor, Sanahuja, der Arzt in Martíns Zelle …«

»Ja, was ist?«

»Er sagt, Martín ist ohnmächtig geworden, und er denkt, es könnte was Schlimmeres sein. Er ersucht um die Erlaubnis, in der Hausapotheke einige Dinge zu holen …«

Zornig schoss Valls auf.

»Und worauf wartest du noch? Los. Bringt ihn hin, er soll sich nehmen, was er braucht.«

16

Auf Anordnung des Direktors wurde ein Wärter vor Martíns Zelle postiert, während ihn Dr. Sanahuja behandelte. Es war ein junger Mann, höchstens zwanzig, neu in der Wärtergruppe. Eigentlich hatte Bebo Nachtschicht, doch jetzt fungierte an seiner Stelle dieser tölpelhafte Neuling, der nicht einmal mit dem Schlüsselbund zurechtzukommen schien und ängstlicher war als alle Gefangenen. Es war etwa neun Uhr abends, als der Arzt sichtlich müde ans Gitter trat und zu dem Wärter sagte:

»Ich brauche weitere saubere Gazen und Wasserstoffsuperoxid.«

»Ich darf meinen Posten nicht verlassen.«

»Und ich darf einen Patienten nicht verlassen. Bitte – Gazen und Wasserstoffsuperoxid.«

Der Wärter wand sich nervös.

»Der Herr Direktor mag es gar nicht, wenn man seinen Anweisungen nicht wörtlich nachkommt.«

»Er wird es noch weniger mögen, wenn Martín etwas zustößt, weil Sie nicht auf mich gehört haben.«

Der andere überlegte hin und her.

»Wir werden nicht durch die Wände gehen oder die Gitterstäbe auffressen, Chef«, sagte der Arzt.

Der Wärter stieß einen Fluch aus und machte sich eilig davon. Während er Richtung Apotheke verschwand, wartete Sanahuja am Gitter. Salgado schlief schon seit zwei Stunden, schwer atmend. Leise näherte sich Fermín dem Gang und wechselte einen Blick mit dem Arzt. Da warf ihm Sanahuja das Paket zu, kleiner als ein Kartenspiel, in einen Stofffetzen gehüllt und von einer Schnur zusammengehalten. Fermín schnappte es im Flug und zog sich schnell wieder in die hinteren Schatten seiner Zelle zurück. Als der Wärter mit den verlangten Dingen zurückkam, spähte er durchs Gitter nach Salgados Gestalt.

»Er liegt in den letzten Zügen«, sagte Fermín. »Ich glaube nicht, dass er den morgigen Tag noch erlebt.«

»Erhalte ihn bis sechs Uhr am Leben. Ich will nicht, dass er mir Scherereien macht und stirbt, bevor die Ablösung kommt.«

»Wir werden das Menschenmögliche tun«, antwortete Fermín.

17

In jener Nacht, während Fermín Sanahujas Päckchen
aufknüpfte, fuhr ein schwarzer Studebaker den Direktor den Montjuïc hinab den dunklen Straßen entgegen, die den Hafen säumten. Jaime, der Fahrer, gab
sich ganz besonders Mühe, Schlaglöcher zu meiden
und auch sonst keinen Fehler zu begehen, der dem
Direktor hätte unangenehm sein oder ihn aus seinen
tiefen Gedanken reißen können. Der neue Direktor
war nicht wie der alte, der sich immer mit ihm unterhalten und einmal sogar neben ihn gesetzt hatte. Direktor Valls richtete nie das Wort an ihn, außer um
ihm Anweisungen zu erteilen, und blickte ihn höchstens an, wenn er etwas falsch gemacht oder eine
Kurve zu schnell genommen hatte oder über einen
Stein gefahren war. Dann sah er seine Augen im
Rückspiegel glühen und sein Gesicht eine verdrieß-
liche Grimasse schneiden. Direktor Valls verbot ihm,
das Radio anzudrehen, weil die Sendungen, wie er
sagte, eine Beleidigung für seine Intelligenz waren.
Ebenso wenig erlaubte er ihm, die Fotos von Frau
und Tochter auf dem Armaturenbrett mitzuführen.

Zum Glück gab es zu dieser vorgerückten Stunde kaum noch Verkehr, und der Weg hielt keine unangenehmen Überraschungen bereit. In wenigen Minuten hatte das Auto die Atarazanas hinter sich gebracht, umfuhr das Kolumbus-Denkmal und bog in die Ramblas ein. Einige Augenblicke später hielt es vor dem Café de la Ópera an. Das Opernpublikum des Liceo-Theaters auf der gegenüberliegenden Straßenseite war bereits in der Abendvorstellung, und die Ramblas lagen verlassen da. Der Fahrer stieg aus und öffnete, nachdem er sich vergewissert hatte, dass niemand in der Nähe war, Mauricio Valls die Tür. Der Direktor stieg aus und betrachtete gleichgültig den Boulevard. Er rückte die Krawatte zurecht und wischte sich über die Schultern.

»Warten Sie hier«, sagte er zum Fahrer.

Der Direktor betrat das beinahe leere Café. Die Uhr an der Wand hinter der Theke zeigte fünf vor zehn. Valls beantwortete den Gruß des Kellners mit einem Nicken und setzte sich an einen der hinteren Tische. Gemächlich zog er die Handschuhe aus und ein silbernes Zigarettenetui aus der Tasche, das ihm der Schwiegervater zum ersten Hochzeitstag geschenkt hatte. Er steckte sich eine Zigarette an und betrachtete das alte Café. Mit einem Tablett in der Hand trat der Kellner an den Tisch und wischte ihn mit einem feuchten, nach Lauge riechenden Lappen ab. Der Direktor warf ihm einen verächtlichen Blick zu, den der Kellner ignorierte.

»Was darf es sein, der Herr?«

»Zwei Kamillentee.«

»In derselben Tasse?«

»Nein. In zwei Tassen.«

»Der Herr erwartet Gesellschaft?«

»Sieht ganz so aus.«

»Sehr schön. Darf es sonst noch was sein?«

»Honig.«

»Sehr wohl, der Herr.«

Der Kellner entfernte sich ohne Eile, und der Direktor murmelte etwas Abfälliges vor sich hin. Über der Theke war aus einem Radioapparat das Rhabarber einer Briefkastensendung zu vernehmen, dazwischen Werbung für die Kosmetika der Firma Bella Aurora, deren tägliche Applikation Jugend, Schönheit und Frische gewährleistete. Vier Tische weiter schien ein älterer Mann mit der Zeitung in der Hand eingeschlafen zu sein. Die übrigen Tische waren unbesetzt. Fünf Minuten später brachte der Kellner die beiden dampfenden Tassen und stellte sie unendlich langsam auf den Tisch, danach ein Töpfchen Honig.

»Ist das alles, der Herr?«

Valls nickte. Er wartete, bis der Kellner wieder bei der Theke war, und zog ein Fläschchen aus der Tasche. Er schraubte den Deckel ab und warf einen Blick auf den anderen Gast, den die neusten Pressemeldungen offensichtlich k. o. gesetzt hatten. Mit dem Rücken zu ihm trocknete der Kellner an der Theke Gläser ab.

Valls goss den Inhalt des Fläschchens in die Tasse am anderen Tischende. Dann gab er eine großzügige Portion Honig dazu und rührte mit dem Löffel im Kamillentee, bis sich der Honig vollkommen aufgelöst hatte. Im Radio wurde der Brief einer bekümmerten Frau aus Betanzos verlesen, deren Mann, offenbar verärgert, weil ihr der Allerheiligenbraten angebrannt war, nun ständig mit den Freunden in der Kneipe herumhing, um sich die Fußballübertragungen anzuhören, nicht mehr zur Messe ging und nur noch für das Nötigste nach Hause kam. Es wurden ihr Gebete, Beharrlichkeit und die Waffen einer Frau empfohlen, aber strikt in den Grenzen der christlichen Familie. Valls schaute wieder auf die Uhr. Viertel nach zehn.

18

Um zehn Uhr zwanzig trat Isabella ein. Sie trug einen einfachen Mantel, hatte das Haar hochgesteckt und war ungeschminkt. Valls sah sie und hob die Hand. Einen Augenblick lang musterte ihn Isabella, dann ging sie langsam zum Tisch. Valls stand auf und streckte ihr mit einem höflichen Lächeln die Hand entgegen. Isabella übersah sie und nahm Platz.

»Ich habe mir erlaubt, zwei Kamillentee zu bestellen, das schmeckt am besten in einer so unfreundlichen Nacht.«

Valls' Blick meidend, nickte Isabella. Der Direktor schaute sie aufmerksam an. Wie bei ihren Besuchen im Gefängnis hatte sich Señora Sempere auch jetzt so unattraktiv wie möglich gemacht, um ihre Schönheit zu vertuschen. Valls betrachtete die Linie ihrer Lippen, das Pulsieren ihres Halses und die geschwungene Linie der Brüste unter dem Mantel.

»Ich höre«, sagte sie.

»Erlauben Sie mir zunächst, mich bei Ihnen zu bedanken, dass Sie so kurzfristig zu diesem Treffen gekommen sind. Ich habe Ihre Mitteilung heute Abend bekommen und habe gedacht, es empfehle sich, außerhalb des Büros und des Gefängnisses über das Thema zu sprechen.«

Sie nickte bloß. Valls nippte am Tee und leckte sich die Lippen.

»Herrlich. Der beste in ganz Barcelona. Probieren Sie ihn.«

Sie überhörte seine Aufforderung.

»Wie Sie verstehen werden, ist alles höchst vertraulich. Darf ich Sie fragen, ob Sie jemandem gesagt haben, dass Sie heute Abend hierherkommen?«

Sie schüttelte den Kopf.

»Ihrem Mann vielleicht?«

»Mein Mann ist in der Buchhandlung und macht Inventur. Er wird erst spät in der Nacht nach Hause kommen. Niemand weiß, dass ich hier bin.«

»Soll ich etwas anderes für Sie bestellen? Wenn Sie keinen Kamillentee mögen …«

Sie verneinte und hob die Tasse.

»Schon gut so.«

Valls lächelte gelassen.

»Wie ich Ihnen sagte, habe ich Ihren Brief bekommen. Ich verstehe Ihre Empörung und wollte Ihnen erklären, dass es sich um ein Missverständnis handelt.«

»Sie erpressen einen armen Geisteskranken, Ihren Gefangenen, ein Werk zu schreiben, mit dem Sie Ruhm einheimsen wollen. Bis dahin glaube ich nichts missverstanden zu haben.«

Valls näherte Isabella eine Hand.

»Isabella … Darf ich Sie so nennen?«

»Rühren Sie mich nicht an.«

Er zog die Hand zurück und machte eine versöhnliche Geste.

»Gut, lassen Sie uns einfach in Ruhe sprechen.«

»Es gibt nichts, worüber wir sprechen müssten. Wenn Sie David nicht in Frieden lassen, werde ich mit Ihrer Geschichte und Ihrem Betrug bis nach Madrid oder wo immer nötig gehen. Alle werden erfahren, was für eine Art Mensch und Literat Sie sind. Nichts und niemand wird mich zurückhalten können.«

Tränen traten ihr in die Augen, und die Tasse in ihrer Hand zitterte.

»Bitte, Isabella, trinken Sie ein wenig. Es wird Ihnen guttun.«

Geistesabwesend trank sie zwei Schlucke.

»So, mit ein wenig Honig, schmeckt er am besten«, sagte Valls.

Sie trank ein paar weitere Schlucke.

»Ich muss Ihnen sagen, dass ich Sie bewundere, Isabella. Wenige Menschen hätten den Mut und die Ausdauer, sich für einen armen Teufel wie Martín einzusetzen – einen Mann, den alle verlassen und verraten haben. Alle außer Ihnen.«

Sie schaute nervös auf die Uhr über der Theke. Zehn Uhr fünfunddreißig. Nach zwei weiteren Schlucken trank sie die Tasse aus.

»Sie müssen ihn sehr schätzen. Manchmal frage ich mich, ob Sie mich mit der Zeit und wenn Sie mich besser kennen, so, wie ich bin, ebenso schätzen könnten wie ihn.«

»Sie widern mich an, Valls. Sie und der ganze Abschaum wie Sie.«

»Ich weiß, Isabella. Aber es ist der Abschaum wie ich, der in diesem Land immer das Sagen hat, und Leute wie Sie bleiben ewig im Schatten. Welche Seite auch immer am Drücker ist.«

»Diesmal nicht. Diesmal werden Ihre Vorgesetzten erfahren, was Sie tun.«

»Was bringt Sie auf den Gedanken, das könnte sie kümmern oder sie würden nicht genau das Gleiche tun oder noch viel mehr als ich, der ich ja nur ein Amateur bin?«

Valls lächelte und zog ein zusammengefaltetes Blatt aus der Jacketttasche.

»Isabella, Sie sollen wissen, dass ich nicht so bin, wie Sie denken. Und um es Ihnen zu beweisen – das ist das Entlassungsschreiben für David Martín, mit dem Datum von morgen.«

Er zeigte ihr das Dokument, und Isabella betrachtete es ungläubig. Valls zog seine Füllfeder hervor und unterzeichnete das Papier.

»So. Technisch gesehen, ist David Martín bereits ein freier Mann. Dank Ihnen, Isabella. Dank Ihnen …«

Sie warf ihm einen gläsernen Blick zu. Valls konnte

sehen, wie sich ihre Pupillen langsam weiteten und ein Schweißfilm auf ihre Oberlippe trat.

»Geht es Ihnen gut? Sie sind ganz blass …«

Wankend stand sie auf und hielt sich am Stuhl fest.

»Ist Ihnen übel, Isabella? Soll ich Sie irgendwohin begleiten?«

Sie wich zurück und stieß auf dem Weg zum Ausgang mit dem Kellner zusammen. Valls blieb am Tisch sitzen und schlürfte seinen Tee, bis die Uhr Viertel vor elf zeigte. Dann legte er ein paar Münzen auf den Tisch und ging langsam auf den Ausgang zu. Das Auto erwartete ihn auf dem Gehsteig, und der Fahrer öffnete die Tür.

»Wünschen der Herr Direktor nach Hause oder ins Kastell gefahren zu werden?«

»Nach Hause, aber zuerst machen wir einen Zwischenhalt im Pueblo Nuevo, bei der alten Fabrik Vilardell.«

Unterwegs zur verheißenen Beute, betrachtete Mauricio Valls, zukünftige Koryphäe der spanischen Literatur, das Vorüberziehen schwarzer, menschenleerer Straßen in diesem verdammten Barcelona, das er so hasste, und vergoss Tränen um Isabella und das, was hätte sein können.

19

Als Salgado aus seiner Lethargie erwachte und die Augen öffnete, sah er als Erstes jemanden reglos vor der Pritsche stehen und ihn beobachten. Er spürte einen Anflug von Panik und wähnte sich für einen Moment wieder im Kellerraum. Ein Flackern des Lichts auf dem Gang zeichnete bekannte Züge.

»Fermín, sind Sie es?«

Die Gestalt im Schatten nickte, und Salgado atmete tief.

»Mein Mund ist ganz trocken. Ist noch etwas Wasser da?«

Fermín trat langsam näher. In der Hand hatte er einen Lappen und ein Glasfläschchen.

Salgado sah, wie er die Flüssigkeit auf den Lappen goss.

»Was ist das, Fermín?«

Fermín antwortete nicht. Sein Gesicht war völlig ausdruckslos. Er beugte sich über Salgado und schaute ihm in die Augen.

»Fermín, bitte …«

Bevor er eine weitere Silbe aussprechen konnte,

drückte ihm Fermín kräftig den Lappen auf Mund und Nase und presste seinen Kopf auf die Pritsche. Salgado wand sich mit letzter Kraft. Fermín drückte ihm weiter den Lappen aufs Gesicht, und Salgado sah ihn aus panikerfüllten Augen an. Wenige Sekunden später verlor er das Bewusstsein. Fermín zählte bis fünf, dann erst zog er den Lappen weg. Mit dem Rücken zu Salgado setzte er sich auf die Pritschenkante und wartete einige Minuten. Dann trat er an die Zellentür, so, wie es ihm Martín gesagt hatte.

»Wärter!«, rief er.

Er hörte die Schritte des Neulings auf dem Gang näher kommen. Martíns Plan war darauf angelegt, dass in dieser Nacht wie vorgesehen Bebo Schicht hatte und nicht dieser Schwachkopf.

»Was ist denn jetzt wieder?«, fragte der Wärter.

»Salgado – er ist abgekratzt.«

Der Wärter schüttelte den Kopf und machte ein wütendes Gesicht.

»Dieser verdammte Hurenbock. Und jetzt?«

»Bringen Sie den Sack.«

Der Wärter verfluchte sein Los.

»Wenn Sie wollen, pack ich ihn selber rein, Chef«, erbot sich Fermín.

Mit einem Anflug von Dankbarkeit stimmte der Wärter zu.

»Wenn Sie mir den Sack gleich bringen, können Sie jemanden benachrichtigen, während ich ihn hineinstecke, und dann holt man ihn noch vor Mitternacht ab.«

Wieder nickte der Wärter, dann ging er den Segel-tuchsack holen. Fermín blieb an der Zellentür stehen. Auf der anderen Seite des Gangs beobachteten ihn schweigend Martín und Sanahuja.

Zehn Minuten später kam der Wärter zurück, den Sack an einem Ende hinter sich herziehend. Der Gestank nach verfaultem Aas bereitete ihm kaum zu übersehende Übelkeit. Ohne weitere Anweisungen abzuwarten, zog sich Fermín in den hintersten Teil der Zelle zurück. Der Wärter schloss auf und warf den Sack hinein.

»Am besten, Sie benachrichtigen sie jetzt gleich, Chef, dann schaffen sie die Leiche noch vor zwölf Uhr weg, sonst haben wir sie bis morgen Abend hier.«

»Sind Sie sicher, dass Sie ihn allein da reinkriegen?«

»Keine Sorge, Chef, ich habe Übung.«

Der Wärter nickte abermals, nicht ganz überzeugt.

»Na, hoffentlich haben wir Glück, der Stummel beginnt schon zu eitern, und das stinkt dann wie Pech und Schwefel …«

»Scheiße«, sagte der Wärter und machte sich eilig davon.

Sowie er ihn am anderen Ende des Gangs ankommen hörte, begann Fermín Salgado zu entkleiden und zog sich dann selbst ebenfalls aus. Er schlüpfte in die stinkenden Lumpen des Diebes und zog diesem seine an. Dann bettete er ihn seitlich und mit dem Gesicht zur Wand auf die Pritsche und deckte ihn mit der Decke bis unter die Augen zu. Danach schlüpfte er in den Segeltuchsack. Schon wollte er ihn verschließen, als ihm etwas in den Sinn kam.

In aller Eile wand er sich wieder hinaus und ging zur Wand. Mit den Nägeln kratzte er zwischen den beiden Steinen, wo er Salgado den Schlüssel hatte verstecken sehen, bis dessen Spitze zum Vorschein kam. Er versuchte ihn zu greifen, doch er klemmte zwischen den Steinen fest.

»Beeilen Sie sich«, hörte er Martíns Stimme von der anderen Gangseite her.

Er verkrallte sich in den Schlüssel und zerrte mit aller Kraft. Da riss sein Ringfingernagel ab, und einige Sekunden lang blendete ihn stechender Schmerz. Er unterdrückte einen Schrei und hielt sich den Finger an die Lippen. Der Geschmack nach dem eigenen Blut, salzig und metallisch, erfüllte seinen Mund. Er öffnete wieder die Augen und sah den Schlüssel einen Zentimeter aus der Spalte ragen. Jetzt konnte er ihn mühelos herausziehen.

Wieder zwängte er sich in den Segeltuchsack und verknotete ihn, so gut es ging, von innen, so dass eine Handbreit offen blieb. Gegen den aufsteigenden Brechreiz ankämpfend, legte er sich auf den Boden und verschnürte von innen beinahe vollständig den Sack, so dass nur noch eine faustgroße Öffnung blieb. Er hielt sich die Finger an die Nase, da er lieber durch den eigenen Schmutz als durch diesen Fäulnisgeruch hindurch atmete. Jetzt hieß es abwarten, dachte er.

20

Die Straßen von Pueblo Nuevo lagen in einer undurchdringlichen, feuchten Dunkelheit, die von der
Hütten- und Barackensiedlung am Strand des Somorrostro-Viertels heraufstieg. Zwischen den Schatten düsterer, baufälliger Fabriken, Lagerhallen und
Hangars pflügte sich der Studebaker des Direktors
langsam durch die Dunstschleier. Seine Scheinwerfer projizierten zwei helle Tunnel. Nach einer Weile
zeichnete sich im Nebel am Ende der Straße die alte
Textilfabrik Vilardell mit ihren Schloten und den
Firsten von Hallen und verlassenen Werkstätten ab.
Das große Eingangstor wurde von einem Lanzen-
gitter bewacht; dahinter erahnte man ein unkraut-
überwuchertes Labyrinth, aus dem die Skelette von
Lastwagen und ausgedienten Karren ragten. Vor dem
Eingang hielt der Fahrer an.

»Lassen Sie den Motor laufen«, befahl der Direktor.

Die Scheinwerfer drangen in die Schwärze auf der
anderen Seite des Tors und ließen den desolaten Zustand der Fabrik erkennen, die im Krieg bombardiert

und dann wie so viele Gebäude in der ganzen Stadt ihrem Schicksal überlassen worden war.

Linker Hand sah man ein paar große, mit Holzbrettern verschlossene Baracken, und vor mehreren Garagen, die offenbar den Flammen zum Opfer gefallen waren, stand das ehemalige Wächterhaus, wie Valls vermutete. Der rötliche Schimmer einer Kerze oder Öllampe umzüngelte eines der geschlossenen Fenster. Vom Rücksitz des Autos aus studierte der Direktor in aller Ruhe das Szenario. Nach mehreren Minuten beugte er sich vor und fragte den Fahrer:

»Jaime, sehen Sie das Haus links, dort vor der Garage?«

Das war das erste Mal, dass ihn der Direktor mit seinem Vornamen ansprach. Irgendetwas an diesem unversehens freundlichen Ton ließ ihm die gewohnte Distanziertheit wünschenswerter erscheinen.

»Das Häuschen, meinen Sie?«

»Genau. Da sollen Sie hingehen und anklopfen.«

»Ich soll dort hineingehen? In die Fabrik?«

Der Direktor ließ einen ungeduldigen Seufzer fahren.

»Nicht in die Fabrik. Hören Sie mir gut zu. Sie sehen das Haus, nicht wahr?«

»Jawohl.«

»Sehr gut. Also, Sie gehen zum Eingangsgitter, zwängen sich durch die Stangen, gehen zu dem Haus und klopfen an die Tür. Bis dahin alles klar?«

Der Fahrer bejahte ohne große Begeisterung.

»Schön. Nachdem Sie angeklopft haben, wird Ihnen jemand öffnen. Sobald das geschieht, sagen Sie: ›Durruti lebt.‹«

»Durruti?«

»Unterbrechen Sie mich nicht. Sie wiederholen, was ich Ihnen gesagt habe. Man wird Ihnen etwas übergeben. Wahrscheinlich einen Koffer oder ein Bündel. Sie bringen es her, und das wär's auch schon. Einfach, nicht wahr?«

Der Fahrer war bleich und starrte in den Rückspiegel, als erwarte er, jeden Moment irgendjemand oder irgendetwas aus den Schatten treten zu sehen.

»Ganz ruhig, Jaime. Es wird nichts passieren. Ich bitte Sie um diesen persönlichen Gefallen. Sagen Sie, sind Sie verheiratet?«

»Vor etwa drei Jahren habe ich geheiratet, Herr Direktor.«

»Aha, sehr gut. Und haben Sie Kinder?«

»Ein zweijähriges Mädchen, und meine Frau ist guter Hoffnung, Herr Direktor.«

»Die Familie ist das Allerwichtigste, Jaime. Sie sind ein guter Spanier. Wenn Sie nichts dagegen haben, gebe ich Ihnen als vorgezogenes Taufgeschenk und zum Zeichen meiner Dankbarkeit für Ihre hervorragende Arbeit hundert Peseten. Und wenn Sie mir diesen kleinen Gefallen erweisen, werde ich Sie für eine Beförderung vorschlagen. Wie fänden Sie denn eine Bürotätigkeit in der Diputation? Ich habe gute Freunde dort, die mir sagen, dass sie charaktervolle

Männer suchen, um das Land aus der Kloake zu ziehen, in die es die Bolschewiken hineingeritten haben.«

Bei der Erwähnung des Geldes und der guten Aussichten trat ein schwaches Lächeln auf die Lippen des Fahrers.

»Es wird doch nicht gefährlich sein, oder?«

»Jaime, ich bin es doch, der Herr Direktor. Würde ich Sie wohl um etwas Gefährliches oder Illegales bitten?«

Schweigend schaute ihn der Fahrer an. Valls lächelte ihm zu.

»Wiederholen Sie, was Sie zu tun haben, los.«

»Ich gehe zur Tür dieses Hauses und klopfe an. Wenn man aufmacht, sage ich: ›Es lebe Durruti.‹«

»›Durruti lebt.‹«

»Genau, ›Durruti lebt.‹ Man gibt mir den Koffer, und ich bringe ihn her.«

»Und wir fahren nach Hause. Ein Kinderspiel.«

Der Fahrer nickte, stieg nach einem Moment des Zögerns aus und ging los. Valls beobachtete, wie seine Gestalt durch das Lichtbündel der Scheinwerfer schritt und zum Gittertor kam. Dort wandte er sich einen Augenblick um und sah zum Wagen zurück.

»Los, mach schon, du Idiot«, murmelte Valls.

Der Fahrer zwängte sich durch die Stangen und ging, Trümmern und Unkraut ausweichend, langsam auf die Haustür zu. Der Direktor zog den Revolver aus der Mantelinnentasche und spannte den Hahn. Vor der Tür blieb der Fahrer stehen. Valls sah ihn zweimal anklopfen und dann warten. Es verging fast eine Minute, ohne dass etwas geschah.

»Noch einmal«, murmelte Valls für sich.

Jetzt schaute der Fahrer wieder zum Auto, als wüsste er nicht weiter. Auf einmal erschien in der vorher geschlossenen Tür ein Hauch gelblichen Lichts. Valls sah den Fahrer die Losung aussprechen und dann lächelnd abermals zum Auto zurückschauen. Der aus nächster Nähe abgefeuerte Schuss zerschmetterte ihm die Schläfe und durchdrang den Schädel. Auf der anderen Seite spritzte das Blut heraus, und der Körper, bereits Leiche, hielt sich im Pulverdampf noch einen Augenblick auf den Füßen und sackte dann wie eine zerbrochene Puppe zu Boden.

Hastig wechselte Valls vom Rücksitz ans Steuer des Studebaker. Mit der linken Hand den Revolver auf dem Armaturenbrett abstützend und in Richtung Fabrikeingang zielend, legte er den Rückwärtsgang ein und trat aufs Gas. Der Wagen holperte über Schlaglöcher und durch Pfützen in die Dunkelheit. Während er sich immer weiter entfernte, sah er im Fabrikeingang mehrere Schüsse aufblitzen, von denen aber keiner den Wagen traf. Erst nach etwa zweihundert Metern wendete er und schoss, sich vor Wut auf die Lippen beißend, mit Vollgas davon.

21

In seinem Sack konnte Fermín nur ihre Stimmen hören.

»Da haben wir ja noch mal Schwein gehabt«, sagte der neue Wärter.

»Fermín schläft schon«, sagte Dr. Sanahuja in seiner Zelle.

»Manche haben echt die Ruhe weg. Da, hier ist er. Jetzt könnt ihr ihn wegschaffen.«

Fermín hörte Schritte um sich herum und verspürte einen plötzlichen Ruck, als einer der Totengräber den Knoten neu schlang und kräftig zuzog. Dann hoben sie ihn zu zweit an und schleiften ihn über den Steinboden des Gangs. Fermín getraute sich nicht, auch nur einen Muskel zu rühren.

Die Schläge von Stufen, Ecken und Türen folterten seinen Körper erbarmungslos. Er hielt sich eine Faust in den Mund und biss darauf, um nicht vor Schmerz laut aufzuschreien. Nach einer langen Reise wurde es schlagartig kalt, und das klaustrophobische Echo, allgegenwärtig im ganzen Kastell, war verschwunden. Sie befanden sich im Freien. Er wurde mehrere Meter über ein hartes Pflaster voller Pfützen geschleift. Rasch drang die Kälte in den Sack.

Schließlich wurde er hochgehoben und ins Leere geworfen. Er landete auf einer Art Holzfläche. Schritte entfernten sich. Er atmete heftig. Im Sack stank es nach Exkrementen, fauligem Fleisch und Dieselöl. Er hörte den Motor anspringen, und nach einem Ruck setzte sich der Lastwagen in Bewegung. Auf dem abschüssigen Gelände geriet der Sack ins Rollen. Fermín merkte, dass sie unter langsamem Holpern denselben Weg bergab fuhren, der ihn vor Monaten ins Kastell geführt hatte, eine lange, kurvenreiche Fahrt, wie er sich erinnerte. Doch nach kurzer Zeit bog der Lastwagen in einen anderen Weg ein, der über flaches, nicht asphaltiertes Terrain verlief, und Fermín war sich sicher, dass sie in den Berg hinein- anstatt zur Stadt hinunterfuhren. Irgendetwas konnte nicht stimmen.

Erst jetzt kam er auf den Gedanken, vielleicht habe Martín nicht alle Details berücksichtigt, irgendetwas könnte ihm entgangen sein. Letztlich wusste niemand mit Bestimmtheit, was mit den Leichen geschah. Vielleicht war Martín nicht darauf gekommen, dass sie möglicherweise in einen Kessel geschmissen und so aus der Welt geschafft wurden. Fermín konnte sich vorstellen, wie Salgado beim Erwachen aus seinem Chloroformnebel in Gelächter ausbrach und sagte, noch bevor Fermín Romero de Torres, oder wie auch immer sein Name sei, im Fege-

feuer brutzele, sei er schon bei lebendigem Leib ver-
schmort.

Die Fahrt zog sich noch einige Minuten hin. Dann
verlangsamte der Lastwagen die Geschwindigkeit,
und nun nahm Fermín auf einmal einen Gestank
wahr, wie er ihn noch nie erlebt hatte. Das Herz
schnürte sich ihm zusammen, und während ihn diese
unsägliche Ausdünstung an den Rand der Ohnmacht
trieb, wünschte er sich, niemals auf diesen Wahnsin-
nigen gehört zu haben und einfach in seiner Zelle geblieben zu sein.

22

Beim Kastell angelangt, stieg der Direktor aus dem Studebaker aus und eilte in sein Büro. Vor der Tür saß immer noch wie festgenagelt der Sekretär an seinem kleinen Schreibtisch und tippte mit zwei Fingern die Korrespondenz des Tages.

»Hör schon auf damit und lass sofort den Schweinehund Salgado herbringen«, befahl er.

Der Sekretär schaute ihn verwirrt an und wusste nicht, ob er den Mund öffnen sollte.

»Bleib doch nicht wie ein Ölgötze da sitzen, rühr dich.«

Verängstigt stand der Sekretär auf und wich dem zornigen Blick des Direktors aus.

»Salgado ist gestorben, Herr Direktor. Heute Nacht …«

Valls schloss die Augen und atmete tief.

»Herr Direktor …«

Ohne irgendeine Erklärung abzugeben, lief Valls los und blieb erst vor Zelle Nr. 13 stehen. Als er ihn erblickte, erwachte der Wärter aus seiner Benommenheit und grüßte militärisch.

»Exzellenz, was …«

»Mach auf. Schnell.«

Der Wärter schloss die Zelle auf, und Valls stürmte hinein. An der Pritsche packte er den liegenden Körper an der Schulter und riss ihn herum. Jetzt lag Salgado auf dem Rücken. Valls beugte sich über ihn und kontrollierte die Atmung. Dann wandte er sich an den Wärter, der ihn erschrocken anschaute.

»Wo ist die Leiche?«

»Die Leute vom Beerdigungsinstitut haben sie weggeschafft …«

Valls versetzte ihm eine Ohrfeige, die ihn zu Boden warf. Zwei Wachen hatten sich auf dem Gang eingefunden und warteten auf Anweisungen des Direktors.

»Ich will ihn lebend«, sagte er zu ihnen.

Die beiden nickten und eilten davon. Valls lehnte sich ans Gitter von Martíns und Dr. Sanahujas Zelle. Der Wärter, der wieder aufgestanden war und sich nicht zu atmen traute, glaubte zu sehen, dass der Direktor lachte.

»Das war wohl Ihre Idee, Martín, nicht wahr?«, fragte er schließlich.

Er deutete eine Verbeugung an und klatschte dann langsam Beifall, während er durch den Gang entschritt.

23

Der Lastwagen kämpfte sich im Schneckentempo über die letzten Meter dieser Piste. Zwei Minuten Schlaglöcher und Lastwagenächzen später wurde der Motor abgestellt. Der Gestank, der durch den Sackstoff zu Fermín drang, war unbeschreiblich. Die beiden Totengräber kamen zur Rückseite des Lastwagens. Er hörte den Hebel des Verschlusses aufschnappen – dann wurde der Sack mit einem heftigen Ruck ins Leere geworfen.

Fermín schlug seitlich auf dem Boden auf. Dumpfer Schmerz durchzog seine Schulter. Bevor er reagieren konnte, hoben die Totengräber den Sack wieder vom Boden auf, fassten je an einem Ende an und trugen ihn einige Meter den Hang hinauf. Dann ließen sie ihn erneut fallen, und Fermín hörte, wie sich der eine niederkniete und den Sack aufzuknoten begann. Die Schritte des anderen entfernten sich einige Meter, und ein metallisches Geräusch war zu vernehmen. Fermín versuchte, Luft zu holen, doch der Pestgestank verbrannte ihm die Kehle. Er schloss die Augen. Über sein Gesicht strich kalte Luft. Der Totengräber ergriff den Sack am verschlossenen Ende und zerrte kräftig. Fermíns Körper rollte auf Steine und durch Pfützen.

»Los, auf drei«, sagte einer der beiden.

Vier Hände packten ihn an Knöcheln und Handgelenken. Krampfhaft hielt er den Atem an.

»Sag mal, der schwitzt doch nicht etwa, oder?«

»Wie soll denn ein Toter schwitzen, du Blödmann? Das kommt von der Pfütze. Los, eins, zwei und …«

Drei. Fermín wurde in der Luft geschaukelt – einen Augenblick später flog er und überließ sich seinem Schicksal. In voller Parabel öffnete er die Augen und konnte vor dem Aufprall gerade noch sehen, dass er auf einen im Berg ausgehobenen Graben zustürzte. Im Mondlicht war nichts weiter zu erkennen als etwas Blasses, das den Boden bedeckte. Er war sich sicher, dass es sich um Steine handelte, und gelassen beschloss er in der halben Sekunde, die ihm noch blieb, dass es ihm nichts ausmachte zu sterben.

Es war eine weiche Landung. Er war auf etwas Molliges, Feuchtes gefallen. Fünf Meter weiter oben hielt einer der Totengräber eine Schaufel in der Hand und entleerte sie in die Luft. Weißlicher Staub verstreute sich wie in einem glänzenden Dunst, der seiner Haut erst schmeichelte und sie eine Sekunde später aufzuzehren begann wie eine Säure. Die beiden Totengräber machten sich davon, und Fermín stand auf. Er befand sich in einem offenen Graben voller mit Ätzkalk bedeckter Leichen. Er versuchte, das Feuerpulver abzuschütteln, und schaffte sich, die Hände in die Erde grabend und den Schmerz ignorierend, zwischen den Leichen zum Erdwall hinauf. Oben angelangt, konnte er sich zu einer schmutzigen Pfütze schleppen und sich vom Kalk reinigen. Als er aufstand, sah er gerade noch die Schlusslichter des Lastwagens in der Nacht verschwinden. Einen Moment lang drehte er sich um. Der Graben zu seinen Füßen zog sich dahin wie ein Ozean ineinander verflochtener Leichen. Die Übelkeit peitschte ihn auf die Knie, und er erbrach Galle und Blut auf seine Hände. Der Verwesungsgestank und die Panik ließen ihn kaum atmen. Da hörte er in der Ferne ein Brummen. Als er aufschaute, sah er die Scheinwerfer von zwei Autos näher kommen. Er rannte zur Bergflanke und gelangte zu einem Stück Wiese, von wo aus er zu Füßen des Hügels das Meer und an der Spitze des Wellenbrechers den Hafenleuchtturm sehen konnte.

Oben auf dem Montjuïc erhob sich das Kastell zwischen schwarzen Wolken, die träge dahinzogen und den Mond verhüllten. Der Motorenlärm kam näher. Ohne es sich zweimal zu überlegen, stürzte Fermín den Hang hinunter, schlug hin und kullerte zwischen Stämmen, Stöcken und Steinen dahin, die ihm die Haut in Fetzen vom Leib prügelten. Er spürte keinen Schmerz und keine Angst und keine Müdigkeit mehr, bis er die Straße erreichte, wo er auf die

Hangars des Hafens zuzulaufen begann. Er rannte pausen- und atemlos, ohne Gefühl für die Zeit und für seinen Körper, der eine einzige Wunde war.

24

Der Morgen dämmerte, als er zum endlosen Hüttenlabyrinth am Strand des Somorrostro-Viertels gelangte. Vom Meer kroch der Frühdunst heran und schlängelte sich zwischen den Dächern durch. Fermín betrat die Gässchen und Tunnel dieser Armenstadt und sank zwischen zwei Schutthügeln nieder. Dort fanden ihn zwei zerlumpte Jungen, die ihre Kisten absetzten und stehen blieben, um dieses halb lebendige, aus sämtlichen Poren blutende Skelett zu betrachten.

Fermín lächelte ihnen zu und bildete mit den Fingern das Siegeszeichen. Die Jungen schauten sich an. Einer sagte etwas, was er nicht verstehen konnte. Er überließ sich der Erschöpfung und sah zwischen den halbgeöffneten Lidern, dass man ihn zu viert vom Boden aufhob und neben einem Feuer auf eine Pritsche legte. Er spürte die Wärme auf der Haut und allmählich das Gefühl in seine Füße, Hände und Arme zurückkehren. Dann überflutete ihn langsam und unerbittlich der Schmerz. Um ihn herum flüsterten matte Frauenstimmen unverständliche Worte. Seine wenigen Lumpen wurden ihm ausgezogen. In warmes Kampferwasser getauchte Tücher liebkosten unendlich zart seinen gebrochenen nackten Körper.

Als er die Hand einer Greisin auf der Stirn spürte, öffnete er die Augen einen Spaltbreit und sah ihren müden, weisen Blick in dem seinen.

»Woher kommst du?«, fragte die Frau, die Fermín in seinem Fieberwahn für seine Mutter hielt.

»Von den Toten, Mutter«, flüsterte er. »Ich bin von den Toten zurückgekehrt.«

Dritter Teil

WIEDERGEBOREN WERDEN

1

Barcelona, 1940

Was sich bei der alten Fabrik Vilardell ereignet hatte,
gelangte nie in die Zeitung – keinem war daran gelegen, diese Geschichte ans Licht kommen zu lassen.
Nur die direkt Beteiligten erinnern sich daran. Noch
in der Nacht, in der Mauricio Valls nach seiner Rückkehr ins Kastell feststellen musste, dass der Gefangene Nr. 13 entflohen war, teilte der Direktor Inspektor Fumero von der politischen Polizei mit, einer
der Gefangenen habe ausgepackt. Vor Sonnenaufgang waren Fumero und seine Leute bereits auf dem
Posten.

Zwei von ihnen ließ der Inspektor die nähere Umgebung überwachen, den Rest konzentrierte er beim
Haupteingang, von wo aus man, wie Valls gesagt
hatte, das ehemalige Wärterhaus sehen konnte. Die
Leiche Jaime Montoyas, des heldenhaften Fahrers
des Gefängnisdirektors, der sich freiwillig erboten
hatte, mutterseelenallein die Richtigkeit der von
einem der Gefangenen vorgebrachten Aussagen über
subversive Elemente zu überprüfen, lag noch an derselben Stelle zwischen den Trümmern. Kurz vor dem

Morgengrauen schickte Fumero seine Leute auf das Fabrikareal. Sie umzingelten das ehemalige Wärterhaus, und als die beiden Männer und die junge Frau, die sich im Inneren aufhielten, ihre Anwesenheit bemerkten, gab es nur einen geringfügigen Zwischenfall: Die junge Frau, die eine Feuerwaffe hatte, traf den Arm eines der Polizisten. Die Wunde war ein harmloser Kratzer. In dreißig Sekunden hatten Fumero und seine Leute die Rebellen überwältigt.

Fumero ordnete an, alle ins Haus zu bringen, ebenso den toten Fahrer. Er verlangte weder Namen noch Papiere. Er hieß seine Leute die Rebellen an Händen und Füßen mit Draht an rostige Metallstühle fesseln, die in einer Ecke lagen. Danach schickte er alle hinaus, damit sie sich vor dem Haus und der Fabrik postierten und seine Anweisungen abwarteten. Mit seinen Gefangenen allein, schloss er die Tür und setzte sich vor sie hin.

»Ich habe die ganze Nacht nicht geschlafen und bin müde. Ich will nach Hause. Ihr werdet mir jetzt sagen, wo das Geld und der Schmuck sind, die ihr für diesen Salgado versteckt haltet, und dann geht hier alles in Ordnung. Einverstanden?«

Die Gefangenen schauten ihn halb verdutzt, halb erschrocken an.

»Wir wissen nichts von Schmuck oder von diesem Salgado«, sagte der ältere der Männer.

Fumero nickte ein wenig überdrüssig. In aller Ruhe schaute er die drei Gefangenen der Reihe nach an, als könnte er ihre Gedanken lesen und als langweilten ihn diese.

Nach kurzem Zögern suchte er sich die Frau aus und rückte seinen Stuhl bis auf zwei Handbreit an sie heran. Sie zitterte.

»Lass sie in Ruhe, du Mistkerl«, fuhr ihn der jüngere der beiden Männer an. »Wenn du sie anrührst, bring ich dich um, das schwör ich dir.«

Fumero lächelte melancholisch.

»Du hast eine sehr hübsche Freundin.«

Navas, der vor der Tür postierte Beamte, spürte, wie ihm der kalte Schweiß die Kleider nässte. Er überhörte die Schreie im Inneren, und als ihm die Kollegen vom Fabriktor her einen heimlichen Blick zuwarfen, schüttelte er den Kopf.

Niemand sagte ein Wort. Fumero hatte eine halbe Stunde im Wärterhaus verbracht, als endlich die Tür in Navas' Rücken aufging. Navas trat zur Seite und vermied es, offen auf die feuchten Flecken auf Fumeros schwarzen Kleidern zu schauen. Langsam ging der Inspektor auf den Ausgang zu, und nachdem Navas einen kurzen Blick ins Innere geworfen hatte, schloss er unter aufsteigendem Brechreiz die Tür. Auf ein Zeichen Fumeros hin besprengten zwei seiner Leute die Hauswände und das ganze Umfeld mit Benzin aus zwei Kanistern und steckten alles in Brand.

Als sie zum Auto zurückkehrten, saß Fumero

bereits auf dem Beifahrersitz. Wortlos fuhren sie los, während aus den Ruinen der alten Fabrik eine Rauch- und Flammensäule aufstieg, die im Wind eine Aschenspur hinterließ. Fumero kurbelte das Fenster herunter und streckte die offene Hand in die feucht-kalte Luft hinaus. Seine Finger waren blutbesudelt. Starr nach vorn schauend, saß Navas am Steuer, aber seine Augen sahen nur den flehenden Blick, den ihm die junge Frau, noch lebend, zugeworfen hatte, bevor er die Tür geschlossen hatte. Er bemerkte, dass Fumero ihn beobachtete, und presste die Hände ums Lenkrad, um sein Zittern zu vertuschen.

Auf dem Gehsteig schaute eine Gruppe zerlumpter Kinder dem vorbeifahrenden Auto zu. Ein kleiner Junge formte die Finger zur Pistole und drückte im Spiel auf sie ab. Lächelnd antwortete Fumero mit der gleichen Bewegung, bevor sich das Auto in dem Straßenknäuel um den Dschungel von Fabrikschloten und -hallen verlor, als wäre es nie da gewesen.

2

Sieben Tage lag Fermín delirierend in der Baracke. Kein feuchtes Tuch vermochte sein Fieber zu senken, keine Salbe das Übel zu lindern, das ihn, wie sie sagten, innerlich zerfraß. Die alten Frauen des Viertels, die sich bei seiner Pflege oft ablösten und ihm lebenserhaltende Tonika verabreichten, sagten, in dem Fremden hause ein Teufel, der Teufel der Gewissensbisse, und seine Seele wolle zum Ende des Tunnels fliehen und sich in der leeren Schwärze ausruhen.

Am siebten Tag kam der Mann, den alle Armando nannten und dessen Autorität an diesem Ort bis auf wenige Zentimeter an die Gottes heranreichte, zur Baracke und setzte sich ans Krankenbett. Er untersuchte Fermíns Wunden, hob seine Augenlider und las die auf die geweiteten Pupillen geschriebenen Geheimnisse. Hinter ihm hatten sich die alten Frauen, die ihn pflegten, in einem Halbkreis versammelt und warteten in respektvollem Schweigen. Nach einer Weile nickte Armando vor sich hin und verließ die Baracke. Zwei junge Männer, die vor der Tür gewartet hatten, folgten ihm zu dem Schaumstreifen am Strand, wo sich die Flut brach, und hörten sich aufmerksam seine Anweisungen an. Armando sah sie abziehen und blieb dort sitzen, auf dem Skelett einer vom Unwetter ausgeschlachteten Barkasse, gestrandet zwischen Strand und Fegefeuer.

Er zündete sich eine Zigarette an und genoss sie in der Morgenbrise. Während er rauchte und darüber meditierte, was er zu tun hatte, zog er einen Ausschnitt aus der *Vanguardia* aus der Tasche, den er seit Tagen bei sich hatte. Zwischen Korsettwerbung und Notizen über die Theaterszene auf dem Paralelo fand sich dort eine knappe Meldung, in der über die Flucht eines Insassen des Montjuïc-Gefängnisses berichtet wurde. Der Text hatte den sterilen Ton der Geschichten, die wortwörtlich das offizielle Kommuniqué wiedergeben. Als einzige Freiheit hatte sich der Redakteur einen Nachtrag zugestanden, in dem gesagt wurde, nie zuvor habe es jemand geschafft, aus dieser uneinnehmbaren Festung zu fliehen.

Armando schaute auf und betrachtete den Montjuïc-Hügel, der sich im Süden erhob. Das Kastell, eine Skizze von im Dunst ausgesägten Türmen, schwebte über Barcelona. Armando lächelte bitter, steckte mit der Glut seiner Zigarette den Ausschnitt in Brand und sah, wie er in der Brise zu Asche wurde. Wie immer umgingen die Zeitungen die Wahrheit, als setzten sie damit ihr Leben aufs Spiel, vielleicht mit gutem Grund. Alles an dieser Meldung stank nach

Halbwahrheiten und ausgesparten Einzelheiten. Darunter der Umstand, dass es bislang niemandem gelungen sei, aus dem Gefängnis des Montjuïc zu fliehen. Obwohl es in diesem Fall stimmen mochte, dachte er, denn er, der Mann, der Armando genannt wurde, war ja nur in der unsichtbaren Welt der Armen- und Unberührbarenstadt jemand. Es gibt Zeiten und Orte, da niemand zu sein ehrenwerter ist, als jemand sein.

3

Träge zogen sich die Tage dahin. Einmal täglich suchte Armando die Baracke auf, um sich nach dem Zustand des Todkranken zu erkundigen. Das Fieber gab zaghafte Zeichen eines Rückgangs, und das Geflecht von Quetschungen, Schnitten und anderen Wunden, die seinen Körper bedeckten, schien unter den Salben langsam zu verheilen. Der Kranke schlief den größten Teil des Tages oder murmelte zwischen Schlafen und Wachen unverständliche Wörter.

»Wird er leben?«, fragte Armando manchmal.

»Das hat er noch nicht entschieden«, antwortete die Frau, die von den Jahren verwischt und von diesem Unglücklichen für seine Mutter gehalten worden war.

Die Tage kristallisierten sich in Wochen, und bald wurde klar, dass niemand käme, um sich nach dem Fremden zu erkundigen, da niemand nach etwas fragt, was er lieber nicht weiß. Normalerweise betraten die Polizei und die Guardia Civil das Somorrostro nicht. Ein stillschweigendes Gesetz umriss ganz klar, dass die Stadt und die Welt vor den Toren dieser Hüttenbevölkerung endeten, und beide Seiten waren daran interessiert, diese unsichtbare Grenze zu respektieren. Armando wusste, dass auf der anderen Seite viele Leute insgeheim oder offen beteten, eines Tages möge der Sturm die Armenstadt für immer davontragen, doch bis es so weit war, schauten alle lieber weg und drehten dem Meer und den zwischen dem Ufer und dem Fabrikendschungel des Pueblo Nuevo dahinvegetierenden Menschen den Rücken. Trotzdem hatte Armando seine Zweifel. Die Geschichte, die er hinter diesem seltsamen Gast erahnte, konnte gut und gern zu einem Bruch dieses stillschweigenden Gesetzes führen.

Nach wenigen Wochen näherten sich zwei unerfahrene junge Polizisten, beschrieben den Fremden und fragten, ob jemand einen solchen Mann gesehen habe. Tagelang war Armando danach wachsam, aber als sich niemand mehr nach Fermín erkundigte, wurde ihm klar, dass niemand diesen Mann wirklich finden wollte. Vielleicht war er gestorben und wusste es nicht einmal.

Anderthalb Monate nach seinem Eintreffen begannen die Wunden zu verheilen. Als der Mann die Augen öffnete und fragte, wo er sei, half man ihm, sich aufzurichten und eine Brühe zu schlürfen, gab ihm jedoch keine Antwort.

»Sie müssen ruhen.«

»Lebe ich?«

Niemand bestätigte oder widerlegte es ihm. Seine Tage verstrichen zwischen Schlafen und einer hartnäckigen Müdigkeit. Immer wenn er die Augen schloss und sich der Erschöpfung überließ, reiste er an denselben Ort. In seinem sich Nacht für Nacht wiederholenden Traum erkletterte er die Wände eines unendlichen, mit Leichen angefüllten Grabens. Wenn er oben war und zurückschaute, sah er, dass sich diese Flut geisterhafter Leichen durcheinanderwühlte wie ein Strudel von Aalen. Die Toten schlugen die Augen auf und kletterten hinter ihm her die Wände hinauf. Sie folgten ihm durch den Berg und überschwemmten die Straßen Barcelonas, wo sie ihr ehemaliges Zuhause suchten, bei den geliebten Menschen anklopften. Einige machten sich auf die Suche nach ihren Mördern und klapperten rachedurstig die ganze Stadt ab, aber die meisten wollten nur in ihre Wohnung, in ihre Betten zurück, wollten die zurückgelassenen Kinder, Frauen, Geliebten in die Arme nehmen. Es machte ihnen jedoch niemand auf, niemand nahm ihre Hand in die seinen, und niemand wollte ihre Lippen küssen, und der Todkranke erwachte in der Dunkelheit schweißgebadet ob dem ohrenbetäubenden Weinen der Toten in seiner Seele.

Oft besuchte ihn ein Fremder. Er roch nach Tabak und Kölnischwasser, beides damals nicht sehr verbreitet. Er setzte sich auf einen Stuhl neben seinem

Bett und schaute ihn aus undurchdringlichen Augen an. Sein Haar war pechschwarz, seine Züge scharf. Wenn er merkte, dass der Genesende wach war, lächelte er ihm zu.

»Sind Sie Gott oder der Teufel?«, fragte ihn der Kranke einmal.

Der Fremde zuckte mit den Schultern und wog die Antwort ab.

»Beides ein wenig«, antwortete er schließlich.

»Ich bin im Prinzip Atheist«, teilte ihm der Patient mit. »Obwohl ich in Wirklichkeit einen starken Glauben habe.«

»Wie viele Leute. Ruhen Sie sich jetzt aus, mein Freund. Der Himmel kann warten. Und die Hölle ist zu klein für Sie.«

4

Zwischen den Besuchen des Herrn mit dem pechschwarzen Haar ließ sich der Genesende ernähren,
waschen und sich saubere Kleider überziehen, die
ihm zu groß waren. Als er sich endlich wieder auf den
Beinen halten und einige Schritte tun konnte, begleitete man ihn an den Strand, wo er sich die Füße vom
Wasser umspielen und sich von der Mittelmeersonne
liebkosen lassen konnte. Einmal schaute er einen Vormittag lang einigen zerlumpten Kindern mit schmutzigen Gesichtern beim Spielen im Sand zu und dachte,
dass er Lust hatte zu leben, wenigstens noch ein bisschen. Mit der Zeit stellten sich die Erinnerung und
die Wut wieder ein und damit der Wunsch – aber
auch die Angst –, in die Stadt zurückzukehren.

Beine, Arme und übrige Mechanismen begannen
wieder einigermaßen normal zu funktionieren. Er gewann das seltsame Vergnügen zurück, ohne Brennen oder beschämende Zwischenfälle in den Wind zu
urinieren, und dachte, ein Mann, der ohne Hilfe im
Stehen pinkeln könne, sei Manns genug, seine Ver-
antwortlichkeiten auf sich zu nehmen. Spät in dieser

Nacht stand er leise auf und ging durch die engen Gassen zu der Grenze der Armenstadt, die von den Bahnschienen bestimmt wurde. Auf der anderen Seite erhoben sich der Wald von Schloten und der Kamm von Engeln und Mausoleen auf dem Friedhof. Noch weiter entfernt, wie auf einem sich die Hügel hinaufziehenden Lichtergemälde, lag Barcelona. Er hörte Schritte hinter sich, und als er sich umwandte, sah er den gelassenen Blick des Mannes mit dem pechschwarzen Haar.

»Sie sind wiedergeboren worden«, sagte er.

»Na, dann bin ich ja mal gespannt, ob es diesmal besser klappt als beim ersten Mal, denn bis jetzt ...«

Der Mann mit dem pechschwarzen Haar lächelte.

»Gestatten Sie, dass ich mich vorstelle: Ich bin Armando, der Zigeuner.«

Fermín gab ihm die Hand.

»Fermín Romero de Torres, Nichtzigeuner, aber relativ vertrauenswürdig.«

»Lieber Fermín, ich habe den Eindruck, Sie tragen sich mit dem Gedanken, zu denen zurückzugehen.«

»Die Katze lässt das Mausen nicht«, sagte Fermín. »Ich habe einiges Unfertige hinterlassen.«

Armando nickte.

»Verstehe, aber es ist noch zu früh, mein Freund. Haben Sie Geduld. Bleiben Sie noch eine Zeitlang bei uns.«

Die Angst vor dem, was ihn bei seiner Rückkehr erwartete, und die Großherzigkeit dieser Menschen hielten ihn zurück, bis ihm eines Sonntagmorgens eine Zeitung in die Hände fiel, die einer der Jungen im Abfall einer der Strandkneipen der Barceloneta gefunden hatte. Es war schwer zu sagen, wie lange die Zeitung da gelegen hatte, aber sie trug ein Datum drei Monate nach seiner Flucht. Er kämmte die Seiten nach einem Indiz oder einem Namen durch, fand aber nichts. An diesem Nachmittag, als er bereits beschlossen hatte, in der Dämmerung nach Barcelona zurückzugehen, trat Armando zu ihm und teilte ihm mit, einer seiner Leute sei bei der Pension vorbeigegangen, wo er gewohnt hatte.

»Fermín, es ist besser, Sie gehen nicht dorthin, um Ihre Sachen zu holen.«

»Woher kennen Sie denn mein Domizil?«

Lächelnd wich Armando der Frage aus.

»Die Polizei hat dort verbreitet, Sie seien gestorben. Schon vor Wochen ist eine Meldung über Ihren Tod in der Zeitung erschienen. Ich wollte Ihnen nichts sagen, weil mir scheint, während der Genesung über den eigenen Tod zu lesen ist nicht unbedingt hilfreich.«

»Woran bin ich denn gestorben?«

»An natürlichen Ursachen. Sie sind in einen Abgrund gestürzt, als Sie vor der Justiz fliehen wollten.«

»Dann bin ich also tot?«

»Wie die Polka.«

Fermín dachte darüber nach, was sein neuer Status mit sich brachte.

»Und was soll ich jetzt tun? Wo soll ich hin? Ich kann ja nicht ewig hierbleiben und Ihre Güte ausnützen und Sie alle in Gefahr bringen.«

Armando setzte sich zu ihm und steckte sich eine seiner selbstgedrehten Zigaretten an, die nach Eukalyptus rochen.

»Fermín, Sie können tun, was Sie wollen, denn es gibt Sie nicht. Ich würde beinahe sagen, bleiben Sie bei uns – jetzt sind Sie einer von uns, Leuten, die keinen Namen haben und nirgends auftauchen. Wir sind Geister. Unsichtbar. Aber ich weiß, dass Sie zurückgehen und regeln müssen, was Sie hinterlassen haben. Leider kann ich Ihnen keinen Schutz mehr bieten, wenn Sie einmal hier weggegangen sind.«

»Sie haben schon genug für mich getan.«

Armando klopfte ihm auf die Schulter, zog ein zusammengefaltetes Blatt aus der Tasche und gab es ihm.

»Verlassen Sie für eine Weile die Stadt. Lassen Sie ein Jahr vergehen, und wenn Sie wiederkommen, fangen Sie hier an«, sagte er.

Fermín faltete das Blatt auseinander und las:

FERNANDO BRIANS
Anwalt
Calle de Caspe, 12
Penthouse 1ª
Barcelona
Tel. 56 43 75

»Wie kann ich bloß gutmachen, was Sie alles für mich getan haben?«

»Wenn Sie Ihre Angelegenheiten geregelt haben, kommen Sie mal her und fragen Sie nach mir. Dann gehen wir in eine Flamencovorstellung von Carmen Amaya, und anschließend erzählen Sie mir, wie Sie es geschafft haben, dort oben wegzukommen. Ich bin gespannt.«

Fermín schaute in diese schwarzen Augen und nickte langsam.

»In welcher Zelle waren Sie denn, Armando?«

»In Nr. 13.«

»Stammen diese eingeritzten Kreuze an der Wand von Ihnen?«

»Im Gegensatz zu Ihnen, Fermín, bin ich gläubig, aber mir ist der Glaube abhandengekommen.«

An diesem Abend hinderte ihn niemand am Gehen, und niemand verabschiedete sich von ihm. Einer unter vielen Unsichtbaren, machte er sich auf zu den Straßen eines Barcelona, das nach Elektrizität roch. In der Ferne sah er die Türme der Sagrada-Familia-Kirche in einer roten Wolkendecke gefangen, die ein biblisches

Gewitter verhieß, und ging weiter. Seine Schritte führten ihn zum Busbahnhof in der Calle Trafalgar. In den Taschen des Mantels, den ihm Armando geschenkt hatte, fand er Geld. Er kaufte sich eine Fahrkarte für die längste Strecke, die er fand, und verbrachte die Nacht im Bus, der unter dem Regen über leere Landstraßen fuhr. Das wiederholte er am nächsten Tag, und so gelangte er nach Tagen der Züge, Fußmärsche und Nachtbusse an einen Ort, wo die Straßen keinen Namen und die Häuser keine Nummern hatten und wo sich nichts und niemand an ihn erinnerte.

Er hatte hundert Beschäftigungen und keinen Freund. Er verdiente Geld und gab es aus. Er las Bücher, die von einer Welt sprachen, an die er nicht mehr glaubte. Er begann Briefe zu schreiben, für die er nie ein Ende fand. Er lebte gegen die Erinnerung und die Gewissensbisse an. Mehr als einmal ging er in die Mitte einer Brücke oder trat dicht an eine Schlucht heran und schaute gelassen in die Tiefe. Immer erinnerte er sich im letzten Moment an dieses Versprechen und den Blick des Gefangenen des Himmels. Nach einem Jahr gab er das Zimmer auf, das er über einem Café gemietet hatte, und mit nichts im Gepäck als einem Exemplar von *Die Stadt der Verdammten*, das er auf einem Trödelmarkt gefunden hatte, möglicherweise dem einzigen Buch Martíns, das nicht verbrannt worden war und das er ein Dutzend Mal gelesen hatte, ging er die zwei Kilometer zum Bahnhof und kaufte die

Fahrkarte, die diese ganzen Monate auf ihn gewartet hatte.

»Einmal Barcelona, bitte.«

Der Schalterbeamte reichte ihm die Fahrkarte mit einem verächtlichen Blick:

»Wie kann man bloß«, sagte er, »zu diesen Scheiß-katalanen …«

5

Barcelona, 1941

Es wurde gerade dunkel, als Fermín nach einer langen Fahrt im Francia-Bahnhof aus dem Zug stieg. Die Lokomotive hatte eine Dampf- und Rußwolke ausgespuckt, die sich über den Bahnsteig zog und die Schritte der Passagiere verhüllte. Fermín reihte sich in den schweigenden Marsch zum Ausgang ein, Leute in zerlumpten Kleidern, die mit Schnüren zusammengehaltene Koffer schleppten, vorzeitig Gealterte, die ihre gesamte Habe in einem Bündel mit sich trugen, und Kinder mit leerem Blick und leeren Taschen.

Eine Zweierstreife der Guardia Civil bewachte den Eingang zum Bahnsteig, und Fermín sah ihre Augen über die Passagiere schweifen; ab und zu fragten sie jemanden nach seinen Papieren. Er ging geradeaus weiter direkt auf einen von ihnen zu. Als nur noch etwa zwölf Meter sie trennten, bemerkte er, dass ihn der Zivilgardist beobachtete. In Martíns Roman, der ihm diese ganzen Monate Gesellschaft geleistet hatte, sagte eine der Figuren, am besten könne man die Autoritäten entwaffnen, indem man sich an sie wende, ehe sie sich an einen wenden. Bevor der Beamte auf ihn deuten konnte, trat Fermín zu ihm und sprach ihn mit heiterer Stimme an:

»Guten Abend, Chef. Wären Sie wohl so freundlich und würden Sie mir sagen, wo sich das Hotel Porvenir befindet? Soweit ich weiß, liegt es auf der Plaza Palacio, aber ich kenne die Stadt kaum.«

Der Gardist schaute ihn schweigend an, ein wenig verwirrt. Sein Kollege war hinzugetreten und deckte seine rechte Flanke.

»Das werden Sie am Ausgang erfragen müssen«, sagte er in wenig freundlichem Ton.

Fermín nickte höflich.

»Entschuldigen Sie die Störung. Das werde ich tun.«

Er wollte schon auf die Eingangshalle zugehen, als ihn der andere Beamte am Arm fasste.

»Wenn Sie rauskommen, liegt die Plaza Palacio linker Hand. Gegenüber dem Kapitanat.«

»Vielen Dank. Ich wünsche Ihnen einen schönen Abend.«

Der Gardist ließ ihn los, und Fermín ging langsam davon, seine Schritte abmessend, bis er in die Halle und von dort auf die Straße gelangte.

Scharlachroter Himmel lag über einem schwarzen, mit dunklen, schmalen Silhouetten durchwirkten Barcelona. Eine halbleere Straßenbahn schleppte sich voran und warf ein fahles Licht auf das Pflaster. Fermín wartete, bis sie vorbei war, dann ging er auf die andere Seite hinüber. Beim Überqueren der spiegelblanken Schienen betrachtete er die Flucht, die der Paseo Colón zeichnete, und im Hintergrund den Montjuïc-Hügel mit dem sich über die Stadt erhebenden Kastell. Er senkte den Blick und bog in die Calle Comercio Richtung Born-Markt ein. Die Straßen waren menschenleer, und durch die Gassen pfiff eine kalte Brise. Er wusste nicht, wohin er sich wenden sollte.

Er erinnerte sich, dass ihm Martín erzählt hatte, vor Jahren habe er hier in der Nähe gewohnt, in einem alten Gemäuer in der engen Schattenschlucht der Calle Flassaders, neben der Schokoladenfabrik Mauri. Dort ging er hin, musste aber feststellen, dass dieses und das angrenzende Haus den Kriegsbomben zum Opfer gefallen waren. Die Behörden hatten sich nicht die Mühe gemacht, die Trümmer wegzuschaffen, und die Anwohner hatten, vermutlich, um sich in dieser Straße bewegen zu können, die enger war als der Korridor mancher Herrschaftshäuser, nur den Schutt auf der Seite aufgehäuft.

Fermín sah sich um. Man konnte kaum die Lichter und Kerzen sehen, die von den Balkonen her ein fahles Licht abgaben. Er betrat den Ruinenbereich, umging Trümmer, zerbrochene Wasserspeier und in unmöglichen Knoten verzahnte Balken. Im Schutt suchte er eine Lücke und kauerte sich dann hinter einem Stein nieder, auf dem noch die Nummer 30 zu lesen war, David Martíns ehemalige Wohnstätte. Er raffte den Mantel und die alten Zeitungen, die er unter den Kleidern trug. Zusammengerollt schloss er die Augen und versuchte einzuschlafen.

Nach einer halben Stunde hatte die Kälte seine Knochen erreicht. Ein feuchter Wind leckte die Ruinen auf der Suche nach Spalten und Ritzen. Fermín öffnete die Augen und stand auf. Er wollte eben eine geschütztere Ecke suchen, als er bemerkte, dass ihn auf der Straße jemand beobachtete. Er rührte sich nicht mehr. Die Gestalt kam ein paar Schritte näher.

»Wer ist da?«, fragte sie.

Sie näherte sich noch ein wenig mehr, und der Abglanz einer Straßenlaterne in der Ferne zeichnete ihr Profil in die Nacht. Es war ein großgewachsener, kräftiger Mann in Schwarz. Fermín sah den Kragen – ein Priester. Er hob die Hände zum Zeichen des Friedens.

»Ich geh ja schon, Pater. Bitte rufen Sie nicht die Polizei.«

Der Priester musterte ihn von oben bis unten. Er hatte einen strengen Blick und sah aus, als hätte er ein halbes Leben lang im Hafen Säcke und nicht Kelche gehoben.

»Haben Sie Hunger?«, fragte er.

Fermín, der jeden dieser Steine verschlungen hätte, wenn ihn nur jemand mit drei Tropfen Olivenöl begossen hätte, verneinte.

»Ich habe eben im Set Portes diniert und mich mit schwarzem Reis vollgestopft«, sagte er.

Der Priester deutete ein Lächeln an. Er wandte sich um und marschierte los.

»Kommen Sie«, befahl er.

6

Pater Valera wohnte am Ende des Paseo del Borne in einer Dachgeschosswohnung, von der aus man direkt auf die Halle des Born-Markts sah. Begeistert führte sich Fermín drei Teller Suppe, einige Stück trockenes Brot und zwei mit Wasser gepanschte Glas Wein zu Gemüte, die der Geistliche vor ihn hingestellt hatte, während er ihn neugierig beobachtete.

»Essen Sie nichts, Pater?«

»Ich esse nie zu Abend. Genießen Sie es, ich sehe ja, dass Sie seit 1936 Hunger leiden.«

Während er geräuschvoll die Suppe mit dem Brot darin schlürfte, ließ Fermín den Blick durchs Esszimmer schweifen. Neben ihm zeigte eine Vitrine eine Teller- und Gläsersammlung, dazu mehrere Heilige und ein bescheidenes Silberbesteck.

»Ich habe *Die Elenden* ebenfalls gelesen, also Vorsicht«, warnte ihn der Geistliche.

Fermín nickte beschämt.

»Wie heißen Sie?«

»Fermín Romero de Torres, Eurer Exzellenz zu dienen.«

»Werden Sie gesucht, Fermín?«

»Je nachdem. Das ist ein verzwicktes Thema.«

»Es macht mir nichts aus, wenn Sie es mir nicht erzählen wollen. Aber mit diesen Kleidern können Sie hier nicht rumlaufen, da landen Sie hinter Gittern, noch ehe Sie bei der Vía Layetana sind. Es werden viele Leute angehalten, die sich eine Zeitlang versteckt haben. Man muss sehr vorsichtig sein.«

»Sobald ich einige Bankeinlagen aus dem Winterschlaf befreit habe, will ich beim Schwimmenden Deich vorbeischauen und wie aus dem Ei gepellt wieder rauskommen.«

»Stehen Sie doch mal einen Moment auf.«

Fermín legte den Löffel hin und erhob sich. Der Geistliche betrachtete ihn genau.

»Ramón war die doppelte Portion von Ihnen, aber ich glaube, einige seiner Kleider aus jungen Jahren werden Ihnen passen.«

»Ramón?«

»Mein Bruder. Er ist da unten auf der Straße erschossen worden, gleich vor der Haustür, im Mai 38. Sie hatten es auf mich abgesehen, aber er hat ihnen die Stirn geboten. Er war Musiker, spielte als erster Trompeter bei der Stadtmusik.«

»Tut mir sehr leid, Pater.«

Der Geistliche zuckte die Schultern.

»Fast jeder hat jemand verloren, von welcher Partei auch immer.«

»Ich gehöre keiner Partei an«, antwortete Fermín.

»Ja die Fahnen kommen mir vor wie uralt riechende bunte Fetzen, und ich brauche bloß zu sehen, wer sich alles in sie hüllt und sich den Mund mit Hymnen, Wappen und Reden füllt, und schon krieg ich Dünnpfiff. Ich habe immer gedacht, wer sich sehr einer Herde zugehörig fühlt, hat etwas von einem Hammel.«

»Ihnen muss es sehr schlecht ergehen in diesem Land.«

»Sie wissen gar nicht, wie schlecht. Aber ich sage mir immer, dass der direkte Zugang zu unserem Serrano-Schinken alles wieder wettmacht. Und es wird überall nur mit Wasser gekocht.«

»Stimmt. Sagen Sie, Fermín, wie lange haben Sie denn keinen guten Serrano-Schinken mehr gegessen?«

»Seit dem 6. März 34. Im Los Caracoles, in der Calle Escudellers. Ein anderes Leben.«

Der Geistliche lächelte.

»Sie können die Nacht hier verbringen, Fermín, aber morgen werden Sie sich etwas anderes suchen müssen. Die Leute reden. Ich kann Ihnen ein wenig Geld für eine Pension geben, aber Sie müssen wissen, dass überall der Personalausweis verlangt wird und die Mieter in die Liste des Kommissariats eingetragen werden.«

»Das müssen Sie gar nicht erst erwähnen, Pater. Morgen vor Sonnenaufgang verschwinde ich schneller als der gute Wille. Hingegen nehme ich keinen Cent von Ihnen an, ich habe Sie schon genug ausgenutzt.«

Der Geistliche hob die Hand und schüttelte den Kopf.

»Schauen wir mal, ob Ihnen einige von Ramóns Sachen passen.« Er stand vom Tisch auf.

Pater Valera beharrte darauf, Fermín mit einem Paar mittelmäßiger Schuhe, einem bescheidenen, aber sauberen Wollstoffanzug, etwas Unterwäsche und einigen Toilettenartikeln zu versorgen, die er ihm in einen Koffer packte. Auf einem der Regale lag eine glänzende Trompete, daneben standen mehrere Fotos von zwei gutaussehenden, lächelnden jungen Männern, offenbar bei der Kirchweih im Gracia-Viertel. Man musste sehr genau hinschauen, um in einem der beiden Pater Valera wiederzuerkennen, der jetzt um dreißig Jahre gealtert aussah.

»Heißes Wasser habe ich nicht. Die Zisterne wird erst morgen früh gefüllt – Sie müssen entweder warten oder sich aus dem Krug bedienen.«

Während Fermín sich wusch, so gut es ging, machte Pater Valera einen Krug mit einer Art Zichoriengetränk, gemischt mit anderen, leicht verdächtig aussehenden Substanzen. Zucker gab es nicht, doch die Tasse Schmutzwasser war heiß und die Gesellschaft angenehm.

»Man könnte geradezu sagen, wir sind in Kolumbien und genießen eine exquisite Mischung.«

»Sie sind ein sehr eigener Mann, Fermín. Darf ich Sie etwas Persönliches fragen?«

»Fällt es unter das Beichtgeheimnis?«

»Lassen Sie es uns so sagen.«

»Schießen Sie los.«

»Haben Sie jemanden umgebracht? Im Krieg, meine ich.«

»Nein.«

»Ich schon.«

Mitten im Schluck blieb Fermín mit erhobener Tasse reglos sitzen. Der Geistliche senkte den Blick.

»Ich habe es noch nie jemandem gesagt.«

»Es fällt unter das Beichtgeheimnis«, versicherte Fermín.

Der Geistliche rieb sich die Augen und seufzte. Fermín fragte sich, wie lange dieser Mann hier schon allein leben mochte, ohne weitere Gesellschaft als dieses Geheimnis und die Erinnerung an seinen toten Bruder.

»Bestimmt hatten Sie Ihre Gründe, Pater.«

Der Geistliche schüttelte den Kopf.

»Gott ist ausgewandert«, sagte er.

»Haben Sie keine Angst, sobald er sieht, wie es nördlich der Pyrenäen läuft, kommt er mit eingezogenem Schwanz wieder zurück.«

Der Geistliche schwieg lange. Sie tranken den Kaffee-Ersatz aus, und um den armen Pater aufzumuntern, der mit jeder Minute ein wenig mehr in sich zusammensank, schenkte sich Fermín eine zweite Tasse ein.

»Schmeckt er Ihnen wirklich?«

Fermín nickte.

»Soll ich Ihnen die Beichte abnehmen?«, fragte der Geistliche auf einmal. »Jetzt ohne Spaß.«

»Seien Sie nicht beleidigt, Pater, aber ich glaube nicht an diese Dinge …«

»Aber vielleicht glaubt Gott an Sie.«

»Das bezweifle ich.«

»Man braucht nicht an Gott zu glauben, um zu beichten. Das ist eine Sache zwischen Ihnen und Ihrem Gewissen. Was haben Sie denn zu verlieren?«

Zwei Stunden lang erzählte Fermín Pater Valera alles, was er seit seiner Flucht aus dem Kastell vor über einem Jahr für sich behalten hatte. Der Geistliche hörte ihm aufmerksam zu und nickte gelegentlich. Schließlich, als er sich ausgeschüttet hatte und eine zentnerschwere Platte losgeworden war, die ihn seit Monaten, ohne dass er sich dessen bewusst gewesen war, zu ersticken drohte, zog Pater Valera einen Flachmann aus einer Schublade und schenkte ihm seine letzten Reserven ein, ohne erst zu fragen.

»Erteilen Sie mir die Absolution nicht, Pater? Gibt's bloß einen Schluck Cognac?«

»Das kommt aufs selbe heraus. Und außerdem bin ich nicht mehr der Richtige, um zu vergeben oder zu richten, Fermín. Aber ich glaube, es hat Ihnen gutgetan, all das loszuwerden. Was haben Sie denn jetzt vor?«

Fermín zuckte die Schultern.

»Wenn ich zurückgekommen bin und also Kopf und Kragen riskiere, dann wegen des Versprechens, das ich Martín gegeben habe. Ich muss diesen Anwalt suchen und danach Señora Isabella und diesen Jungen, Daniel, und sie beschützen.«

»Wie denn?«

»Ich weiß es nicht. Es wird mir schon was einfallen. Anregungen werden entgegengenommen.«

»Aber Sie kennen sie ja überhaupt nicht. Es sind bloß Fremde, von denen Ihnen ein Mann erzählt hat, den Sie im Gefängnis kennengelernt haben …«

»Ich weiß. Wenn man es so sagt, klingt's verrückt, nicht wahr?«

Der Geistliche schaute ihn an, als könnte er durch seine Worte hindurchsehen.

»Ist es nicht vielleicht so, dass Sie so viel Elend und Niedertracht bei den Menschen gesehen haben, dass Sie jetzt etwas Gutes tun möchten, und sei es noch so verrückt?«

»Und warum nicht?«

Valera lächelte.

»Ich wusste ja, dass Gott an Sie glaubt.«

7

Am nächsten Morgen verließ Fermín die Wohnung
auf Zehenspitzen, um Pater Valera nicht zu wecken,
der mit einem Band Machado-Gedichte in der Hand
auf dem Sofa eingeschlafen war und schnarchte wie
ein Kampfstier. Bevor er ging, drückte er ihm einen
Kuss auf die Stirn und legte das Geld auf den Ess-
tisch, das der Geistliche in eine Serviette gewickelt
und in seinen Koffer geschmuggelt hatte. Dann verlor er sich in sauberen Kleidern und mit reinem Gewissen treppab – und mit der Entscheidung, wenigstens noch ein paar Tage weiterzuleben.

Als an diesem Tag die Sonne aufging, fegte eine
vom Meer kommende Brise den Himmel stählern
blau, und lang fielen die Schatten der Passanten auf
den Boden. Fermín brachte den ganzen Vormittag
damit zu, durch die Straßen zu gehen, an die er sich
erinnerte, vor Schaufenstern stehen zu bleiben und
sich auf Bänke zu setzen, um hübschen Mädchen zu-
zusehen, und hübsch waren für ihn alle. Am Mittag
besuchte er eine Kneipe an der Mündung der Calle
Escudellers, unweit des Restaurants Los Caracoles

angenehmen Gedenkens. Die Kneipe hatte bei den mutigsten, unzimperlichsten Gaumen den unglücklichen Ruf, die billigsten Sandwiches von ganz Barcelona feilzubieten. Der Trick bestehe darin, sagten die Experten, nicht nach den Ingredienzen zu fragen.

Elegant gewandet wie ein richtiger Herr und mit einer dicken Rüstung aus zusammengefalteten *Vanguardia*-Exemplaren unter den Kleidern, um sich Würde, einen Anflug von Muskulatur und Billigwärme zu verschaffen, setzte sich Fermín an die Theke, und nachdem er die Liste der für die bescheidensten Börsen und Mägen erschwinglichen Köstlichkeiten studiert hatte, leitete er eine Verhandlungsrunde mit dem Kellner ein.

»Ich habe eine Frage, junger Mann. Bei der Tagesspezialität, Mortadella- und Cornellà-Wurst-Sandwich mit Bauernbrot, ist es Brot mit frischer Tomate?«

»Soeben geerntet in unserem Gemüsegarten in El Prat, hinter der Schwefelsäurefabrik.«

»Ein Spitzenbouquet. Und sagen Sie mir, guter Mann, haben Sie Vertrauen zu diesem Haus?«

Dem Kellner verflog das heitere Gesicht, und er zog sich hinter die Theke zurück, wo er sich mit feindlicher Miene den Lappen über die Schulter schwang.

»Nicht einmal zu Gott.«

»Gibt es keine Ausnahmen für mit Orden ausgezeichnete Kriegsversehrte?«

»Raus, sonst holen wir die Polizei.«

Angesichts der Wendung, die der Gedankenaustausch genommen hatte, trat Fermín den Rückzug an und suchte sich einen ruhigen Winkel, wo er seine Strategie überdenken konnte. Eben hatte er sich auf der Stufe eines Hauseingangs niedergelassen, als ein junges Mädchen, das noch keine siebzehn sein konnte, aber Kurven wie ein Revuegirl vor sich hertrug, an ihm vorbeiflitzte und auf die Nase fiel.

Fermín stand auf, um ihr zu helfen, und kaum hatte er sie am Arm gefasst, hörte er Schritte hinter sich und eine Stimme, die die des barschen Kellners, der ihn an die Luft gesetzt hatte, in den Rang von Sphärenmusik erhob.

»Pass auf, du verdammte Nutte, komm mir nicht mit so was, oder ich schlitz dir das Gesicht auf und lass dich auf der Straße liegen, die noch beschissener ist als du.«

Der Autor dieser Ansprache war ein Zuhälter mit grüngelber Gesichtsfarbe und einem dubiosen Geschmack für Bijouterieramsch. Ungeachtet der Tatsache, dass er doppelt so korpulent war wie Fermín und in der Hand einen schneidenden oder zumindest spitzen Gegenstand trug, stellte sich Fermín, der Killer und Zuhälter nachgerade satthatte, zwischen das junge Mädchen und diesen Typen.

»Und wer verdammt nochmal bist du, du Wichser? Los, zieh Leine, bevor ich dir die Fresse poliere.«

Fermín spürte, wie sich das Mädchen, das nach

einer seltsamen Mischung aus Zimt und Fritten roch, an seine Arme klammerte. Ein rascher Blick auf den Killer genügte ihm, um festzustellen, dass der Situation nicht mit Dialektik beizukommen war, und so beschloss er, zur Tat zu schreiten. Nach einer Analyse *in extremis* seines Gegners kam er zum Schluss, dass dessen Körpermasse mehrheitlich aus Fett bestand und der Muskelanteil beziehungsweise die graue Materie keinen Überschuss verzeichnete.

»Mit mir reden Sie nicht so, und mit der Señorita schon gar nicht.«

Verdutzt und ohne den Anschein zu machen, die Worte verstanden zu haben, schaute ihn der Zuhälter an. Einen Augenblick später steckte der Mann, der von dieser halben Portion alles andere als Streit erwartet hatte, als Überraschung des Monats einen Volltreffer mit dem Koffer in die Weichteile ein, dem, als er schon auf dem Boden lag und sich mit den Händen das Gemächt fasste, vier, fünf Schläge mit der Lederecke des Koffers an strategische Punkte folgten, die ihn vorübergehend in einen niedergeschlagenen und demotivierten Zustand versetzten.

Eine Gruppe Passanten, die den Zwischenfall beobachtet hatte, applaudierte, und als sich Fermín umwandte, um zu sehen, ob das Mädchen wohlbehalten war, traf er auf einen verzückten, von lebenslanger Dankbarkeit und Zärtlichkeit triefenden Blick.

»Fermín Romero de Torres, zu Ihren Diensten, Señorita.«

Das junge Mädchen stellte sich auf die Zehenspitzen und küsste ihn auf die Wangen.

»Ich bin die Rociíto.«

Der Typ zu ihren Füßen versuchte aufzustehen und wieder zu Atem zu kommen. Fermín hielt es für ratsam, Abstand zum Kriegsschauplatz zu gewinnen, bevor ihm die Kräftebalance ihre Gunst entzog.

»Man wird mit einiger Eile abziehen müssen«, verkündete er. »Nachdem die Initiative ihre Wirkung eingebüßt hat, ist uns die Schlacht feindlich gesinnt.«

Die Rociíto hakte ihn unter und führte ihn schnellen Schritts durch ein Netz von engen Gassen zur Plaza Real. An der Sonne und auf offenem Feld blieb Fermín eine Weile stehen, um Atem zu schöpfen. Die Rociíto sah, dass er zunehmend bleicher wurde und gar keinen guten Anblick bot. Wahrscheinlich hatte die Aufregung durch die Konfrontation oder der Hunger bei ihrem verwegenen Kämpen einen Blutdruckabfall ausgelöst, und so begleitete sie ihn zu den Tischen vor dem Restaurant Ambos Mundos, wo er auf einem der Stühle zusammensank.

Die Rociíto mochte zwar erst siebzehn sein, verfügte aber über ein klinisches Auge, dessen sich selbst Dr. Alexander Fleming nicht geschämt hätte. Sie bestellte eine Auswahl Tapas, um ihn wieder ins Leben zurückzuholen. Als Fermín den Festschmaus kommen sah, geriet er in Alarmstimmung.

»Rociíto, ich habe keinen einzigen Cent …«

»Das bezahle ich«, fiel sie ihm stolz ins Wort. »Für meinen Mann sorge ich und ernähre ihn gut.«

Sie stopfte ihn wie eine Mastgans mit Paprikawurst, Brot und Kartoffeln an scharfer Mayonnaise, alles von einem riesigen Krug Bier begleitet. Fermín erwachte zu neuem Leben und gewann vor dem zufriedenen Blick des jungen Mädchens seine frische Farbe zurück.

»Zum Nachtisch, wenn Sie mögen, mache ich Ihnen eine Spezialität des Hauses, dass Ihnen Hören und Sehen vergeht«, erbot sie sich und leckte sich die Lippen.

»Ja solltest du denn jetzt nicht bei den Nonnen in der Schule sein, Mädchen?«

Sie belachte seine Bemerkung ironisch.

»Ach, so ein Lauser, was für ein Mundwerk der Señorito hat.«

Während des Schmauses wurde Fermín klar, dass er, wenn es nach dem jungen Mädchen ging, eine vielversprechende Zuhälterlaufbahn vor sich hatte. Aber andere, wichtigere Dinge beanspruchten seine Aufmerksamkeit.

»Wie alt bist du, Rociíto?«

»Achtzehneinhalb, Señorito Fermín.«

»Du siehst älter aus.«

»Das ist der Vorbau. Er ist mir mit dreizehn gewachsen, und es ist eine Freude, ihn anzuschauen, obwohl's mir ja nicht zusteht, es zu sagen.«

Fermín, der seit seinen Tagen in Havanna, an die er

sich mit Sehnsucht erinnerte, keine vergleichbare Verschwörung von Kurven mehr gesehen hatte, versuchte, seinen gesunden Menschenverstand zurückzuerlangen.

»Rociíto«, begann er, »ich kann mich deiner nicht annehmen …«

»Ich weiß schon, Señorito, halten Sie mich nicht für blöd. Ich weiß, dass Sie nicht der Mann sind, der auf Kosten einer Frau lebt. Ich bin ja vielleicht noch jung, aber ich habe gelernt zu erkennen, wo's langgeht …«

»Du musst mir sagen, wohin ich dir das Geld für dieses Bankett schicken kann – jetzt erwischst du mich in einem wirtschaftlich heiklen Moment …«

Sie schüttelte den Kopf.

»Ich habe ein Zimmer in dieser Pension, das ich mit der Lali teile, aber sie ist den ganzen Tag weg, sie macht die Frachter … Warum kommt der Señorito nicht rauf, und ich verabreiche ihm eine Massage?«

»Rociíto …«

»Geht aufs Haus.«

Fermín schaute sie melancholisch an.

»Sie haben traurige Augen, Señorito Fermín. Lassen Sie die Rociíto Ihrem Leben etwas Freude geben, wenn auch nur für ein Weilchen. Was ist denn Schlechtes daran?«

Beschämt senkte Fermín den Blick.

»Wie lange ist der Señorito nicht mehr so richtig mit einer Frau zusammen gewesen?«

»Daran kann ich mich schon gar nicht mehr erinnern.«

Die Rociíto gab ihm die Hand, zog ihn auf, führte ihn die Treppe hinauf in ein winziges Zimmerchen, in dem nur ein schmales Bett und ein Waschtrog standen. Ein kleiner Balkon führte auf den Platz hinaus. Sie zog den Vorhang und schlüpfte im Nu aus ihrem geblümten Kleid, unter dem nichts als sie selbst war. Fermín bestaunte dieses Naturwunder und ließ sich von einem Herzen umarmen, das fast so alt war wie seines.

»Wenn der Señorito nicht mag – wir müssen gar nichts machen, ja?«

Sie bettete ihn hin und legte sich neben ihn, umarmte ihn und streichelte seinen Kopf.

»Schsch, schsch«, flüsterte sie.

Fermín, das Gesicht auf dieser achtzehnjährigen Brust, brach in Tränen aus.

Als es Abend wurde und die Rociíto ihre Schicht antreten musste, kramte er den Zettel mit der Adresse von Anwalt Brians hervor, den ihm Armando vor einem Jahr gegeben hatte, und beschloss, ihn aufzusuchen. Die Rociíto wollte ihm unbedingt etwas Kleingeld mitgeben, damit er die Straßenbahn und einen Kaffee bezahlen konnte, und ließ ihn schwören und noch einmal schwören, dass er sie besuchen werde, und sei es nur, um mit ihr ins Kino oder zur Messe zu gehen, denn sie war der Muttergottes vom

Berge Karmel sehr ergeben und liebte das Zeremoniell, vor allem, wenn dabei gesungen wurde. Sie begleitete Fermín nach unten und gab ihm zum Abschied einen Kuss auf den Mund und zwickte ihn in den Hintern.

»Mein süßes Männchen«, sagte sie, während er unter den Arkaden des Platzes davonging.

Als er die Plaza de Cataluña überquerte, begannen sich am Himmel dicke Wolken zu ballen. Die Taubenschwärme, die normalerweise den Platz überflatterten, hatten in den Bäumen Zuflucht gesucht und warteten unruhig. Die Menschen konnten die Elektrizität in der Luft riechen und drängten zu den Eingängen der U-Bahnhöfe. Ein unfreundlicher Wind hatte sich erhoben und wirbelte eine Laubflut über den Boden. Fermín lief schneller, und als er zur Calle Caspe gelangte, begann es schon zu schütten.

8

Anwalt Brians war ein junger Mann, der ein wenig
wie ein Bohemestudent aussah und den Eindruck er-
weckte, als ernähre er sich ausschließlich von Salz-
crackers und Kaffee. So roch seine Kanzlei – so und
nach verstaubtem Papier. Seine Büroräume bestan-
den in einem elenden Dachloch am Ende eines Gangs
ohne Licht im selben Haus, das auch das große Ti-
voli-Theater beherbergte. Um halb neun traf ihn Fermín da noch an. Brians öffnete ihm in Hemdsärmeln,
und als er ihn erblickte, nickte er bloß mit einem
Seufzer.

»Fermín, nehme ich an. Martín hat mir von Ihnen
erzählt. Ich habe mich schon gefragt, wann Sie denn
nun endlich kommen würden.«

»Ich war eine Zeitlang weg.«

»Natürlich. Bitte kommen Sie rein.«

Fermín betrat hinter ihm das Räumchen.

»Was für ein Abend, nicht wahr?«, sagte der Anwalt nervös.

»Es ist ja bloß Wasser.«

Fermín schaute sich um und sah nur einen einzigen

Stuhl. Brians überließ ihn ihm und setzte sich auf einen Stapel Handelsrecht.

»Man muss mir noch die Möbel schicken.«

Fermín sah, dass hier kein Bleistiftspitzer mehr Platz hatte, doch er sagte nichts. Auf dem Tisch standen ein Teller mit einem Schweinelendenbrötchen und ein Bier. Eine Papierserviette verriet, dass das opulente Abendessen aus dem Café im Erdgeschoss stammte.

»Ich wollte eben essen. Mit Freuden teile ich das Mahl mit Ihnen.«

»Essen Sie nur, junge Leute müssen wachsen, und ich habe bereits gegessen.«

»Kann ich Ihnen nichts anbieten? Einen Kaffee?«

»Wenn Sie ein Sugus hätten …«

Brians kramte in einer Schublade, in der es alles Mögliche geben mochte, nur keine Sugus-Bonbons.

»Eine Juanola-Pastille?«

»Es geht mir gut, danke.«

»Sie gestatten.«

Brians zwackte dem Sandwich einen Bissen ab und kaute genüsslich. Fermín fragte sich, wer von ihnen beiden ausgehungerter aussah. Neben dem Schreibtisch befand sich eine angelehnte Tür, hinter der man ein ungemachtes Klappbett, einen Garderobenständer mit zerknitterten Hemden und einen Bücherstapel erkannte.

»Wohnen Sie auch hier?«, fragte Fermín.

Offensichtlich gehörte der Anwalt, den sich Isabella für Martín hatte leisten können, nicht zur ersten Garnitur. Brians folgte Fermíns Blick und lächelte bescheiden.

»Das ist vorübergehend mein Büro und meine Wohnung, ja.« Er beugte sich vor, um die Tür zu seinem Schlafzimmer zu schließen. »Sie müssen denken, ich sehe nicht gerade wie ein Anwalt aus. Da sind Sie übrigens nicht allein – mein Vater ist derselben Meinung.«

»Beachten Sie ihn nicht. Mein Vater hat mir und meinen Brüdern immer gesagt, wir seien Nichtsnutze und würden einmal als Steinklopfer enden. Und da bin ich, mit allen Wassern gewaschen. Im Leben Erfolg haben, wenn die Familie an einen glaubt und einen unterstützt, das ist nicht besonders verdienstvoll.«

Brians nickte widerwillig.

»Wenn man es so sieht … Tatsächlich habe ich mich erst vor kurzem auf eigene Füße gestellt. Vorher habe ich in einer renommierten Anwaltskanzlei gearbeitet, gleich um die Ecke, auf dem Paseo de Gracia. Aber da gab es einige Differenzen. Seither ist alles schwerer geworden.«

»Was Sie nicht sagen. Valls?«

Brians nickte und trank in drei Schlucken das Bier aus.

»Nachdem ich den Fall von Señor Martín übernommen hatte, setzte er alles daran, dass mich fast sämtliche Klienten verließen und ich rausgeschmissen wurde. Die wenigen, die mit mir gekommen sind, sind die, die keinen Cent für mein Honorar haben.«

»Und Señora Isabella?«

Der Blick des Anwalts wurde düster. Er stellte die Bierflasche auf den Schreibtisch und sah Fermín zögernd an.

»Wissen Sie es nicht?«

»Was denn?«

»Señora Isabella ist gestorben.«

9

Das Gewitter entlud sich mit Macht über der Stadt. Fermín hielt eine Tasse Kaffee in den Händen, während Brians vor dem offenen Fenster in den Regen hinausschaute, der die Dächer des Ensanche-Viertels peitschte, und Isabellas letzte Tage schilderte.

»Sie wurde plötzlich krank, ohne Erklärung. Wenn Sie sie gekannt hätten ... Isabella war jung, voller Leben. Sie hatte eine eiserne Gesundheit und hatte das ganze Elend des Krieges überlebt. Alles passierte sozusagen von einem Tag auf den anderen. In der Nacht, in der Ihnen die Flucht aus dem Kastell gelungen ist, kam Isabella spät nach Hause. Ihr Mann fand sie im Badezimmer kniend, schwitzend und zuckend. Sie sagte, sie fühle sich elend. Ein Arzt wurde gerufen, aber noch bevor er kam, setzten die Krämpfe ein, und sie erbrach Blut. Der Arzt sagte, es sei eine Vergiftung, sie müsse ein paar Tage lang eine strenge Diät einhalten, doch am nächsten Morgen ging es ihr noch schlechter. Señor Sempere hüllte sie in Decken, und ein Taxifahrer aus der Nachbarschaft brachte sie ins Hospital del Mar. Auf der Haut hatte sie schwarze Flecken bekommen, wie Wunden, und das Haar fiel ihr büschelweise aus. Im Krankenhaus warteten sie zwei Stunden, aber schließlich weigerten sich die Ärzte, sie zu untersuchen – da war ein weiterer Patient im Wartezimmer, der noch nicht an die Reihe gekommen war und sagte, er kenne Sempere, der sei Kommunist gewesen, oder sonst so ein Unsinn. Vermutlich, um eher dranzukommen. Eine Krankenschwester gab ihnen einen Sirup mit, der gut sei, um den Magen zu reinigen, doch Isabella brachte gar nichts herunter. Sempere wusste nicht mehr weiter. Er brachte sie nach Hause und begann, einen Arzt nach dem anderen anzurufen. Niemand hatte eine Ahnung, was mit ihr los war. Ein Arzthelfer, Stammkunde der Buchhandlung, kannte jemanden, der im Klinikum arbeitete. Sempere brachte sie hin.

Im Klinikum sagte man, es könne Cholera sein, er solle sie wieder nach Hause bringen, es gebe gerade zahlreiche solche Fälle, und sie hätten keinen Platz. Im Viertel waren schon mehrere Personen gestorben. Isabella ging es von Tag zu Tag schlechter. Sie delirierte. Ihr Mann setzte Himmel und Hölle in Bewegung, aber nach einigen Tagen war sie so schwach, dass sie nicht einmal mehr ins Krankenhaus gefahren werden konnte. Eine Woche nach der Erkrankung starb sie, in der Wohnung in der Calle Santa Ana, über der Buchhandlung ...«

Ein langes Schweigen legte sich zwischen sie, nur

begleitet vom Prasseln des Regens und vom Echo der Donnerschläge, die sich entfernten, während sich der Wind allmählich legte.

»Erst einen Monat später erfuhr ich, dass sie eines Abends im Café de la Ópera gesehen worden war, gegenüber dem Liceo-Theater. Sie saß mit Mauricio Valls zusammen. Sie hatte nicht auf meinen Rat gehört und ihm gedroht, seinen Plan auffliegen zu lassen, dass Martín weiß Gott was für einen Schwachsinn umschreiben sollte, mit dem er Ruhm und Medaillen einzuheimsen hoffte. Ich ging hin und erkundigte mich. Der Kellner erinnerte sich, dass Valls als Erster gekommen war, mit dem Auto, und zwei Kamillentee und Honig bestellt hatte.«

Fermín wog die Worte des jungen Anwalts ab.

»Und Sie glauben, Valls hat sie vergiftet?«

»Ich kann es nicht beweisen, aber je mehr ich darüber nachdenke, desto weniger bezweifle ich es. Es muss Valls gewesen sein.«

Fermín starrte zu Boden.

»Weiß es Señor Martín?«

»Nein. Nach Ihrer Flucht ließ Valls Martín in die Isolierzelle in einem der Türme bringen.«

»Und Dr. Sanahuja? Hat man die beiden nicht zusammengelassen?«

Brians seufzte niedergeschlagen.

»Sanahuja wurde wegen Verrats vor ein Militärgericht gestellt und zwei Wochen später füsiliert.«

Ein langes Schweigen machte sich in dem Raum

breit. Fermín stand auf und trat erregt von einem Fuß auf den andern.

»Und mich, warum hat mich niemand gesucht? Schließlich und endlich bin ich ja die Ursache von allem …«

»Sie gibt es nicht. Um sich die Erniedrigung vor seinen Vorgesetzten und das Scheitern seiner verheißungsvollen Karriere im Regime zu ersparen, ließ Valls die Patrouille, die er nach Ihnen ausgeschickt hatte, schwören, sie hätten Sie erschossen, als Sie auf dem Hang des Montjuïc zu fliehen versuchten, und dann ins Massengrab geworfen.«

Fermín schmeckte die Wut auf den Lippen.

»Schauen Sie, ich hätte die größte Lust, gleich jetzt vor die Militärregierung zu treten und zu sagen: ›Hier habt ihr meine Eier.‹ Dann würden wir ja sehen, wie Valls meine Auferstehung erklärt.«

»Reden Sie keinen Unsinn. So lösen Sie gar nichts. Das Einzige, was Sie erreichen würden, wäre, zur Carretera de las Aguas gebracht und mit einem Nackenschuss ins Jenseits befördert zu werden. Das ist dieses Geschmeiß nicht wert.«

Fermín nickte, aber Scham und Schuldgefühl zehrten an ihm.

»Und Martín? Was wird aus ihm werden?«

Brians zuckte die Achseln.

»Was ich weiß, ist vertraulich und darf diesen Raum nicht verlassen. Es gibt einen Gefängniswärter im Kastell, einen gewissen Bebo, der mir mehr als eine Gefälligkeit schuldig ist. Ein Bruder von ihm sollte hingerichtet werden, aber ich habe erreicht, dass das Todesurteil in eine zehnjährige Gefängnisstrafe in Valencia umgewandelt wurde. Bebo ist ein guter Kerl und erzählt mir alles, was er im Kastell sieht und hört. Valls lässt mich nicht zu Martín, aber durch Bebo habe ich erfahren, dass er lebt und dass Valls ihn im Turm einschließt und rund um die Uhr unter Bewachung hält. Er hat ihm Papier und Federn gegeben. Bebo sagt, Martín schreibt.«

»Schreibt was?«

»Wer weiß. Valls glaubt, oder das hat mir wenigstens Bebo gesagt, Martín schreibt das Buch, mit dem er ihn beauftragt hat, auf der Grundlage seiner Notizen. Aber Martín, der, wie wir ja beide wissen, nicht ganz bei Trost ist, schreibt anscheinend etwas anderes. Manchmal wiederholt er laut, was er schreibt, oder er steht auf und beginnt in der Zelle rumzugehen und Dialogfetzen und ganze Sätze zu rezitieren. Bebo hat Nachtschicht bei seiner Zelle, und wenn es geht, gibt er ihm Zigaretten und Zuckerwürfel, das ist das Einzige, was er isst. Hat Martín einmal etwas von einem *Spiel des Engels* erzählt?«

Fermín verneinte.

»Ist das der Titel des Buches, an dem er schreibt?«

»Das sagt Bebo. Soweit er verstanden hat, was ihm Martín erzählt und was er ihn sonst sagen hört, ist es so etwas wie eine Autobiographie oder eine Beichte … Wenn Sie meine Meinung hören wollen, hat Martín

gemerkt, dass er im Begriff ist, den Verstand zu verlieren, und versucht nun, zu Papier zu bringen, was er
noch weiß, bevor es zu spät ist. Es ist, als schreibe er
sich selbst einen Brief, um zu erfahren, wer er ist …«

»Und was geschieht, wenn Valls entdeckt, dass er
nicht seinen Anweisungen folgt?«

Anwalt Brians schaute ihn düster an.

10

Als es zu regnen aufhörte, war es schon fast Mitternacht. Von Anwalt Brians' Dachgeschosswohnung aus sah Barcelona unter den sich tief über die Dächer schleppenden Wolken ungastlich aus.

»Haben Sie denn einen Ort, wo Sie hingehen können, Fermín?«, fragte Brians.

»Ich habe ein verlockendes Angebot, mich bei einem etwas leichtlebigen, aber warmherzigen jungen Mädchen mit einer Karosserie, die einem den Schluckauf nimmt, als Leibwächter ins Konkubinat zu begeben, aber ich sehe mich nicht in der Rolle des Zuhälters, nicht einmal zu Füßen der Venus von Jerez.«

»Die Vorstellung, dass Sie auf der Straße sind, will mir nicht gefallen, Fermín. Es ist gefährlich. Sie können hierbleiben, solange Sie wollen.«

Fermín schaute um sich.

»Ich weiß, es ist nicht das Hotel Colón, aber ich habe da hinten ein Klappbett, schnarche nicht und wäre, ehrlich gesagt, dankbar für die Gesellschaft.«

»Haben Sie denn keine Freundin?«

»Meine Freundin war die Tochter des Gründers der Kanzlei, die mich mit Hilfe von Valls und Konsorten rausgeschmissen hat.«

»Diese Geschichte mit Martín bezahlen Sie teuer. Keuschheits- und Armutsgelübde …«

Brians lächelte.

»Geben Sie mir eine verlorene Sache, und ich bin glücklich.«

»Dann nehme ich Sie beim Wort. Aber nur, wenn ich mithelfen und etwas dazu beitragen darf. Ich kann saubermachen, ordnen, Maschine schreiben, kochen, mit Beratung sowie Detektiv- und Beschattungsdiensten aufwarten, und wenn Sie in einen hormonellen Engpass geraten und Druck ablassen müssen, dann bin ich überzeugt, dass Ihnen meine Freundin Rociíto einen professionellen Service anbieten kann, nach dem Sie wie neugeboren sind – in jungen Jahren muss man aufpassen, dass einem nicht ein Überschuss an Samenflüssigkeit in den Kopf steigt, und später ist es noch schlimmer.«

Brians gab ihm die Hand.

»Abgemacht. Sie sind verpflichtet als stellvertretender Bürovorsteher der Kanzlei Brians und Brians, Verteidiger der Insolventen.«

»So wahr ich Fermín heiße, bringe ich Ihnen noch vor dem Wochenende einen der Mandanten, die bar oder im Voraus zahlen.«

So richtete sich Fermín Romero de Torres einstweilen in Anwalt Brians' winzigem Büro ein, wo er die Dossiers, Kladden und offenen Fälle zu ordnen, zu reinigen und à jour zu bringen begann. In wenigen Tagen verdreifachte das Büro dank seinen Künsten die Fläche und wurde zum Schmuckkästchen. Er blieb die meiste Zeit drinnen, unternahm aber zwei Stunden täglich verschiedene Expeditionen, von denen er immer mit einer Handvoll Blumen aus dem Foyer des Tivoli-Theaters, etwas Kaffee, den er einer Kellnerin des Lokals im Erdgeschoss abschmeichelte, und Feinkostartikeln aus der Lebensmittelhandlung Quílez zurückkehrte, die er aufs Konto der Kanzlei anschreiben ließ, welche Brians gefeuert und als deren neuen Botenjungen er sich vorgestellt hatte.

»Fermín, dieser Schinken ist phantastisch, wo haben Sie den her?«

»Probieren Sie mal den Manchego-Käse, dann geht Ihnen ein Licht auf.«

Vormittags sah er alle Fälle von Brians durch und schrieb dessen Notizen ins Reine. Nachmittags stürzte er sich mit Hilfe des Telefonbuchs in die Suche nach mutmaßlich solventen Mandanten. Wenn er eine Möglichkeit witterte, krönte er den Anruf mit einem Hausbesuch. Von insgesamt fünfzig Anrufen bei Geschäften, Freiberuflern und Privatleuten des Viertels mündeten zehn in Hausbesuche und drei in neue Kundschaft für Brians.

Die erste Mandantin war eine Witwe, die mit einer

Versicherungsgesellschaft im Streit lag, weil die sich weigerte, für den Hinschied ihres Gatten zu zahlen, mit dem Argument, der Herzstillstand, dem er nach einem Langustengelage im Restaurant Les Set Portes zum Opfer gefallen war, sei ein in der Police nicht vorgesehener Fall von Selbstmord. Der zweite war ein Tierpräparator, dem ein pensionierter Torero den fünfhundert Kilo schweren Kampfstier gebracht hatte, der seiner Laufbahn in der Arena ein Ende gesetzt hatte und den, einmal ausgestopft, der Matador nicht mitnehmen und bezahlen wollte, da ihm die vom Präparator eingesetzten Glasaugen ein so diabolisches Aussehen gäben, dass er mit dem Ausruf »Unberufen toi, toi, toi« aus der Werkstatt habe stürzen müssen. Und der dritte war ein Schneider von der Ronda San Pedro, dem ein Zahnarzt ohne Titel fünf Backenzähne gezogen hatte, alle ohne Karies. Es waren geringfügige Fälle, doch alle Mandanten hatten eine Kaution gezahlt und einen Vertrag unterschrieben.

»Fermín, ich werde Ihnen ein festes Gehalt zahlen.«

»Das fehlte noch.«

Fermín weigerte sich, irgendwelche Bezüge für seine guten Dienste anzunehmen, ausgenommen gelegentlich kleine Darlehen, um sonntagnachmittags die Rociíto ins Kino, zum Tanz ins La Paloma oder in den Vergnügungspark auf dem Tibidabo auszuführen, wo sie ihm im Spiegelpalast einen Knutschfleck auf den Hals applizierte, der ihn eine Woche lang brannte, und wo er, einen Tag nutzend, da sie in dem über Barcelonas Miniaturhimmel kreisenden Möchtegernflugzeug allein waren, nach langer Abwesenheit von der Bühne der flotten Nummern wieder voll und ganz zum Genuss seiner Männlichkeit zurückfand.

Als er eines Tages zuoberst auf dem Riesenrad die Reize der Rociíto befummelte, sagte sich Fermín, dass das entgegen jeder Vorhersage fast schöne Zeiten waren. Und Angst befiel ihn, denn er wusste, dass sie nicht anhalten konnten und dass diese gestohlenen Friedens- und Glückstropfen noch vor der Jugend des Fleisches und der Augen der Rociíto verdunsten würden.

11

An diesem Abend setzte er sich an den Schreibtisch
und wartete, bis Brians von seinen Runden durch
Gerichte, Büros, Ämter, Gefängnisse und den tau-
sendundein Handküssen zurückkehrte, die er durch-
leiden musste, um an Informationen zu kommen.
Es war beinahe elf, als er die Schritte des jungen
Anwalts auf dem Gang nahen hörte. Er machte die
Tür auf, und Brians, niedergeschlagener denn je,
schlurfte mit Füßen und Seele herein, ließ sich in eine
Ecke fallen und bedeckte sich das Gesicht mit den
Händen.

»Was ist denn passiert, Brians?«

»Ich komme vom Kastell.«

»Schlimm?«

»Valls hat mich nicht vorgelassen. Ich musste vier
Stunden warten und bin dann weggeschickt worden.
Man hat mir die Besuchserlaubnis entzogen und die
Genehmigung, das Gelände zu betreten.«

»Hat man Sie zu Martín gelassen?«

Brians schüttelte den Kopf.

»Er war nicht da.«

Fermín schaute ihn verständnislos an. Eine Weile schwieg Brians, um die Worte zusammenzuklauben.

»Als ich ging, ist mir Bebo gefolgt und hat mir erzählt, was er weiß. Es ist vor zwei Wochen passiert. Martín schrieb wie ein Besessener, Tag und Nacht, und legte kaum eine Schlafpause ein. Irgendwie roch Valls den Braten und hieß Bebo die von Martín bereits geschriebenen Seiten konfiszieren. Drei Wachen mussten ihn in die Zange nehmen, damit er stillhielt und sie ihm das Manuskript entreißen konnten. In zwei Monaten hatte er über fünfhundert Seiten geschrieben.«

Bebo brachte sie Valls, und nachdem dieser zu lesen begonnen hatte, bekam er anscheinend einen Tobsuchtsanfall.

»Es war wohl nicht das, was er erwartet hatte, nehme ich an ...«

Brians verneinte.

»Valls las die ganze Nacht, und am nächsten Morgen ging er mit vier seiner Leute zum Turm hinauf. Er ließ Martín an Händen und Füßen in Eisen legen und betrat dann selbst die Zelle. Bebo hörte durch den Türspalt zu und bekam einen Teil des Gesprächs mit. Valls war wütend. Er sagte, er sei sehr enttäuscht von ihm, er habe ihm den Keim eines Meisterwerks gegeben, aber Martín habe undankbarerweise nicht seine Anweisungen befolgt, sondern diesen Mist ohne Hand und Fuß zu schreiben begonnen. ›Das ist nicht das Buch, das ich von Ihnen erwartet habe, Martín‹, wiederholte er immer wieder.«

»Und was sagte Martín?«

»Nichts. Er ignorierte ihn. Als wäre er Luft. Was Valls immer noch wütender machte. Bebo hörte, wie er Martín ohrfeigte und schlug, aber der gab keinen einzigen Klagelaut von sich. Als Valls es satthatte, ihn zu schlagen und zu beschimpfen, ohne ein Wort aus ihm herauszukriegen, sagt Bebo, zog er einen Brief aus der Tasche, einen Brief, den Señor Sempere Martín Monate zuvor geschickt und den Valls abgefangen hatte. In diesem Brief befand sich eine Notiz, die Isabella auf dem Sterbebett für Martín geschrieben hatte ...«

»Dieser Hundesohn ...«

»Valls ließ ihn eingeschlossen mit diesem Brief zurück – er wusste ganz genau, dass ihn nichts mehr schmerzen konnte, als zu erfahren, dass Isabella gestorben war. Bebo sagt, nachdem Valls gegangen war und Martín den Brief gelesen hatte, habe er zu schreien begonnen und die ganze Nacht weitergeschrien und mit Händen und Kopf auf die Wände und die Eisentür eingedroschen ...«

Brians schaute auf, und Fermín kniete vor ihm nieder und legte ihm die Hand auf die Schulter.

»Geht es Ihnen gut, Brians?«

»Ich bin sein Anwalt«, sagte er mit zitternder Stimme. »Es ist doch meine Pflicht, ihn zu beschützen und dort rauszuholen ...«

»Sie haben alles getan, was in Ihrer Macht steht, Brians. Und das weiß Martín.«

Brians schüttelte langsam den Kopf.

»Das ist noch nicht alles«, sagte er. »Bebo hat mir erzählt, da Valls verboten habe, Martín weiterhin Papier und Tinte zu geben, habe dieser angefangen, die Rückseite der Seiten vollzuschreiben, die ihm Valls ins Gesicht geschleudert hatte. Mangels Tinte schneide er sich in Hände und Arme und benutze sein Blut ... Bebo versuchte, mit ihm zu sprechen, ihn zu beruhigen. Er nahm jetzt keine Zigaretten und Zuckerwürfel mehr an, obwohl ihm die so gut schmeckten. Er beachtete ihn nicht einmal mehr. Bebo glaubt, mit der Nachricht von Isabellas Tod habe er vollends den Verstand verloren und nur noch in der Hölle gelebt, die er sich in seinem Kopf gezimmert hatte. Nachts schrie er, und alle konnten ihn hören. Unter den Besuchern, den Gefangenen und dem Gefängnispersonal begann man zu munkeln. Valls wurde allmählich nervös. Schließlich befahl er eines Nachts zweien seiner Revolverhelden, ihn wegzuschaffen ...«

Fermín schluckte.

»Wohin?«

»Bebo ist nicht sicher. Auf Grund dessen, was er hören konnte, glaubt er, in einen alten verlassenen Kasten neben dem Park Güell, ein Ort, wo anscheinend schon während des Krieges mehr als nur einer oder zwei umgebracht und dann im Garten verscharrt worden waren ... Als die beiden Killer zurückkamen, sagten sie Valls, es sei alles in Ordnung, aber Bebo hat mir erzählt, in der Nacht habe er sie miteinander sprechen hören und sie seien sehr verschreckt gewesen. Etwas muss in dem Haus geschehen sein. Anscheinend war da noch jemand.«

»Jemand?«

Brians zuckte die Schultern.

»Dann lebt David Martín also noch?«

»Ich weiß es nicht, Fermín. Niemand weiß es.«

12

Fermín sprach mit hauchdünner Stimme, den Blick niedergeschlagen. Die Heraufbeschwörung dieser Erinnerungen schien ihm alle Kraft entzogen zu haben, so dass er sich nur mit Müh und Not auf dem Stuhl halten konnte. Ich schenkte ihm ein letztes Glas Wein ein, während er sich mit dem Handrücken die Tränen abwischte. Ich reichte ihm eine Serviette, doch er übersah sie. Die restlichen Gäste des Can Lluís waren schon vor einer Weile gegangen, und vermutlich war es nach Mitternacht, aber niemand hatte uns etwas gesagt, man hatte uns in aller Ruhe sitzen lassen. Fermín schaute mich erschöpft an, als hätte ihm die Enthüllung dieser Geheimnisse, die er so viele Jahre in sich verschlossen hatte, sogar die Lust zu leben ausgerissen.

»Fermín …«

»Ich weiß, was Sie mich fragen werden. Die Antwort lautet nein.«

»Fermín, ist David Martín mein Vater?«

Er schaute mich streng an.

»Ihr Vater ist Señor Sempere, Daniel. Daran dürfen Sie niemals zweifeln. Niemals.«

Ich nickte. Fermín blieb auf seinem Stuhl verankert, abwesend, den Blick im Nirgendwo verloren.

»Und Sie – was ist aus Ihnen geworden, Fermín?«

Er zögerte mit der Antwort, als wäre dieser Teil der Geschichte absolut bedeutungslos.

»Ich bin auf die Straße zurückgegangen. Bei Brians konnte ich nicht bleiben. Und zur Rociíto konnte ich nicht ziehen. Zu niemandem …«

Sein Bericht strandete, und ich nahm ihn an seiner statt wieder auf.

»Sie sind auf die Straße zurückgegangen, ein namenloser Bettler, ohne nichts und niemand auf der Welt, ein Mann, den alle für verrückt hielten und der am liebsten gestorben wäre, hätte er nicht ein Versprechen abgegeben …«

»Ich hatte Martín versprochen, mich um Isabella und ihren Sohn zu kümmern – um Sie. Aber ich war ein Feigling, Daniel. Ich hatte mich so lange versteckt gehalten, ich hatte solche Angst vor dem Zurückkommen, dass Ihre Mutter schon nicht mehr da war, als ich es endlich tat …«

»Darum habe ich Sie in jener Nacht auf der Plaza Real angetroffen? Das war also kein Zufall? Wie lange waren Sie mir denn schon gefolgt?«

»Monate. Jahre …«

Ich stellte mir vor, wie er mir als Kind gefolgt war, wenn ich zur Schule ging, wenn ich im Ciudadela-Park spielte, wenn ich mit meinem Vater vor diesem Schaufenster stehen blieb, um den Füllfederhalter zu betrachten, von dem ich felsenfest überzeugt war, dass er Victor Hugo gehört hatte, wenn ich mich auf die Plaza Real setzte, um Clara vorzulesen und sie, wenn ich mich unbeobachtet fühlte, mit den Augen zu liebkosen. Ein Bettler, ein Schatten, eine Gestalt, auf die niemand achtete und die von den Blicken gemieden wurde. Fermín, mein Beschützer und mein Freund.

»Und warum haben Sie mir Jahre später die Wahrheit nicht erzählt?«

»Anfänglich wollte ich das, aber dann wurde mir klar, dass ich Ihnen damit eher schaden als nützen würde. Dass nichts die Vergangenheit ändern konnte. Ich beschloss, Ihnen die Wahrheit zu verheimlichen, weil ich dachte, es sei besser, wenn Sie mehr Ihrem Vater und weniger mir glichen.«

Wir hüllten uns in ein langes Schweigen, in dem wir verstohlene Blicke wechselten, ohne zu wissen, was wir sagen sollten.

»Wo ist Valls?«, fragte ich schließlich.

»Kommen Sie mir ja nicht auf den Gedanken …«

»Wo ist er jetzt?«, wiederholte ich meine Frage. »Wenn Sie es mir nicht sagen, finde ich es schon heraus.«

»Und was werden Sie tun? Bei ihm aufkreuzen und ihn umbringen?«

»Warum nicht?«

Fermín lachte bitter.

»Weil Sie eine Frau und ein Kind haben, weil Sie

ein Leben haben und Leute, die Sie gernhaben und die *Sie* gernhaben, und weil Sie alles haben, Daniel.«

»Alles außer meiner Mutter.«

»Die Rache wird Ihnen die Mutter nicht zurückgeben.«

»Das lässt sich leicht sagen. Ihre hat niemand umgebracht ...«

Fermín wollte etwas sagen, biss sich aber auf die Zunge.

»Warum, glauben Sie, hat Ihr Vater Ihnen nie vom Krieg erzählt, Daniel? Glauben Sie etwa, er könne sich nicht vorstellen, was geschehen ist?«

»Wenn es so ist, warum hat er dann geschwiegen? Warum hat er nichts unternommen?«

»Ihretwegen, Daniel. Ihretwegen. Ihr Vater hat wie viele Leute, die diese Jahre haben durchleben müssen, alles geschluckt und geschwiegen. Weil sie keinen Mut hatten. Leute von allen Parteien und Farben. Sie begegnen ihnen täglich auf der Straße und nehmen sie nicht einmal wahr. Diese ganzen Jahre über sind sie mit diesem Schmerz in sich lebend verfault, damit Sie und andere wie Sie leben können. Kommen Sie mir nicht auf die Idee, Ihren Vater zu richten. Dazu haben Sie kein Recht.«

Es kam mir vor, als hätte mir mein bester Freund einen Schlag auf den Mund versetzt.

»Seien Sie nicht böse auf mich, Fermín ...«

Er schüttelte den Kopf.

»Ich bin nicht böse.«

»Ich versuche nur, das alles besser zu verstehen. Erlauben Sie mir eine Frage. Nur eine.«

»Zu Valls? Nein.«

»Nur eine Frage, Fermín. Ich schwöre es. Wenn Sie nicht wollen, brauchen Sie nicht zu antworten.«

Brummelnd nickte er.

»Ist dieser Mauricio Valls derselbe Valls, an den ich denke?«

Er nickte.

»Ein und derselbe. Der, der bis vor vier oder fünf Jahren Kulturminister war. Der fast jeden Tag in der Presse erschienen ist. Der große Mauricio Valls. Autor, Verleger, Denker und Messias der nationalen Intelligenzija. Dieser Valls.«

Da ging mir auf, dass ich Dutzende Male in der Presse das Bild dieses Mannes gesehen hatte, dass ich seinen Namen gehört und auf dem Rücken einiger Bücher in unserer Buchhandlung aufgedruckt gesehen hatte. Bis zu diesem Abend war der Name Mauricio Valls einfach einer von vielen unter diesen öffentlichen Figuren gewesen, die zu einer zwar dauernd präsenten, aber verschwommenen Landschaft gehören, auf die man nicht besonders achtet. Hätte mich jemand nach Mauricio Valls gefragt, so hätte ich bis zu diesem Abend geantwortet, er komme mir vage bekannt vor, eine wichtige Figur in diesen elenden Jahren, die ich nie weiter beachtet hatte. Bis zu diesem Abend wäre es mir nie in den Sinn gekommen, eines Tages würde dieser Name, dieses Gesicht für immer zu dem des Mannes werden, der meine Mutter umgebracht hatte.

»Aber …«, protestierte ich.

»Nichts. Sie haben gesagt, eine einzige Frage, und die habe ich Ihnen beantwortet.«

»Fermín, Sie können mich nicht so …«

»Hören Sie mir gut zu, Daniel.« Er schaute mir in die Augen und fasste mich am Handgelenk. »Ich schwöre Ihnen, wenn der Moment gekommen ist, werde ich Ihnen persönlich helfen, diesen Dreckskerl zu finden, und wenn es das Letzte ist, was ich in meinem Leben mache. Dann werden wir abrechnen mit ihm. Aber nicht jetzt. Nicht so.«

Ich schaute ihn zweifelnd an.

»Versprechen Sie mir, keine Dummheit zu begehen, Daniel. Zu warten, bis der Moment gekommen ist.«

Ich senkte den Blick.

»Das können Sie nicht von mir verlangen, Fermín.«

»Ich kann und muss.«

Schließlich nickte ich, und Fermín ließ meinen Arm los.

13

Als ich nach Hause kam, war es fast zwei Uhr. Ich wollte eben die Haustür öffnen, da sah ich, dass in der Buchhandlung das Licht an war, ein schwacher Glanz hinter dem Vorhang zum Hinterzimmer. Ich betrat den Laden vom Hausflur aus und fand meinen Vater am Schreibtisch, wo er die erste Zigarette paffte, die ich ihn in meinem ganzen Leben hatte rauchen sehen. Vor ihm auf dem Tisch lagen ein offener Umschlag und beschriebene Briefbogen. Ich rückte einen Stuhl heran und setzte mich ihm gegenüber. Schweigend und undurchdringlich schaute er mich an.

»Gute Nachrichten?«, fragte ich und deutete auf den Brief.

Mein Vater reichte ihn mir.

»Er ist von deiner Tante Laura aus Neapel.«

»Ich habe eine Tante in Neapel?«

»Die Schwester deiner Mutter, die mit der Familie mütterlicherseits nach Italien gezogen ist, in dem Jahr, in dem du auf die Welt gekommen bist.«

Ich nickte abwesend. Ich konnte mich nicht an sie erinnern, und ihren Namen hatte ich unter all den

Unbekannten, die vor Jahren zur Beerdigung meiner Mutter gekommen waren und die ich danach nie wiedergesehen hatte, nur am Rand zur Kenntnis genommen.

»Sie sagt, sie hat eine Tochter, die in Barcelona studieren will, und fragt, ob sie eine Zeitlang hier wohnen kann, eine gewisse Sofía.«

»Das ist das erste Mal, dass ich von ihr höre«, sagte ich.

»Dann sind wir schon zwei.«

Ich konnte mir nur schwer vorstellen, dass mein Vater die Wohnung mit einer ihm unbekannten Halbwüchsigen teilte.

»Und was wirst du ihr antworten?«

Gleichgültig zuckte er die Schultern.

»Ich weiß auch nicht. Irgendetwas werde ich ihr sagen müssen.«

Fast eine Minute saßen wir schweigend da und sahen uns an, ohne uns an das Thema zu wagen, das uns sehr viel mehr beschäftigte als der Besuch einer entfernten Cousine.

»Ich nehme an, du warst mit Fermín aus«, sagte er schließlich.

Ich nickte.

»Wir sind ins Can Lluís gegangen. Fermín hat sogar die Servietten verschlungen. Beim Eintreten habe ich Professor Alburquerque angetroffen, er hat ebenfalls da gegessen, und ich habe ihm gesagt, er soll doch wieder mal im Laden vorbeischauen.«

Der Klang meiner Stimme, die Banalitäten von sich gab, hatte ein anklagendes Echo. Mein Vater schaute mich angespannt an.

»Hat er dir gesagt, was mit ihm los ist?«

»Ich glaube, es ist die Nervosität, wegen der Hochzeit und dem ganzen Drum und Dran, das ist nichts für ihn.«

»Und das war's auch schon?«

Ein geübter Lügner weiß, dass die wirkungsvollste Lüge immer eine Wahrheit ist, der man ein entscheidendes Stück genommen hat.

»Na ja, er hat mir Dinge aus alten Zeiten erzählt, als er im Gefängnis war und so.«

»Dann hat er dir vermutlich auch von Anwalt Brians erzählt. Was hat er denn gesagt?«

Ich war mir nicht sicher, was mein Vater wusste oder ahnte, und beschloss, Vorsicht walten zu lassen.

»Er hat mir erzählt, dass er im Kastell auf dem Montjuïc einsaß und mit Hilfe eines gewissen David Martín fliehen konnte, jemand, den du anscheinend gekannt hast.«

Mein Vater hüllte sich in langes Schweigen.

»Niemand hat es mir jemals ins Gesicht zu sagen gewagt, aber ich weiß, dass es Leute gibt, die damals dachten – und noch immer denken –, deine Mutter sei in Martín verliebt gewesen«, sagte er mit einem Lächeln so traurig, dass ich wusste, er zählte sich selbst auch dazu. Mein Vater hatte diese Gewohnheit einiger Menschen, übertrieben zu lächeln, um die

Tränen zurückzuhalten. »Deine Mutter war eine gute Frau. Eine gute Ehefrau. Ich möchte nicht, dass du seltsame Dinge von ihr denkst auf Grund dessen, was dir Fermín vielleicht erzählt hat. Er hat sie nicht gekannt. Ich schon.«

»Fermín hat gar nichts angedeutet«, schwindelte ich. »Nur, dass Mama und Martín einander freundschaftlich verbunden waren und dass sie versucht hat, ihn aus dem Gefängnis zu holen, und sich dazu diesen Anwalt genommen hat, Brians.«

»Wahrscheinlich hat er dir auch von einem gewissen Valls erzählt …«

Ich zögerte, ehe ich nickte. Mein Vater erkannte die Verwirrung in meinen Augen und schüttelte den Kopf.

»Deine Mutter ist an der Cholera gestorben, Daniel. Ich werde nie verstehen, warum, aber Brians hat diesen Mann, einen größenwahnsinnigen Bürokraten, eines Verbrechens beschuldigt, für das es weder Indizien noch Beweise gegeben hat.«

Ich sagte nichts.

»Das musst du dir aus dem Kopf schlagen. Du musst mir versprechen, dass du nicht daran denken wirst.«

Ich schwieg weiter und fragte mich, ob mein Vater tatsächlich so naiv war, wie es den Anschein machte, oder ob ihn der Schmerz über den Verlust geblendet und in die Feigheit der Überlebenden getrieben hatte. Ich erinnerte mich an Fermíns Worte und dachte, dass weder ich noch sonst jemand das Recht hatte, ihn zu richten.

»Versprich mir, dass du keine Dummheit begehen und diesen Mann suchen wirst«, beharrte er.

Ich nickte ohne Überzeugung. Er fasste mich am Arm.

»Schwöre es mir. Beim Angedenken an deine Mutter.«

Ich spürte, wie ein Schmerz mein Gesicht peinigte, und merkte, dass ich die Zähne so fest zusammenpresste, dass sie beinahe brachen. Ich wandte den Blick ab, doch mein Vater ließ mich nicht los. Ich schaute ihm in die Augen, und bis zum letzten Moment glaubte ich ihn belügen zu können.

»Ich schwöre dir beim Angedenken an Mama, dass ich nichts unternehmen werde, solange du lebst.«

»Das ist nicht das, worum ich dich gebeten habe.«

»Das ist alles, was ich dir geben kann.«

Mein Vater vergrub den Kopf in den Händen und atmete tief.

»Die Nacht, in der deine Mutter gestorben ist, oben in der Wohnung ...«

»Ich erinnere mich ganz genau.«

»Du warst fünf.«

»Viereinhalb.«

»In dieser Nacht hat Isabella mich gebeten, dir nie zu erzählen, was geschehen ist. Sie dachte, es wäre besser so.«

Das war das erste Mal, dass ich ihn meine Mutter bei ihrem Vornamen nennen hörte.

»Ich weiß, Papa.«

Er schaute mir in die Augen.

»Verzeih mir«, murmelte er.

Ich hielt seinem Blick stand; manchmal schien mein Vater zu altern, wenn er mich nur ansah und Erinnerungen wachrief. Ich stand auf und umarmte ihn schweigend. Er zog mich kräftig an sich, und als er in Tränen ausbrach, begannen die Wut und der Schmerz, die er all die Jahre in seiner Seele vergraben hatte, zu sprudeln wie Blut aus einer offenen Wunde. Ohne es erklären zu können, wurde mir klar, dass mein Vater langsam und unerbittlich zu sterben begonnen hatte.

Vierter Teil

VERDACHT

1

Barcelona, 1957

Die Morgendämmerung überraschte mich auf der Schwelle zum Schlafzimmer des kleinen Julián, der ausnahmsweise völlig unbeeindruckt von allem und allen und mit einem Lächeln auf den Lippen schlief. Ich hörte Beas Schritte über den Flur kommen und spürte dann ihre Hand auf der Schulter.

»Wie lange stehst du schon hier?«, fragte sie.

»Eine Weile.«

»Was machst du?«

»Ich schau ihn an.«

Bea trat zu Julián an die Wiege und beugte sich hinab, um ihn auf die Stirn zu küssen.

»Wann bist du denn gestern Nacht gekommen?«

Ich gab keine Antwort.

»Wie geht's Fermín?«

»So lala.«

»Und dir?« Ich lächelte lustlos. »Wirst du's mir erzählen?«, hakte sie nach.

»Ein andermal.«

»Ich dachte, wir haben keine Geheimnisse voreinander.«

»Das dachte ich auch.«

Sie sah mich befremdet an.

»Was meinst du damit, Daniel?«

»Nichts. Ich meine gar nichts. Ich bin sehr müde. Gehen wir ins Bett?«

Bea nahm meine Hand und zog mich ins Schlafzimmer. Wir legten uns hin, und ich umarmte sie.

»Heute Nacht habe ich von deiner Mutter geträumt«, sagte sie. »Von Isabella.«

An den Fensterscheiben begann der Regen zu kratzen.

»Ich war ein kleines Mädchen, und sie führte mich an der Hand. Wir waren in einem sehr großen, sehr alten Haus, mit riesigen Salons und einem Flügel und einer Veranda, die auf einen Garten mit Teich hinausging. Neben dem Teich stand ein kleiner Junge wie Julián, aber ich wusste, dass in Wirklichkeit du es warst, frag mich nicht, warum. Isabella kniete neben mir nieder und fragte mich, ob ich dich sehen könne. Du hast mit einem Papierschiffchen im Wasser gespielt. Ich bejahte. Da sagte sie, ich solle mich um dich kümmern. Ich solle mich für immer um dich kümmern, denn sie müsse weit weggehen.«

Wir schwiegen lange und lauschten dem Regen auf den Scheiben.

»Was hat dir Fermín gestern Abend gesagt?«

»Die Wahrheit. Er hat mir die Wahrheit gesagt.«

Sie hörte mir schweigend zu, während ich mich bemühte, Fermíns Geschichte zu rekonstruieren. Anfänglich spürte ich erneut Wut in mir aufsteigen, aber je weiter ich mit der Erzählung kam, desto mehr fiel ich in tiefe Traurigkeit und Verzweiflung. Für mich war all das neu, und ich wusste noch nicht, wie ich mit den Geheimnissen und dem, was sie mit sich brachten, würde leben können. Seit all diesen Ereignissen waren beinahe zwanzig Jahre vergangen, und die Zeit hatte mich zum reinen Zuschauer verdammt in einem Stück, in dem die Fäden meines Schicksals gesponnen worden waren.

Als ich geendet hatte, bemerkte ich, dass mich Bea besorgt und beunruhigt anschaute. Ihre Gedanken waren unschwer zu erraten.

»Ich habe meinem Vater versprochen, diesen Mann, Valls, nicht zu suchen, solange er lebt, und auch sonst nichts zu unternehmen«, fügte ich hinzu, um sie zu beruhigen.

»Solange *er* lebt? Und danach? Hast du nicht an uns gedacht? An Julián?«

»Natürlich habe ich an euch gedacht. Und du brauchst dir keine Sorgen zu machen«, log ich. »Nach dem Gespräch mit meinem Vater ist mir klargeworden, dass das alles vor sehr langer Zeit passiert ist und sich nicht ungeschehen machen lässt.«

Bea schien wenig überzeugt von meiner Aufrichtigkeit.

»Das ist die Wahrheit«, log ich abermals.

Einige Momente hielt sie meinem Blick stand,

aber das waren die Worte, die sie hören wollte, und schließlich erlag sie der Versuchung, ihnen zu glauben.

2

Am selben Nachmittag, während der Regen weiter auf die menschenleeren Straßen mit ihren Pfützen niederprasselte, zeichnete sich vor dem Eingang der Buchhandlung die finstere, von der Zeit zerfressene Gestalt Sebastián Salgados ab. Die Lichter der Krippe über dem Gesicht, beobachtete er uns mit seinem unverwechselbaren gierigen Blick durchs Schaufenster. Er steckte im selben, jetzt allerdings klatschnassen Anzug wie bei seinem ersten Besuch. Ich ging zur Tür und machte auf.

»Reizend die Krippe«, sagte er.

»Wollen Sie nicht reinkommen?«

Ich hielt ihm die Tür auf, und er humpelte herein. Nach wenigen Schritten blieb er stehen, auf den Stock gestützt. Hinter dem Ladentisch schaute ihn Fermín misstrauisch an. Salgado lächelte.

»Wie lange ist das her, Fermín ...«, sagte er.

»Ich hatte angenommen, Sie wären gestorben«, antwortete Fermín.

»Dasselbe dachte ich von Ihnen, so wie alle. Es ist uns ja auch so erzählt worden. Man habe Sie bei

Ihrem Fluchtversuch geschnappt und mit einem Schuss erledigt.«

»Damit kann ich leider nicht dienen.«

»Wenn ich Ihnen die Wahrheit sagen soll, hatte ich immer die Hoffnung, Sie seien entwischt. Sie wissen ja, Unkraut ...«

»Sie rühren mich zu Tränen, Salgado. Wann sind Sie denn rausgekommen?«

»Vor etwa einem Monat.«

»Sie werden mir ja nicht weismachen, Sie seien wegen guter Führung entlassen worden.«

»Ich glaube, sie hatten einfach das Warten darauf satt, dass ich sterbe. Wissen Sie, dass ich begnadigt worden bin? Das habe ich auf einem von Franco höchstpersönlich unterschriebenen Dokument.«

»Ich nehme an, Sie haben es rahmen lassen.«

»Es nimmt einen Ehrenplatz ein – über der WC-Schüssel, für den Fall, dass mir das Papier ausgeht.«

Salgado trat einige Schritte näher an den Ladentisch heran und deutete auf den Stuhl in einer Ecke.

»Macht es Ihnen was aus, wenn ich mich setze? Ich bin es noch nicht gewohnt, mehr als zehn Meter geradeaus zu gehen, und werde leicht müde.«

»Fühlen Sie sich wie zu Hause«, forderte ich ihn auf.

Salgado ließ sich auf den Stuhl fallen und atmete tief, während er sein Knie massierte. Fermín schaute ihn an wie eine Ratte, die eben aufs WC geklettert ist.

»Ist ja schon bemerkenswert, dass der, von dem

alle gedacht haben, er kratzt als Erster ab, der Letzte ist … Wissen Sie, was mich die ganzen Jahre am Leben erhalten hat, Fermín?«

»Wenn ich Sie nicht so gut kennte, würde ich sagen, die mediterrane Kost und die Meeresluft.«

Salgado hauchte eine Andeutung von Lächeln, das aus seinem Hals nach heiserem Husten und fast kollabierender Bronchie klang.

»Ganz der Alte, Fermín. Aus diesem Grund waren Sie mir immer so sympathisch. Was waren das noch für Zeiten. Aber ich will Sie nicht mit meinen alten Geschichten langweilen, schon gar nicht den jungen Mann da – diese Generation interessiert sich nicht mehr für unser Schicksal. Sie interessiert sich für Charleston oder wie das heute heißt. Wollen wir übers Geschäftliche reden?«

»Sie haben das Wort.«

»Eher Sie, Fermín. Ich habe schon alles gesagt, was ich zu sagen hatte. Wollen Sie mir geben, was mein ist? Oder müssen wir einen Skandal veranstalten, an dem Ihnen nicht gelegen sein dürfte?«

Einige Momente reagierte Fermín nicht, und wir verharrten in unbehaglichem Schweigen. Salgado schaute ihn unentwegt an und schien gleich Gift spucken zu wollen. Fermín warf mir einen Blick zu, den ich nicht zu deuten wusste, und seufzte niedergeschlagen.

»Sie haben gewonnen, Salgado.«

Er zog einen kleinen Gegenstand aus der Tasche

seines Arbeitskittels und gab ihn ihm. Einen Schlüssel. *Den* Schlüssel. Salgados Augen glühten auf wie bei einem Kind. Er erhob sich und trat langsam zu Fermín. Dann nahm er, zitternd vor Erregung, mit seiner einzigen Hand den Schlüssel entgegen.

»Falls Sie ihn sich wieder rektal einverleiben wollen, dann gehen Sie bitte zur Toilette – das hier ist ein allgemein zugänglicher Ort«, sagte Fermín.

Salgado, der wieder zur Farbe und zum Hauch früher Jugend zurückgefunden hatte, zerlief in einem Lächeln unendlicher Befriedigung.

»Wenn ich es recht bedenke, so haben Sie mir den Gefallen meines Lebens erwiesen, indem Sie ihn die ganzen Jahre hindurch behalten haben«, erklärte er.

»Dazu hat man Freunde. Gehen Sie mit Gott, und zögern Sie nicht, nie wieder hier vorbeizukommen.«

Salgado grinste und blinzelte uns zu. Dann ging er zum Ausgang, versunken in seine Hirngespinste. Bevor er auf die Straße hinaustrat, wandte er sich einen Augenblick um und hob die Hand zum versöhnlichen Gruß.

»Ich wünsche Ihnen Glück und ein langes Leben, Fermín. Und haben Sie keine Bange, Ihr Geheimnis bleibt unter Verschluss.«

Wir sahen ihn im Regen davonhinken – ein alter Mann, den alle für einen Todkranken gehalten hätten, der aber, dessen war ich mir sicher, weder die kalten Regentropfen auf dem Gesicht noch die Jahre des Eingesperrtseins und der Not spürte, die ihm im Blut

saßen. Ich sah Fermín an, der wie festgenagelt dastand, blass und verwirrt durch die Begegnung mit
seinem ehemaligen Zellengenossen.

»Wollen wir ihn einfach so gehen lassen?«, fragte
ich.

»Haben Sie eine bessere Idee?«

3

Nach der sprichwörtlichen Vorsichtsminute traten wir auf die Straße hinaus, beide in einem dunklen Regenmantel und unter einem Regenschirm von den Ausmaßen eines Gartenschirms, den Fermín in einem Basar beim Hafen gekauft hatte, um ihn sowohl winters wie sommers für seine Eskapaden mit der Bernarda an den Strand der Barceloneta zu benutzen.

»Fermín, mit diesem Möbel krähen wir wie ein Gockelchor«, sagte ich.

»Seien Sie unbesorgt, das Einzige, was dieser unverschämte Kerl sieht, sind die Golddublonen, die es vom Himmel auf ihn herabregnet.«

Salgado war uns etwa hundert Meter voraus und legte die Calle Condal hinkend, aber leichtfüßig zurück. Wir holten ein wenig auf, um gerade rechtzeitig zu sehen, wie er sich anschickte, in eine Straßenbahn zu steigen, die die Vía Layetana hinauffuhr. Den Schirm zuklappend, rannten wir los und schafften es wie durch ein Wunder eben noch aufs hintere Trittbrett. Ganz in der Tradition der Zeit, legten wir die Fahrt mehr oder weniger dort hängend zurück. Salgado hatte im vorderen Teil einen Sitzplatz gefunden, den ihm ein ahnungsloser barmherziger Samariter überlassen hatte.

»So ist es eben, wenn man alt wird«, sagte Fermín. »Keiner denkt daran, dass man mal ein junger Spund war.«

Durch die Calle Trafalgar erreichte die Straßenbahn den Triumphbogen. Wir reckten ein wenig den Hals und sahen, dass Salgado noch fest in seinem Sitz saß. Der Schaffner beobachtete uns über seinem buschigen Schnurrbart mit gerunzelter Stirn.

»Glauben Sie ja nicht, nur weil Sie hier draußen hängen, kriegen Sie Rabatt – ich habe Sie im Auge, seit Sie eingestiegen sind.«

»Heutzutage weiß keiner mehr den sozialen Realismus zu schätzen«, murmelte Fermín. »Was für ein Land.«

Wir gaben dem Schaffner ein paar Münzen und erhielten dafür die Fahrkarten. Schon dachten wir, Salgado müsse eingeschlafen sein, doch als die Bahn den Weg zum Nordbahnhof einschlug, stand er auf und zog am Kabel, um aussteigen zu können. Noch während der Fahrer bremste, sprangen wir gegenüber dem modernistischen Prachtpalast ab, der die Büros des Wasserkraftwerks beherbergte, und folgten der Bahn zu Fuß bis zur Haltestelle. Mit der Hilfe zweier Fahrgäste stieg Salgado aus und schlug den Weg zum Bahnhof ein.

»Denken Sie dasselbe wie ich?«, fragte ich.

Fermín nickte. Wir gingen Salgado nach bis zur großen Bahnhofshalle, wo wir uns hinter Fermíns enormem Schirm tarnten oder vielmehr uns nur allzu deutlich zu erkennen gaben. Drinnen ging Salgado auf eine Reihe von metallenen Schließfächern zu, die eine der Wände einnahmen wie die Nischengräber eines großen Miniaturfriedhofs. Wir postierten uns auf einer Bank im Halbdunkeln. Salgado war vor den unzähligen Schließfächern stehen geblieben und betrachtete sie versonnen.

»Ob er vergessen hat, wo er seine Beute verwahrt?«, fragte ich.

»Der und so was vergessen. Seit zwanzig Jahren wartet er auf diesen Moment. Er genießt einfach die Vorfreude.«

»Wenn Sie meinen … Ich glaube, er hat es vergessen.«

Wir rührten uns nicht vom Fleck, beobachteten und warteten.

»Sie haben mir nie gesagt, wo Sie den Schlüssel versteckt hatten, nachdem Sie aus dem Kastell entkommen waren«, sagte ich.

Fermín warf mir einen feindseligen Blick zu.

»Ich habe nicht vor, auf dieses Thema einzugehen, Daniel.«

»Vergessen Sie es.«

Weitere Minuten vergingen.

»Vielleicht hat er einen Komplizen«, sagte ich, »und wartet auf ihn.«

»Salgado gehört nicht zu denen, die teilen.«

»Vielleicht gibt es sonst noch jemanden, der ...«

»Schsch.« Fermín deutete auf Salgado, der sich endlich in Bewegung gesetzt hatte.

Der Alte ging auf eines der Schließfächer zu und legte die Hand auf die Metalltür. Dann klaubte er den Schlüssel hervor, steckte ihn ins Schloss, klappte die Tür auf und spähte hinein. In diesem Augenblick bog eine Zweierstreife der Guardia Civil von den Gleisen her um die Ecke in die Halle und ging auf Salgado zu, der etwas aus dem Schließfach zu zerren versuchte.

»Au weia ...«, murmelte ich.

Salgado wandte sich um und grüßte die beiden Zivilgardisten. Nach einem kurzen Wortwechsel zog einer von ihnen einen Koffer heraus und stellte ihn zu Salgados Füßen auf den Boden. Der Alte bedankte sich herzlich für die Hilfe, und die Streife, mit dem Dreispitz grüßend, setzte ihre Runde fort.

»Spanien lebe hoch«, murmelte Fermín.

Salgado ergriff den Koffer und schleifte ihn zu einer anderen Bank am gegenüberliegenden Ende der Halle.

»Er wird ihn doch nicht hier aufmachen«, sagte ich.

»Er muss sich vergewissern, dass noch alles da ist«, antwortete Fermín. »Dieser Schuft hat viele Jahre durchlitten, um seinen Schatz wiederzubekommen.«

Salgado schaute sich immer wieder um, um sicher zu sein, dass niemand in der Nähe war, und fasste sich dann ein Herz. Wir sahen, wie er den Koffer um wenige Zentimeter aufklappte und hineinschaute.

Fast eine Minute verharrte er so, vollkommen reglos. Fermín und ich sahen uns verständnislos an. Dann klappte Salgado den Deckel wieder zu und stand auf. Vor dem leeren Schließfach ließ er den Koffer stehen und ging zum Ausgang.

»Aber was macht er?«, fragte ich.

Fermín stand auf und gab mir ein Zeichen.

»Holen Sie den Koffer, ich folge Salgado ...«

Ohne mir Zeit für eine Antwort zu lassen, eilte Fermín zum Ausgang. Ich meinerseits ging rasch auf den Koffer zu. Ein Schlauberger, der auf einer Bank in der Nähe die Zeitung las, hatte ebenfalls ein Auge auf das Gepäckstück geworfen. Er schaute nach beiden Seiten, um sich zu vergewissern, dass ihm keiner zusah, stand auf und näherte sich dem Koffer wie ein Geier, der seine Beute umkreist. Ich beschleunigte meinen Schritt. Der andere wollte ihn sich eben schnappen, als ich ihm den Koffer entriss.

»Das ist nicht Ihr Koffer«, sagte ich.

Der Mann starrte mich feindselig an und klammerte sich am Griff fest.

»Soll ich die Guardia Civil rufen?«, fragte ich.

Erschrocken ließ der Spitzbube den Koffer los und verschwand in Richtung der Bahnsteige. Ich trug ihn zu meiner Bank, und nachdem ich festgestellt hatte, dass ich unbeobachtet war, öffnete ich ihn.

Er war leer.

Erst jetzt hörte ich den tumultartigen Lärm beim Ausgang. Ich stand auf und sah durch die Scheiben, wie sich die Zivilgardistenstreife einen Weg durch einen Kreis von Gaffern bahnte. Nun sah ich Fermín auf dem Boden kauern, Salgado in den Armen haltend. Der Alte hatte die Augen in den Regen geöffnet. Eine Frau, die eben die Halle betrat, hielt sich die Hand an den Mund.

»Was ist denn passiert?«, fragte ich.

»Ein armer Greis, der bewusstlos hingefallen ist …«, sagte sie.

Ich ging hinaus und näherte mich langsam der Gruppe der Gaffer. Fermín blickte auf und wechselte einige Worte mit den Zivilgardisten. Einer von ihnen nickte. Da schlüpfte Fermín aus dem Mantel und legte ihn über die Leiche, so dass Salgados Gesicht zugedeckt war. Als ich dazukam, sah ich unter dem Mantel eine Hand mit drei Fingern hervorlugen, und in der Handfläche lag ein Schlüssel, der im Regen glänzte. Ich hielt den Schirm über Fermín und legte ihm die Hand auf die Schulter. Langsam schritten wir davon.

»Geht es Ihnen gut, Fermín?«

Mein Freund zuckte die Schultern.

»Gehen wir nach Hause«, sagte er nur.

4

Wir verließen das Bahnhofsgelände. Ich zog den Regenmantel aus und legte ihn Fermín über die Schultern. Mein Freund schien nicht zu großen Spaziergängen fähig, und so hielt ich ein Taxi an. Ich half Fermín hinein, schloss die Tür und stieg auf der anderen Seite selbst ein.

»Der Koffer war leer«, sagte ich. »Irgendjemand hat Salgado hereingelegt.«

»Wer einen Dieb beklaut …«

»Wer mag es gewesen sein, was glauben Sie?«

»Vielleicht der, der ihm gesagt hat, ich habe seinen Schlüssel, und ihm auch erklärt hat, wo ich zu finden bin«, sagte er leise.

»Valls?«

Fermín seufzte niedergeschlagen.

»Ich weiß es nicht, Daniel. Ich weiß überhaupt nicht mehr, was ich denken soll.«

Ich bemerkte den wartenden Blick des Taxifahrers im Rückspiegel.

»Zur Plaza Real, von der Calle Fernando aus«, sagte ich.

»Fahren wir nicht zum Laden zurück?«, fragte Fermín, dem alle Energie aus dem Körper gewichen zu sein schien, selbst für eine Diskussion über eine Taxifahrt.

»Ich schon. Aber Sie gehen zu Don Gustavo und verbringen den Rest des Tages bei der Bernarda.«

Schweigend fuhren wir durch ein im Regen verschwimmendes Barcelona. Als wir in der Calle Fernando bei den Bögen ankamen, wo ich Fermín Jahre zuvor kennengelernt hatte, bezahlte ich die Fahrt, und wir stiegen aus. Ich begleitete ihn bis vor Don Gustavos Haustür und umarmte ihn.

»Passen Sie auf sich auf, Fermín. Und essen Sie etwas, sonst bohren Sie der Bernarda in der Hochzeitsnacht noch einen Knochen in den Leib.«

»Seien Sie unbesorgt. Wenn ich wirklich will, kann ich schneller zunehmen als ein Sopran. Sowie ich oben bin, stopfe ich mich mit den Staubküchlein voll, die Don Gustavo bei Quílez kauft, und morgen bin ich ein regelrechter Dicksack.«

»Das werden wir ja sehen. Grüßen Sie mir die Braut.«

»Ich werd's ausrichten, obwohl ich mich bei dieser juristisch-administrativen Situation schon in Sünde leben sehe.«

»Davon kann keine Rede sein. Wissen Sie noch, was Sie mir einmal gesagt haben? Dass das Schicksal keine Hausbesuche macht, sondern dass man zu ihm gehen muss?«

»Ich gestehe, dass ich das aus einem Buch von Carax hatte. Es klang so schön.«

»Ich habe es jedenfalls geglaubt und glaube es immer noch. Und darum sage ich Ihnen, dass es Ihr Schicksal ist, die Bernarda nach allen Regeln der Kunst und am vorgesehenen Tag zu heiraten, mit Pfaffen, Reis, Namen und Vornamen.« Mein Freund schaute mich skeptisch an. »So wahr ich Daniel heiße, heiraten Sie mit Glanz und Gloria«, verhieß ich Fermín, der so niedergeschlagen war, dass ihn wahrscheinlich weder ein ganzes Paket Sugus-Bonbons noch ein Streifen im Kino Fémina mit einer Kim Nowak in spitzer, die Schwerkraft herausfordernder Brassière aufgemuntert hätte.

»Wenn Sie meinen, Daniel …«

»Sie haben mir die Wahrheit zurückgegeben«, sagte ich. »Ich werde Ihnen den Namen zurückgeben.«

5

Als ich an diesem Nachmittag in die Buchhandlung zurückkam, begann ich meinen Plan zur Rettung von Fermíns Identität umzusetzen. Als ersten Schritt machte ich mehrere Telefonanrufe aus dem Hinterzimmer und entwarf einen Zeitplan. Der zweite Schritt erforderte das Talent von anerkanntermaßen tüchtigen Spezialisten.

Am nächsten Mittag, es war ein sonniger, freundlicher Tag, machte ich mich auf den Weg zur Bibliothek in der Calle del Carmen, wo ich mit Professor Alburquerque verabredet war, in der Überzeugung, dass, was er nicht wusste, niemand wusste.

Ich fand ihn im großen Lesesaal, inmitten von Büchern und Papieren, konzentriert, die Feder in der Hand. Ich setzte mich ihm gegenüber und ließ ihn weiterarbeiten. Erst nach einer Minute bemerkte er meine Anwesenheit, hob den Kopf und schaute mich überrascht an.

»Es muss etwas Spannendes sein, was Sie da geschrieben haben«, wagte ich mich vor.

»Ich arbeite an einer Artikelserie über verdammte Barceloneser Schriftsteller«, erklärte er. »Erinnern Sie sich noch an einen gewissen Julián Carax, einen Autor, den Sie mir vor einigen Monaten in der Buchhandlung empfohlen haben?«

»Aber sicher.«

»Nun, ich bin ihm etwas nachgegangen – er hat eine unglaubliche Geschichte. Haben Sie gewusst, dass jahrelang eine diabolische Persönlichkeit die Welt nach Carax-Büchern abgeklappert hat, um sie zu verbrennen?«

»Was Sie nicht sagen!« Ich spielte den Überraschten.

»Ein höchst merkwürdiger Fall. Ich werde Ihnen den Artikel zukommen lassen, wenn ich fertig bin.«

»Sie müssten ein ganzes Buch schreiben über das Thema«, schlug ich vor. »Eine geheime Geschichte Barcelonas, basierend auf ihren verdammten und offiziell verbotenen Schriftstellern.«

Der Professor dachte offenbar angestachelt über die Idee nach.

»Das ist mir tatsächlich auch schon durch den Kopf gegangen, aber mit den Zeitungen und der Uni habe ich so viel zu tun …«

»Wenn nicht Sie es schreiben, wird es niemand tun.«

»Na, vielleicht setze ich mich über all das hinweg und mache es. Ich weiß zwar auch nicht, woher ich die Zeit nehmen soll, aber …«

»Sempere & Söhne bietet Ihnen seinen ganzen Fundus und alle erdenkliche Beratung an.«

»Ich nehme es zur Kenntnis. Na? Gehen wir essen?«

Für diesen Tag zog Professor Alburquerque die Segel ein, und wir machten uns auf den Weg zur Casa Leopoldo, wo wir bei einem Glas Wein und einer Tapa feinsten Serrano-Schinkens auf die Tagesspezialität warteten, den Ochsenschwanz.

»Wie geht's denn unserem lieben Freund Fermín? Kürzlich im Can Lluís hat er sehr niedergeschlagen gewirkt.«

»Genau über ihn möchte ich mit Ihnen sprechen. Es ist eine äußerst heikle Angelegenheit, und ich muss Sie bitten, sie vertraulich zu behandeln.«

»Versteht sich. Was kann ich tun?«

Ich resümierte ihm knapp das Problem, ohne auf heikle oder überflüssige Details einzugehen. Der Professor ahnte, dass das Ganze sehr viel mehr Fleisch am Knochen hatte, als ich ihm zeigte, doch er gab sich beispielhaft diskret.

»Also, sehen wir mal, ob ich das richtig mitbekommen haben: Fermín kann seine Identität nicht benutzen, weil er vor fast zwanzig Jahren offiziell für tot erklärt worden ist und es ihn darum in den Augen des Staats gar nicht gibt.«

»Richtig.«

»Aber diese annullierte Identität war, wie ich Ihrer

Darlegung entnehme, ebenfalls fiktiv, eine Erfindung von Fermín selbst, um im Krieg seine Haut zu retten.«

»Richtig.«

»Hier komme ich nicht mehr ganz mit. Helfen Sie mir, Daniel. Wenn Fermín schon einmal eine falsche Identität aus dem Ärmel geschüttelt hat, warum benutzt er dann jetzt nicht eine andere, um heiraten zu können?«

»Aus zwei Gründen, Professor. Der erste ist rein praktischer Natur – ob er nun seinen Namen oder einen erfundenen benutzt, Fermín hat so oder so keine Identität, und welche auch immer er zu benutzen sich entschließt, sie muss von null auf erschaffen werden.«

»Aber vermutlich will er weiterhin Fermín sein.«

»Ganz genau. Das ist der zweite Grund, und der ist nicht praktischer, sondern sozusagen spiritueller Natur und sehr viel triftiger. Fermín will weiterhin Fermín sein, denn das ist der Mensch, in den sich die Bernarda verliebt hat, und es ist der Mann, der unser Freund ist, den wir kennen und der er selbst sein will. Die Person, die er einmal gewesen war, gibt es für ihn seit vielen Jahren nicht mehr. Aus dieser Haut ist er schon vor langem geschlüpft. Nicht einmal ich, vermutlich sein bester Freund, weiß, auf welchen Namen er getauft wurde. Für mich, für alle, die ihn gernhaben, und vor allem für ihn selbst ist er Fermín Romero de Torres. Und im Grunde – wenn es darum geht, ihm eine neue Identität zu schaffen, warum dann nicht seine eigene?«

Professor Alburquerque nickte.

»Richtig.«

»Dann halten Sie es also für machbar, Professor?«

»Nun ja, das ist eine quijoteske Mission wie kaum eine zweite. Wie sollen wir den hageren Don Fermín de la Mancha mit Abstammung, Windhund und einem Packen gefälschter Papiere versehen, um ihn vor den Augen Gottes und des Standesamts mit seiner schönen Bernarda von Toboso zu verehelichen?«

»Ich habe nachgedacht und Gesetzesbücher konsultiert«, sagte ich. »In diesem Land setzt die Identität einer Person mit dem Taufschein ein, der, nimmt man ihn etwas genauer unter die Lupe, ein sehr schlichtes Dokument ist.«

Der Professor zog die Brauen in die Höhe.

»Was Sie da andeuten, ist heikel. Ganz davon zu schweigen, dass es ein gewaltiges Delikt ist.«

»Eher ein noch nie dagewesenes, wenigstens in den Gerichtsjahrbüchern. Das habe ich festgestellt.«

»Fahren Sie fort, das interessiert mich.«

»Nehmen wir mal an, ganz hypothetisch, jemand hätte Zugang zu den Büros des Standesamts und könnte sozusagen einen Taufschein in die Archive pflanzen ... Wäre das keine ausreichende Grundlage für den Aufbau einer Identität?«

Der Professor schüttelte den Kopf.

»Vielleicht bei einem Neugeborenen, aber wenn wir, ganz hypothetisch, von einem Erwachsenen sprechen, müsste man einen vollständig dokumentierten Lebenslauf erschaffen. Selbst wenn Sie, rein hypothetisch, Zugang zum Archiv hätten, wo wollten Sie diese Dokumente herzaubern?«

»Nehmen wir mal an, Sie könnten eine Reihe glaubhafter Faksimiles herstellen. Hielten Sie das für möglich?«

Er dachte gewissenhaft nach.

»Das größte Risiko bestünde darin, dass jemand Lunte riecht und den Betrug auffliegen lassen möchte. Wenn wir berücksichtigen, dass in diesem Fall die, sagen wir, drohende Partei, die auf dokumentarische Unhaltbarkeit hätte hinweisen können, verstorben ist, so würde sich das Problem reduzieren auf erstens Zugang zum Archiv haben und eine Akte mit einem fiktiven, aber überprüfbaren Lebenslauf einschmuggeln, und zweitens die ganze Reihe notwendiger Dokumente erzeugen, um eine solche Identität zu begründen. Ich meine Papiere aller Art und Beschaffenheit, Taufscheine von Kirchgemeinden, Ausweise, Zertifikate …«

»Was den ersten Punkt betrifft, so schreiben Sie ja im Auftrag der Diputation für eine Denkschrift der Institution eine Reihe von Reportagen über die Wunder des spanischen Gesetzessystems. Ich habe ein wenig recherchiert und entdeckt, dass während der Bombardierungen im Krieg mehrere Archive des

Standesamts zerstört wurden. Das heißt, Hunderte, Tausende von Personalien mussten neu zusammengeflickt werden. Ich bin kein Experte, aber ich wage die Annahme, dass sich hier die eine oder andere Lücke finden lässt, die sich jemand gut Informiertes mit Beziehungen und einem Plan zunutze machen könnte ...«

Der Professor schaute mich aus dem Augenwinkel an.

»Ich sehe, Sie haben sich regelrecht als Sherlock Holmes betätigt, Daniel.«

»Verzeihen Sie die Dreistigkeit, Professor, aber mir ist Fermíns Glück das und noch viel mehr wert.«

»Und das ehrt Sie. Aber es könnte jemandem, der so etwas zu tun versucht und in flagranti ertappt wird, auch eine ordentliche Strafe eintragen.«

»Aus diesem Grund habe ich gedacht, wenn jemand, rein hypothetisch, zu einem dieser rekonstruierten Standesamtsarchive Zugang hätte, könnte er mit einem Gehilfen gehen, der sozusagen den riskantesten Teil der Operation übernähme.«

»In diesem Fall müsste der hypothetische Gehilfe in der Lage sein, dem Ermöglicher lebenslang auf den Preis jedes bei Sempere & Söhne erstandenen Buches zwanzig Prozent Rabatt zu gewähren. Und ihm eine Einladung zur Hochzeit des Neugeborenen zukommen lassen.«

»Gebongt. Und der Rabatt würde auf fünfundzwanzig Prozent erhöht. Obwohl ich im Grunde jemand kenne, der, ganz hypothetisch, allein aus Spaß, einem wurmstichigen, korrupten Regime eins auszuwischen, sogar bereit wäre, *pro bono* mitzuwirken, ohne etwas dafür zu bekommen.«

»Ich bin Wissenschaftler, Daniel. Sentimentale Erpressung verfängt bei mir nicht.«

»Also dann für Fermín.«

»Das ist was anderes. Gehen wir zum Technischen über.«

Ich zog den Hundert-Peseten-Schein hervor, den mir Salgado gegeben hatte, und zeigte ihn ihm.

»Das ist mein Budget für Expeditionsspesen und -formalitäten«, sagte ich.

»Ich sehe schon, Sie feuern mit königlichem Böller, indessen sollten Sie dieses Geld besser für andere Unterfangen aufheben, welche diese Großtat erfordert, denn meine Dienste bekommen Sie sonder Entgelt. Was mich am meisten mit Besorgnis erfüllt, werter Gehilfe, ist die erforderliche dokumentarische Verschwörung. Die neuen Zenturios des Regimes haben nicht nur die Stauseen und Messbücher, sondern auch eine an sich schon der schlimmsten Albträume des lieben Franz Kafka würdige Bürokratie verdoppelt. Wie gesagt, ein solcher Fall erfordert die Herstellung von Briefen, Eingaben, Gesuchen und anderen Dokumenten jeglicher Art, die nicht nur glaubhaft sind, sondern auch Beschaffenheit, Ton und Geruch eines typischen abgegriffenen, verstaubten und unanfechtbaren Dossiers aufweisen müssen.«

»Da sind wir wohl versehen.«

»Ich brauche die Liste der Komplizen in dieser Verschwörung, um sicher zu sein, dass Sie nicht allzu optimistisch sind.«

Hierauf setzte ich ihm den restlichen Plan auseinander.

»Es könnte klappen«, schloss er.

Als der Hauptgang aufgetragen wurde, war das Thema abgehakt, und das Gespräch schlug neue Wege ein. Während des ganzen Essens biss ich mir beinahe die Zunge ab, doch beim Kaffee konnte ich mich nicht mehr beherrschen und schnitt, scheinbar nur beiläufig interessiert, das Thema an:

»Übrigens, Professor, neulich hat ein Kunde im Laden über ein bestimmtes Thema gesprochen, und da ist der Name Mauricio Valls zur Sprache gekommen, der einmal Kulturminister gewesen ist und so. Was wissen Sie über ihn?«

Der Professor zog eine Braue in die Höhe.

»Über Valls? Vermutlich dasselbe wie alle Welt.«

»Sicherlich wissen Sie mehr als alle Welt, Professor. Sehr viel mehr.«

»Eigentlich habe ich diesen Namen jetzt schon eine ganze Weile nicht mehr gehört, aber bis vor einiger Zeit war Mauricio Valls eine ausgesprochene Persönlichkeit. Wie Sie ja sagen, war er einige Jahre lang unser funkelnagelneuer renommierter Kulturminister, Leiter unzähliger Institutionen und Organismen, ein im Regime gut verankerter Mann mit großem Prestige auf seinem Gebiet, vieler Leute Gönner, gehätschelter Liebling in den Feuilletons der spanischen Presse ... Und wie gesagt, eine angesehene Persönlichkeit.«

Ich lächelte matt, als wäre es eine angenehme Überraschung für mich.

»Und jetzt nicht mehr?«

»Offen gestanden, ist er vor einiger Zeit von der Landkarte verschwunden – oder mindestens aus der Öffentlichkeit. Ich bin nicht sicher, ob ihm eine Botschaft oder ein Amt in einer internationalen Organisation zugeteilt wurde, Sie wissen ja, wie so was geht, aber seit einiger Zeit habe ich seine Spur verloren ... Ich weiß, dass er vor einigen Jahren mit ein paar Teilhabern einen Verlag gegründet hat. Der läuft glänzend und veröffentlicht am laufenden Band. Tatsächlich bekomme ich jeden Monat Einladungen zur Präsentation irgendwelcher seiner Titel ...«

»Und nimmt Valls an diesen Veranstaltungen teil?«

»Vor Jahren ja. Wir witzelten immer, weil er mehr von sich selbst redete als von dem Buch oder Autor, die er vorstellte, aber das ist lange her. Ich habe ihn seit Jahren nicht mehr gesehen. Darf ich mich nach dem Grund Ihres Interesses erkundigen, Daniel? Ich wusste nicht, dass Sie sich für den kleinen Jahrmarkt der Eitelkeiten unserer Literaturszene interessieren.«

»Reine Neugier.«

»Aha.«

Während Professor Alburquerque die Rechnung beglich, schaute er mich schief an.

»Warum habe ich bloß immer den Eindruck, dass Sie mir nicht nur eine halbe, sondern eine Viertel Wahrheit auftischen?«

»Eines Tages erzähle ich Ihnen die ganze Wahrheit, Professor, ich verspreche es Ihnen.«

»Das würde ich Ihnen auch raten, denn Städte haben ein schlechtes Gedächtnis und brauchen jemanden wie mich, einen keinesfalls zerstreuten Professor, um es am Leben zu erhalten.«

»Das ist das Abkommen: Sie helfen mir, Fermíns Angelegenheit zu regeln, und ich werde Ihnen eines Tages Dinge erzählen, die Barcelona lieber vergäße. Für Ihre geheime Geschichte.«

Der Professor gab mir die Hand, und ich drückte sie.

»Ich nehme Sie beim Wort. Und um noch einmal auf das Thema Fermín und die Dokumente zurückzukommen, die wir aus dem Hut zaubern sollen ...«

»Ich glaube, ich habe den geeigneten Mann für diese Mission«, sagte ich.

6

Oswaldo Darío de Mortenssen, Fürst der Barceloneser Schreiber und alter Bekannter von mir, genoss mit Cognackaffee und Zigarre die restliche Mittagspause nach Tisch in seinem Häuschen beim Virreina-Palast. Als ich auf ihn zuging, hob er die Hand zum Gruß.

»Der verlorene Sohn kehrt zurück. Haben Sie es sich anders überlegt? Machen wir uns an diesen Liebesbrief, der Ihnen Zugang zu Reiß- und anderen verbotenen Verschlüssen der ersehnten Jungfer ermöglicht?«

Wieder zeigte ich ihm meinen Ehering, und er nickte.

»Verzeihen Sie. Die Macht der Gewohnheit. Sie gehören eben noch zur alten Garde. Was kann ich für Sie tun?«

»Neulich habe ich mich daran erinnert, woher ich Ihren Namen kannte. Ich arbeite in einer Buchhandlung und bin auf einen Roman von Ihnen aus dem Jahr 33 gestoßen, *Die Reiter der Dämmerung*.«

Oswaldo ließ Erinnerungen auffliegen und lächelte sehnsüchtig.

»Was waren das noch für Zeiten. Diese beiden unverschämten Kerle, Barrido und Escobillas, meine Verleger, haben mich bis zum letzten Cent übers Ohr gehauen. Der Gottseibeiuns hab sie selig und halte sie unter Verschluss. Aber das Vergnügen beim Schreiben dieses Romans kann mir keiner mehr nehmen.«

»Wenn ich ihn mal mitbringe, schreiben Sie mir dann eine Widmung hinein?«

»Aber selbstverständlich. Das war mein Schwanengesang. Die Welt war nicht gefasst auf einen im Ebro-Delta angesiedelten Western mit Banditen im Kanu statt auf Pferden und Mücken von der Größe einer Wassermelone, die sich überall breitmachten.«

»Sie sind der Zane Grey unserer Küste.«

»Das wäre schön gewesen. Was kann ich für Sie tun, junger Mann?«

»Mir Ihre Kunst und Erfindungsgabe bei einem nicht weniger heroischen Unterfangen zur Verfügung stellen.«

»Ich bin ganz Ohr.«

»Sie müssen mir helfen, eine dokumentierte Vergangenheit zu erfinden, damit ein Freund von mir ohne gesetzliche Klippen die Frau heiraten kann, die er liebt.«

»Ein guter Mensch?«

»Der beste, den ich kenne.«

»Dann ist jedes weitere Wort überflüssig. Meine Lieblingsszenen waren immer Hochzeiten und Taufen.«

»Wir werden Gesuche, Gutachten, Eingaben, Zertifikate und all das Zeug brauchen.«

»Das wird kein Problem sein. Einen Teil der Logistik werden wir an Luisito delegieren, den Sie ja bereits kennen und der absolut vertrauenswürdig ist und ein Künstler in zwölf verschiedenen Schriftarten.«

Ich zog den Hundert-Peseten-Schein aus der Tasche, den der Professor abgelehnt hatte, und reichte ihn ihm. Oswaldo riss die Augen tellerweit auf und steckte ihn hurtig ein.

»Und da heißt es immer, in Spanien habe man als Schreiber kein Auskommen«, sagte er.

»Wird das die Betriebskosten decken?«

»Bei weitem. Sobald ich alles in die Wege geleitet habe, werde ich Ihnen sagen, auf wie viel sich der Spaß beläuft, aber einstweilen würde ich behaupten, dass fünfzehn Duros mehr als genug sind.«

»Das überlasse ich ganz Ihnen, Oswaldo. Mein Freund, Professor Alburquerque …«

»Eine Edelfeder«, unterbrach mich Oswaldo.

»Und ein noch edlerer Mensch. Wie gesagt, der Professor wird bei Ihnen vorbeikommen und Ihnen die Beschreibung der benötigten Dokumente und aller Details liefern. Wenn Sie irgendwas brauchen, finden Sie mich in der Buchhandlung Sempere & Söhne.«

Als er den Namen hörte, begann sein Gesicht zu leuchten.

»Das Heiligtum. Als junger Mensch ging ich jeden Samstag hin, um mir von Señor Sempere die Augen öffnen zu lassen.«

»Mein Großvater.«

»Jetzt bin ich seit Jahren nicht mehr hingegangen, weil meine Finanzen unter den Gefrierpunkt gesunken sind und ich zum Ausleihwesen Zuflucht genommen habe.«

»Dann erweisen Sie uns die Ehre eines Besuchs im Laden, Don Oswaldo, wir würden uns sehr freuen, und an den Preisen soll es nicht liegen.«

»Das werde ich tun.«

Wir gaben uns die Hand.

»Eine Ehre, mit den Semperes Geschäfte zu machen.«

»Möge es das erste von vielen sein.«

»Und was ist aus dem Hinkebein geworden, der so aufs Gold aus war?«

»Es zeigte sich, dass nicht alles Gold war, was glänzte«, sagte ich.

»Die Zeichen der Zeit …«

7

Barcelona, 1958

Dieser Januar war in kristallklare Himmel und ein eisiges Licht gehüllt, das Pulverschnee auf die Dächer blies. Tag für Tag entlockte eine strahlende Sonne den Fassaden eines transparenten Barcelonas Kanten von Glanz und Schatten, die zweistöckigen Autobusse verkehrten mit leerem Oberdeck, und die Straßenbahnen hinterließen auf den Gleisen einen Dunstschleier.

Die Weihnachtsbeleuchtung glitzerte in blauen Feuergirlanden über den Straßen der Altstadt, und die aus tausendundeinem Lautsprecher der Läden triefenden Adventslieder mit ihren süßlichen Wünschen von gutem Willen und Frieden drangen so tief ein, dass der Wachposten bei der Krippe, die die Stadtverwaltung auf die Plaza San Jaime gestellt hatte, einen Witzbold, der dem Jesuskind spontan eine Jakobinermütze überstülpte, nicht unter Ohrfeigen aufs Präsidium schleppte, wie von einer Gruppe Betschwestern gefordert, sondern ein Auge zudrückte, bis jemand vom erzbischöflichen Palais drei Nonnen losschickte, die wieder für Ordnung sorgten.

Die Weihnachtsverkäufe hatten zugenommen, und schwarze Zahlen im Geschäftsbuch von Sempere & Söhne garantierten uns wie ein Stern von Bethlehem die Begleichung der Strom- und Heizungsrechnung und mit etwas Glück wenigstens eine warme Mahlzeit am Tag. Mein Vater war wieder munter und hatte beschieden, dass wir im nächsten Winter nicht bis zum letzten Moment warten dürften, um die Buchhandlung zu schmücken.

»Die Krippe bleibt uns also noch einige Zeit erhalten«, sagte Fermín ohne jegliche Begeisterung.

Nach dem Dreikönigstag hieß uns mein Vater die Schaufensterdekoration sorgsam einpacken und bis zum nächsten Weihnachten im Keller verstauen.

»Und zwar liebevoll«, mahnte er uns. »Ich will nachher nicht hören, dass Ihnen die Schachteln zufällig aus der Hand gefallen sind, Fermín.«

»Ich werde sie wie meinen Augapfel hüten, Señor Sempere. Ich garantiere mit meinem Leben für die Unversehrtheit der Krippe und sämtlicher Bauernhoftierchen rund um den bewindelten Messias.«

Sowie wir für alle Schachteln einen Platz gefunden hatten, betrachtete ich einen Augenblick den Keller und seine vergessenen Winkel. Als wir das letzte Mal hier gewesen waren, war das Gespräch in Bahnen verlaufen, die weder Fermín noch ich je wieder erwähnt hatten, die aber wenigstens mir nach wie vor in der Erinnerung lasteten. Fermín schien meine Gedanken zu lesen und schüttelte den Kopf.

»Sie werden ja wohl nicht immer noch an den Brief dieses Blödmanns denken.«

»Manchmal schon.«

»Aber Doña Beatriz haben Sie hoffentlich nichts gesagt.«

»Nein. Nein, ich habe ihn wieder in ihre Manteltasche gesteckt und keinen Piep gesagt.«

»Und sie? Hat sie nicht erwähnt, dass sie einen Brief von Don Juan Tenorio bekommen hat?«

Ich verneinte. Fermín rümpfte die Nase zum Zeichen, dass das gar kein gutes Omen war.

»Haben Sie beschlossen, was Sie unternehmen werden?«

»In welcher Hinsicht?«

»Stellen Sie sich doch nicht dumm, Daniel. Werden Sie Ihrer Frau zu diesem Rendezvous mit dem Typ im Ritz folgen und eine Szene machen oder nicht?«

»Sie nehmen also an, dass sie hingeht«, protestierte ich.

»Sie etwa nicht?«

Ich senkte den Blick, böse auf mich selbst.

»Was ist das für eine Art Ehemann, der kein Vertrauen hat zu seiner Frau?«, fragte ich.

»Soll ich Ihnen Namen und Vornamen nennen, oder genügt Ihnen die Statistik?«

»Ich habe Vertrauen zu Bea. Sie würde mich nicht betrügen. Sie ist nicht so. Wenn sie mir etwas zu sagen hätte, würde sie es mir ins Gesicht sagen, ohne falsche Spielchen.«

»Dann haben Sie also keinen Grund, sich Sorgen zu machen, nicht wahr?«

Irgendetwas in Fermíns Ton brachte mich auf den Gedanken, meine Verdächtigungen und Unsicherheiten hätten ihn enttäuscht und obwohl er es nie zugäbe, mache ihn die Vorstellung traurig, ich hänge stundenlang schäbigen Gedanken nach und zweifle an der Aufrichtigkeit einer Frau, die so etwas nicht verdiente.

»Sie halten mich bestimmt für einen Narren.«

Fermín schüttelte den Kopf.

»Nein. Ich halte Sie für einen glücklichen Mann, wenigstens in Liebesdingen, und glaube, Sie sind sich dessen nicht bewusst, wie fast alle Männer in Ihrer Situation.«

Ein Klopfen an der Tür oben holte uns in die Wirklichkeit zurück.

»Falls ihr da unten nicht auf Öl gestoßen seid, dann kommt doch bitte endlich rauf, es gibt zu tun«, rief mein Vater.

Fermín seufzte.

»Seit er aus den roten Zahlen raus ist, ist er ein Tyrann geworden«, sagte er. »Die Verkäufe ermutigen ihn. Er ist nicht wiederzuerkennen ...«

Die Tage vertropften. Am Ende hatte Fermín zugestimmt, die Vorbereitungen und Details von Bankett und Hochzeit an meinen Vater und Don Gustavo zu delegieren, die in der ganzen Angelegenheit die

Rolle von Vaterfiguren übernommen hatten. Ich als Trauzeuge beriet das Direktorium, und Bea war die künstlerische Leiterin und führte alle Mitwirkenden mit eiserner Hand.

»Fermín, Bea trägt uns auf, in die Casa Pantaleoni zu gehen, damit Sie den Anzug anprobieren.«

»Solange es kein gestreifter ist …«

Ich hatte ihm hoch und heilig geschworen, dass er im gegebenen Moment einen ordnungsgemäßen Namen hätte und dass sein Pfarrerfreund das »Fermín, willst du die Bernarda …« anstimmen könnte, ohne dass wir alle gleich auf dem Polizeiposten landeten, doch je näher das Datum rückte, desto mehr verging er fast vor Angst und Unruhe. Die Bernarda überlebte die Spannung durch Beten und den Verzehr von Eierplätzchen, aber nachdem ein diskreter Arzt ihre Schwangerschaft bestätigt hatte, verbrachte sie einen großen Teil des Tages mit dem Kampf gegen Übelkeit und Schwindelgefühle, und alles deutete darauf hin, dass Fermíns Erster es ihnen bei seiner Ankunft nicht leichtmachen würde.

Die Ruhe dieser Tage war trügerisch – unter der Oberfläche war ich schon in einen trüben Strom geraten, der mich langsam in die Tiefen eines neuen, unausweichlichen Gefühls hinunterriss: zum Hass.

In der Freizeit entfloh ich, ohne es jemandem zu sagen, ins Athenäum in der Calle Canuda und folgte im Zeitungsarchiv und im Katalogfundus Mauricio

Valls' Spuren. Was über die Jahre nur ein uninteressantes, verschwommenes Bild gewesen war, bekam nun mit jedem Tag mehr Konturen, ja eine schmerzliche Präzision. Nach und nach rekonstruierte ich Valls' öffentliche Karriere in den letzten fünfzehn Jahren. Seit seinen ersten Schritten im Regime war viel Wasser den Ebro hinuntergeflossen. Mit Zeit und Vitamin B hatte Don Mauricio Valls, wenn man denn den Zeitungen Glauben schenken durfte (was für Fermín identisch war mit dem Glauben, Fanta Orange erhalte man durch das Auspressen frischer Orangen aus Valencia), sein Trachten von Erfolg gekrönt gesehen und war zu einem glitzernden Stern am Firmament des künstlerischen und literarischen Spaniens geworden.

Sein Aufstieg war unaufhaltsam gewesen. Von 1944 an wurden ihm immer wichtigere Ämter und Ernennungen in den akademischen und kulturellen Institutionen des Landes zuerkannt. Seine Artikel, Reden und sonstigen Publikationen waren allmählich Legion. Jeder Wettbewerb, Kongress oder andere kulturelle Akt, der etwas auf sich hielt, rief nach Don Mauricios Beteiligung und Anwesenheit. 1947 gründete er mit zwei Teilhabern die Sociedad General Ariadna, ein Verlagshaus mit Niederlassungen in Madrid und Barcelona, das die Presse nachdrücklich zur »Prestigemarke« der spanischen Literatur erhob.

Seit 1948 sprach dieselbe Presse von Mauricio Valls nur noch als vom »brillantesten, angesehensten Intellektuellen des neuen Spaniens«. Die selbsternannte Intelligenz des Landes und die Leute, die ihr angehören wollten, schienen mit Don Mauricio eine leidenschaftliche Romanze zu erleben. Die Feuilletonjournalisten ergingen sich in Lobhudeleien und Liebedienerei, um seine Gunst zu gewinnen und mit Glück irgendein eigenes in einer Schublade vor sich hin dösendes Opus in seinem Verlag veröffentlicht zu sehen und sich so Zutritt zum offiziellen Auditorium Maximum zu verschaffen und vom Manna zu kosten, und sei es bloß eine Krume.

Valls hatte die Regeln gelernt und beherrschte das Spielbrett wie kein Zweiter. Anfang der fünfziger Jahre überbordeten sein Ruf und sein Einfluss bereits die offiziellen Kreise und begannen die sogenannte Zivilgesellschaft und ihre wichtigen Persönlichkeiten zu durchdringen. Seine Losungen waren zu einem Kanon offenbarter Wahrheiten geworden, die sich jeder der auserlesenen drei- oder viertausend Bürger, welche sich für gebildet hielten und auf ihre gewöhnlichen Mitmenschen hinabsahen, zu eigen machte und wie ein Musterschüler nachplapperte.

Unterwegs zum Gipfel, hatte Valls einen engen Kreis von ihm aus der Hand fressenden Gleichgesinnten um sich geschart, die mit der Zeit an die Spitze von Institutionen und in andere Machtpositionen vordrangen. Wagte irgendein Unglücksrabe Valls' Worte oder seine Bedeutung in Frage zu stellen, wurde er in der Presse erbarmungslos gekreuzigt und aufs Groteskeste beschimpft, bis er als Aussätziger und Bettler dastand, dem alle Türen verschlossen und nur ein Leben in Vergessenheit oder das Exil blieben.

Ich las unendliche Stunden lang, über und zwischen den Zeilen, verglich Geschichten und Versionen, katalogisierte Daten und erstellte Listen mit Erfolgen und im Keller versteckten Leichen. Unter anderen Umständen, wenn mein Forschungsgegenstand rein anthropologischer Natur gewesen wäre, hätte ich vor Don Mauricio und seinen meisterlichen Schachzügen den Hut gezogen. Niemand konnte bestreiten, dass er gelernt hatte, das Herz und die Seele seiner Mitbürger zu lesen und an den Fäden zu ziehen, die ihre Sehnsüchte, Hoffnungen und Hirngespinste bewegten.

Wenn mir nach tagelangem Michversenken in die offizielle Version von Valls' Leben etwas blieb, dann die Gewissheit, dass der Mechanismus zum Aufbau eines neuen Spaniens immer perfekter funktionierte und Don Mauricios kometenhafter Aufstieg zu den Altären der Macht beispielhaft war für ein zunehmend wichtiges, ein zukunftsträchtiges Muster, das ohne Zweifel das Regime überdauern und auf Jahrzehnte hinaus überall tiefe, unausrottbare Wurzeln schlagen würde.

Als Valls 1952 für drei Jahre Kulturminister wurde, hatte er den Gipfel der Macht erreicht und festigte in dieser Zeit seine Herrschaft und die seiner Lakaien, die er in die wenigen Positionen beförderte, die sie noch nicht kontrollierten. Sein Widerhall in der Gesellschaft nahm eine goldene Monotonie an. Seine Worte wurden als Quelle von Wissen und Gewissheit zitiert. Seine Präsenz in Jurys, Gerichten und bei Empfängen aller Art war sprichwörtlich. Unaufhörlich vermehrte sich sein Arsenal an Diplomen, Lorbeeren und Orden.

Und auf einmal geschah etwas Merkwürdiges.

Bei meiner ersten Durchsicht hatte ich es nicht bemerkt. Obwohl sich die Lobeshymnen und Meldungen über Don Mauricio immer mehr häuften, konnte man von 1956 an unter all dem Wust der Informationen ein Detail wahrnehmen, das von den vorher veröffentlichten Informationen abwich. Ton und Inhalt der Meldungen waren unverändert, aber nachdem ich jede einzelne gelesen und wiedergelesen und mit den anderen verglichen hatte, fiel mir etwas auf: Don Mauricio Valls war nicht mehr in der Öffentlichkeit erschienen. Sein Name, sein Prestige und seine Macht waren weiterhin auf Erfolgskurs. Es fehlte nur ein einziges Stück: seine Person. Nach 1956 gab es keine Fotos mehr, und seine Anwesenheit bei öffentlichen Veranstaltungen wurde nicht mehr erwähnt.

Der letzte Zeitungsausschnitt, der Mauricio Valls' Auftreten bezeugte, datierte vom 2. November 1956, als ihm bei einem feierlichen Akt in der Gesellschaft der Schönen Künste in Madrid, an dem die höchsten Behördenmitglieder und die damalige Crème de la

Crème teilnahmen, eine Auszeichnung für die beste verlegerische Arbeit des Jahres verliehen wurde. Der Text der Meldung folgte den üblichen, vorhersehbaren Regeln des Genres, mehr oder weniger eine Kurznachricht in Form eines Editorials. Das Interessanteste war das beigefügte Foto, das letzte, auf dem man Valls sah, kurz vor seinem sechzigsten Geburtstag. Er steckte in einem eleganten, gut geschnittenen Anzug und lächelte, während ihm das Publikum bescheiden und herzlich eine Ovation bescherte. Neben ihm sah man weitere Habitués bei derartigen Veranstaltungen, und hinter ihm, leicht unpassend und mit ernstem, undurchdringlichem Gesicht, waren zwei schwarzgekleidete, hinter einer dunklen Brille verschanzte Individuen zu erkennen. Sie schienen nicht wegen der Veranstaltung selbst da zu sein. Ihr Gesichtsausdruck war ernst, ganz unkomödiantisch. Wachsam.

Nach diesem Abend in der Gesellschaft der Schönen Künste war Don Mauricio Valls nicht mehr abgelichtet oder in der Öffentlichkeit gesehen worden. Wie sehr ich auch suchte, ich fand keinen einzigen Auftritt mehr. Dessen überdrüssig, tote Gleise zu erforschen, kehrte ich an den Anfang zurück und rekonstruierte den Lebenslauf dieses Mannes, bis ich ihn auswendig konnte, als wäre es mein eigener. Ich witterte seiner Fährte nach in der Hoffnung, einen hilfreichen Hinweis auf den Aufenthaltsort dieses Menschen zu finden, der auf Fotos lächelte und seine Eitelkeit auf unendlichen Seiten spazieren führte, auf denen man einen servilen, nach Gefälligkeiten gierenden Hofstaat abgebildet sah. Ich suchte nach dem Mann, der meine Mutter umgebracht hatte, um die Scham vor seinem wahren Selbst zu verbergen, das offensichtlich auch sonst niemand aufzudecken in der Lage war.

An diesen einsamen Abenden in der alten Athenäumsbibliothek lernte ich zu hassen – an einem Ort, wo vor nicht allzu langer Zeit meine Sehnsüchte reineren Dingen gegolten hatten, der Haut meiner ersten unmöglichen Liebe, der blinden Clara, oder den Mysterien von Julián Carax und seinem Roman *Der Schatten des Windes*. Je schwerer Valls' Spur zu finden war, desto weniger billigte ich ihm das Recht zu verschwinden und seinen Namen aus der Geschichte zu tilgen zu. Aus meiner Geschichte. Ich musste einfach wissen, was aus ihm geworden war. Ich musste ihm in die Augen sehen können, und sei es nur, um ihn daran zu erinnern, dass jemand, eine einzige Person auf der Welt, wusste, wer er wirklich war und was er getan hatte.

8

Eines Abends, als ich die Geisterjagd satthatte, ver-
zichtete ich auf meine Sitzung in den Archiven und
unternahm mit Bea und Julián einen Spaziergang
durch ein reines, sonniges Barcelona, das ich schon
fast vergessen hatte. Wir spazierten von zu Hause aus
zum Ciudadela-Park. Ich setzte mich auf eine Bank
und sah zu, wie Julián auf dem Rasen mit seiner Mutter spielte. Dabei wiederholte ich bei mir Fermíns
Worte. Ein glücklicher Mann, ja, das war ich, Daniel
Sempere. Ein glücklicher Mann, der in seinem Inneren einen blinden Groll hatte wachsen lassen, bis es
ihn vor ihm selbst graute.

Ich schaute meinem Sohn zu, der sich einer seiner
Leidenschaften hingab: auf allen vieren zu kriechen,
bis er vollkommen schmutzig war. Bea folgte ihm
dichtauf. Ab und zu hielt er inne und schaute zu mir
hin. Ein Windstoß hob Beas Rock, und der Kleine
lachte. Ich klatschte Beifall, was mir einen vorwurfs-
vollen Blick von ihr eintrug. Ich fand die Augen meines Sohnes und dachte, bald würde er mich anschauen, als wäre ich der weiseste und beste Mensch

der Welt, der auf alles eine Antwort wusste. Da nahm ich mir vor, nie wieder Mauricio Valls' Namen zu erwähnen oder seinen Schatten zu verfolgen.

Bea setzte sich neben mich, und Julián kroch ihr nach bis zur Bank. Als er bei mir angelangt war, nahm ich ihn auf die Arme und rieb seine Hände an meinen Rockaufschlägen sauber.

»Eben aus der Reinigung zurück«, sagte Bea.

Resigniert zuckte ich die Achseln. Sie lehnte sich an mich und nahm meine Hand.

»Tolle Beine«, sagte ich.

»Finde ich gar nicht lustig. Und das lernt dann dein Sohn. Zum Glück war niemand in der Nähe.«

»Na ja, da hatte sich so ein Opachen hinter einer Zeitung versteckt, der, glaube ich, vor Herzjagen ohnmächtig geworden ist.«

Auf dem Heimweg, uns ein paar Schritte voraus, sprühte Bea Funken.

Nachdem sie an diesem Abend, es war der 20. Januar, Julián zu Bett gebracht hatte, schlief sie auf dem Sofa neben mir ein, während ich einen der alten Romane von David Martín las, den Fermín in den Monaten des Exils nach seiner Flucht aus dem Gefängnis gefunden und dann über die ganzen Jahre hinweg behalten hatte. Wie immer genoss ich jede Wendung, nahm die Architektur jedes Satzes unter die Lupe, da ich dachte, wenn ich die Musik dieser Prosa entschlüsselte, würde ich etwas von dem Mann entdecken, den ich nie kennengelernt hatte und der, wie mir alle versicherten, nicht mein Vater war. An diesem Abend war ich jedoch nicht in der Lage dazu. Noch vor dem Ende eines Satzes flogen meine Gedanken von der Buchseite zu diesem Brief von Pablo Cascos Buendía, in dem er meine Frau am nächsten Tag um zwei Uhr nachmittags ins Ritz bestellte.

Schließlich klappte ich das Buch zu und betrachtete Bea, die neben mir schlief, und ahnte, dass in ihr tausendmal mehr Geheimnisse ruhten als in Martíns Geschichten und seiner unseligen Stadt der Verdammten. Mitternacht war vorüber, als sie die Augen öffnete und meinen forschenden Blick sah. Sie lächelte mir zu, obwohl offenbar etwas an meinem Gesicht eine leichte Unruhe in ihr weckte.

»Woran denkst du?«, fragte sie.

»Daran, wie glücklich ich bin.«

Sie sah mich lange an, Zweifel im Blick.

»Das sagst du so, als glaubtest du es selbst nicht.«

Ich stand auf und reichte ihr die Hand.

»Gehen wir ins Bett«, forderte ich sie auf.

Sie ergriff meine Hand und folgte mir durch den Flur ins Schlafzimmer. Dort legte ich mich aufs Bett und schaute sie schweigend an.

»Du bist seltsam, Daniel. Was ist eigentlich los mit dir? Habe ich irgendwas gesagt?«

Mit einem Lächeln weiß wie die Lüge schüttelte ich den Kopf. Sie nickte und zog sich langsam aus. Beim Entkleiden drehte sie mir nie den Rücken zu, versteckte sich auch nicht im Bad oder hinter der Tür, wie es die vom Regime propagierten Leitfäden für Ehehygiene forderten. Ich schaute ihr gelassen zu und las die Linien ihres Körpers. Sie sah mir in die Augen, schlüpfte in das verhasste Nachthemd und legte sich mit dem Rücken zu mir ins Bett.

»Gute Nacht«, sagte sie mit befangener und, für jemanden, der sie gut kannte, ärgerlicher Stimme.

»Gute Nacht«, brummelte ich.

Ihre Atemzüge verrieten mir, dass sie über eine halbe Stunde brauchte, um einzuschlafen, aber schließlich war die Müdigkeit stärker als mein befremdliches Benehmen. Ich blieb neben ihr liegen und war mir nicht darüber im Klaren, ob ich sie wecken und um Verzeihung bitten oder einfach küssen sollte. Ich tat gar nichts, sondern blieb reglos liegen, verfolgte die geschwungene Linie ihres Rückens und hörte die Schwärze in mir flüstern, in einigen Stunden werde Bea zu einem Rendezvous mit ihrem ehemaligen Verlobten gehen und diese Lippen und diese Haut würden einem anderen gehören, wie sein kitschiger Brief anzudeuten schien.

Als ich aufwachte, war Bea schon weg. Ich hatte erst am frühen Morgen einschlafen können, erwachte unsanft mit den Neun-Uhr-Schlägen der Kirche und zog die erstbesten Kleider an, die ich fand. Draußen erwartete mich ein kalter Montag, gesprenkelt mit Schneeflocken, die in der Luft schwebten und sich wie Spinnen aus Licht an unsichtbaren Fäden auf die Passanten hefteten. Als ich den Laden betrat, stand mein Vater auf dem Schemel, auf den er täglich kletterte, um das Kalenderdatum zu ändern. 21. Januar.

»Dass die Bettlaken an einem kleben, verfängt, glaube ich, nicht mehr, wenn man älter ist als zwölf«, sagte er. »Heute warst du dran mit Aufmachen.«

»Entschuldige. Eine schlimme Nacht. Es wird nicht wieder vorkommen.«

Zwei Stunden lang bemühte ich mich, Kopf und Hände mit Buchhandlungsaufgaben zu beschäftigen, aber letztlich gab es in meinen Gedanken nur diesen vermaledeiten Brief, den ich mir tonlos immer wieder zitierte. Gegen Mittag kam Fermín heimlich zu mir und bot mir ein Sugus an.

»Heute ist der Tag, nicht wahr?«

»Schweigen Sie, Fermín«, fiel ich ihm so brüsk ins Wort, dass mein Vater die Brauen in die Höhe zog.

Ich flüchtete mich ins Hinterzimmer und hörte sie flüstern. Am Schreibtisch meines Vaters sitzend, schaute ich auf die Uhr. Dreizehn Uhr zwanzig. Ich versuchte, dem Verstreichen der Minuten zu folgen, doch die Uhrzeiger rückten einfach nicht vor. Als ich in den Laden zurückging, sahen mich Fermín und mein Vater besorgt an.

»Daniel, vielleicht möchtest du ja den Rest des Tages freinehmen«, sagte mein Vater. »Fermín und ich kommen schon zurecht.«

»Danke. Ich glaube, ja. Ich habe kaum geschlafen und fühle mich nicht sehr wohl.«

Ich hatte nicht den Mut, Fermín anzuschauen, bevor ich durchs Hinterzimmer entwischte. Mit bleiernen Füßen stieg ich die fünf Stockwerke hinauf. Als ich die Wohnungstür öffnete, hörte ich im Bad das Wasser laufen. Ich schlurfte zum Schlafzimmer und blieb auf der Schwelle stehen. Bea saß auf der Bettkante. Sie hatte mich nicht eintreten sehen und hören. Ich sah sie in ihre Seidenstrümpfe schlüpfen und sich anziehen, den Blick auf den Spiegel geheftet. Erst nach zwei Minuten wurde sie auf mich aufmerksam.

»Ich wusste nicht, dass du hier bist«, sagte sie halb überrascht, halb gereizt.

»Gehst du aus?«

Sie nickte, während sie ihre Lippen hochrot schminkte.

»Wohin gehst du denn?«

»Ich habe einiges zu erledigen.«

»Du hast dich sehr hübsch gemacht.«

»Ich mag nicht auf die Straße gehen und aussehen, als käme ich grade aus dem Bett.«

Sie legte Lidschatten auf. »Glücklicher Mann«, sagte die Stimme sarkastisch.

»Was musst du denn erledigen?«, fragte ich.

Sie wandte sich um und schaute mich an.

»Was?«

»Ich habe gefragt, was du erledigen musst.«

»Allerlei.«

»Und Julián?«

»Meine Mutter hat ihn abgeholt und geht mit ihm spazieren.«

»Aha.«

Sie trat zu mir, legte ihre Gereiztheit ab und sah mich besorgt an.

»Daniel, was ist mit dir?«

»Ich habe die ganze Nacht kein Auge zugetan.«

»Warum machst du nicht eine Siesta? Die hast du nötig.«

Ich nickte.

»Gute Idee.«

Sie lächelte schwach und ging mit mir auf meine Seite des Betts. Dort half sie mir, mich hinzulegen, deckte mich mit dem Überwurf zu und küsste mich auf die Stirn.

»Ich komme spät«, sagte sie.

Ich sah sie davongehen.

»Bea ...«

Mitten im Flur blieb sie stehen und wandte sich um.

»Liebst du mich?«, fragte ich.

»Natürlich liebe ich dich. Was für eine dumme Frage.«

Ich hörte, wie sich die Tür schloss und sich dann ihre katzenhaften Schritte und die Pfennigabsätze treppab verloren. Ich griff zum Telefon und wartete auf die Vermittlung.

»Das Hotel Ritz bitte.«

Nach einigen Sekunden kam die Verbindung zustande.

»Hotel Ritz, guten Tag, womit können wir Ihnen dienen?«

»Könnten Sie feststellen, ob ein bestimmter Gast bei Ihnen wohnt, bitte?«

»Wenn Sie so freundlich sind, mir den Namen zu nennen.«

»Cascos. Pablo Cascos Buendía. Er sollte eigentlich gestern angekommen sein …«

»Einen Augenblick, bitte.«

Eine lange Minute des Wartens, Geraune, Echos in der Leitung.

»Mein Herr –«

»Ja?«

»Im Moment finde ich keine Reservierung auf den von Ihnen genannten Namen …«

Unendliche Erleichterung befiel mich.

»Könnte es sein, dass die Reservierung auf den Namen einer Firma erfolgt ist?«

»Das haben wir gleich.«

Diesmal brauchte ich nicht lange zu warten.

»Tatsächlich, Sie haben recht. Señor Cascos Buendía. Da habe ich ihn. Suite Continental. Die Reservierung läuft auf den Namen der Ariadna Verlage.«

»Wie bitte?«

»Ich sagte dem Herrn, dass Señor Cascos Buendías Reservierung auf den Namen der Ariadna Verlage läuft. Wünscht der Herr mit dem Zimmer verbunden zu werden?«

Der Hörer entglitt meiner Hand. Ariadna, Mauricio Valls' vor Jahren gegründetes Verlagsunternehmen.

Cascos arbeitete für Valls.

Ich knallte den Hörer auf die Gabel und ging auf die Straße hinaus, um mit argwohnvergiftetem Herzen meiner Frau zu folgen.

9

In der Menschenmenge, die sich um diese Zeit durch die Puerta del Ángel in Richtung Plaza de Cataluña bewegte, sah ich keine Spur von Bea. Ich hatte einfach angenommen, sie sei diesen Weg zum Ritz gegangen, aber bei Bea wusste man nie. Sie probierte gern verschiedene Routen aus. Nach einer Weile gab ich die Suche auf. Vermutlich hatte sie ein Taxi genommen, was ohnehin besser zu der Galakleidung passte, in die sie sich gestürzt hatte.

In einer Viertelstunde war ich beim Ritz. Obwohl die Temperatur nicht mehr als zehn Grad betragen konnte, schwitzte ich und war außer Atem. Der Portier musterte mich verstohlen, hielt mir aber mit einer angedeuteten Verbeugung die Tür auf. Die Halle mit ihrer Spionagethriller- und Liebesromanzenatmosphäre verwirrte mich. Meine geringe Erfahrung mit Luxushotels hatte mich nicht gelehrt, zu erkennen, was was war. Ich erspähte eine Rezeptionstheke, hinter der mich ein wie aus dem Ei gepellter Empfangschef neugierig und leicht beunruhigt beobachtete. Ich trat zu ihm und lächelte ihn an.

»Das Restaurant, bitte?«

Er studierte mich mit höflicher Skepsis.

»Hat der Herr einen Tisch bestellt?«

»Ich bin mit einem Hotelgast verabredet.«

Er nickte mit frostigem Lächeln.

»Der Herr wird das Restaurant am Ende dieses Gangs finden.«

»Tausend Dank.«

Mit einer Faust ums Herz lief ich durch den Gang. Ich hatte nicht die geringste Vorstellung, was ich sagen oder tun würde, wenn ich auf Bea und diesen Kerl träfe. Ein Oberkellner kam auf mich zu und stellte sich mir mit gepanzertem Lächeln in den Weg. Aus seinem Blick sprach die Geringschätzung, die ihm meine Aufmachung abnötigte.

»Hat der Herr einen Tisch bestellt?«

Ich schob ihn beiseite und trat in den Speisesaal. Die meisten Tische waren noch unbesetzt. Ein mumifiziertes Ehepaar unterbrach sein feierliches Suppenschlürfen, um mich missfällig anzuschauen. Zwei weitere Tische beherbergten als Geschäftsleute verkleidete Männer und die eine oder andere exquisite, unter Repräsentationsspesen abzubuchende weibliche Gesellschaft. Von Cascos und Bea keine Spur.

Hinter mir hörte ich die Schritte des Oberkellners und seiner Zwei-Kellner-Eskorte. Ich wandte mich um und lächelte gefügig.

»Hatte nicht Señor Cascos Buendía auf zwei Uhr einen Tisch bestellt?«, fragte ich.

»Der Señor hat Anweisung gegeben, in seiner Suite aufzutragen«, teilte der Oberkellner mit.

Ich schaute auf die Uhr. Zwanzig nach zwei. Ich ging auf den Gang mit den Aufzügen zu. Einer der Portiers hatte ein Auge auf mich geworfen, aber als er mich zu erwischen versuchte, hatte ich mich bereits in einen der Fahrstühle geschmuggelt. Ich hatte nicht die leiseste Ahnung, wo sich die Suite Continental befand, und wählte eins der höheren Stockwerke.

»Fang einfach oben an«, sagte ich mir.

Im siebten Stock stieg ich aus und begann durch breite, menschenleere Korridore zu streifen. Nach einer Weile stieß ich auf eine Tür, die zur Feuertreppe führte, und stieg in den sechsten Stock hinunter. Auf der Suche nach der Suite Continental ging ich glücklos von Tür zu Tür. Die Uhr zeigte halb drei. Im fünften Stock stieß ich auf ein Zimmermädchen, das ein Wägelchen mit Staubwedeln, Seifen und Badetüchern vor sich herschob, und erkundigte mich nach der Suite. Sie schaute mich konsterniert an, aber mein Anblick erschreckte sie offenbar so sehr, dass sie nach oben deutete.

»Achter Stock.«

Ich mied die Aufzüge, falls das Hotelpersonal nach mir suchte. Drei Treppen und einen langen Gang später gelangte ich verschwitzt vor die Suite Continental. Dort blieb ich eine Minute stehen, versuchte mir vorzustellen, was hinter dieser Edelholztür vor sich ging, und fragte mich, ob ich wohl noch über genug

gesunden Menschenverstand verfügte, um davonzu-
laufen. Ich hatte den Eindruck, am anderen Ende des
Gangs beobachte mich jemand, und fürchtete, es sei
einer der Portiers, doch als ich den Blick schärfte,
verschwand die Gestalt um die Ecke, so dass ich in
ihr einen anderen Hotelgast vermutete. Schließlich
klingelte ich.

10

Schritte näherten sich der Tür. Durch meinen Kopf schoss das Bild von Bea, die sich die Bluse zuknöpfte. Ein Drehen im Schloss. Ich ballte die Fäuste. Die Tür ging auf. Ein Mensch mit pomadisiertem Haar in weißem Hausmantel und Fünf-Sterne-Pantoffeln machte auf. Jahre waren vergangen, doch Gesichter, die man entschlossen hasst, vergisst man nicht.

»Sempere?«, fragte er ungläubig.

Der Hieb landete zwischen Oberlippe und Nase. Ich spürte, wie unter der Faust Fleisch und Knorpel entzweigingen. Cascos hielt sich die Hände ans Gesicht und wankte. Zwischen seinen Fingern rann Blut hervor. Mit einem kräftigen Stoß warf ich ihn an die Wand und ging ins Zimmer hinein. Hinter mir hörte ich Cascos zu Boden plumpsen. Das Bett war gemacht, und auf dem Tisch vor der Terrasse mit Blick auf die Gran Vía stand ein dampfender Teller. Aufgedeckt war für eine einzige Person. Ich wandte mich um und stellte mich vor Cascos hin, der sich an einen Stuhl klammerte und sich aufzurappeln versuchte.

»Wo ist sie?«, fragte ich.

Seine Züge waren schmerzverzerrt. Das Blut floss ihm über Gesicht und Brust. Seine Lippe war aufgeplatzt, und gewiss war die Nase gebrochen. Da merkte ich, wie meine Knöchel brannten, und mit einem Blick auf meine Hand bemerkte ich, dass ich mich mit meinem Faustschlag ebenfalls verletzt hatte. Ich verspürte nicht die geringsten Gewissensbisse.

»Sie ist nicht gekommen. Zufrieden?«, spuckte er aus.

»Seit wann schreibst du meiner Frau Briefe?«

Ich hatte den Eindruck, er lache, und bevor er ein weiteres Wort von sich geben konnte, stürzte ich mich erneut auf ihn. Mit der ganzen angestauten Wut versetzte ich ihm einen zweiten Schlag. Der lockerte ihm die Zähne und betäubte meine Hand. Er gab ein agonisches Röcheln von sich und brach auf dem Stuhl zusammen, auf den er sich gestützt hatte. Ich neigte mich über ihn, und er bedeckte das Gesicht mit den Armen. Ich bohrte ihm die Hände in den Hals und drückte mit den Fingern zu, als wollte ich ihm die Gurgel zerreißen.

»Was hast du mit Valls zu schaffen?«

Erschrocken glotzte er mich an, überzeugt, ich bringe ihn hier und jetzt um. Er stammelte etwas Unverständliches, und der Speichel und das Blut aus seinem Mund bedeckten meine Hände. Ich drückte fester zu.

»Mauricio Valls. Was hast du mit ihm zu schaffen?«

Mein Gesicht war dem seinen so nahe, dass ich mich in seinen Pupillen gespiegelt sah. Unter der Hornhaut begannen seine Kapillargefäße zu platzen, und ein Netz schwarzer Linien brach sich zur Iris hin Bahn. Ich merkte, dass ich im Begriff war, ihn umzubringen, und ließ ihn schlagartig los. Beim Luftholen gab er einen gurgelnden Laut von sich und hielt sich die Hände an den Hals. Ich setzte mich ihm gegenüber aufs Bett. Meine Hände zitterten und waren voller Blut. Ich ging ins Bad und wusch sie. Dann ließ ich kaltes Wasser über Gesicht und Haar laufen, und als ich mich im Spiegel sah, erkannte ich mich kaum wieder. Beinahe hatte ich einen Menschen getötet.

11

Als ich ins Zimmer zurückkam, hing Cascos immer noch keuchend auf dem Stuhl. Ich füllte ein Glas mit Wasser und ging zu ihm. Sogleich wandte er in Erwartung eines weiteren Schlages den Körper ab.

»Da«, sagte ich.

Er öffnete die Augen und zögerte beim Anblick des Glases einen Moment.

»Da«, wiederholte ich. »Es ist bloß Wasser.«

Mit zitternder Hand ergriff er das Glas und führte es sich an die Lippen. In dem Moment sah ich, dass ich ihm mehrere Zähne ausgeschlagen hatte. Er wimmerte, und seine Augen füllten sich vor Schmerz mit Tränen, als ihm das kalte Wasser über das bloßliegende Fleisch unter dem Zahnhals rann. Über eine Minute verharrten wir in Schweigen.

»Soll ich einen Arzt holen?«, fragte ich schließlich.

Er schaute auf und schüttelte den Kopf.

»Mach, dass du fortkommst, bevor ich die Polizei rufe.«

»Sag mir, was du mit Mauricio Valls zu schaffen hast, und ich gehe.« Ich sah ihn kalt an.

»Er ist ..., er ist einer der Teilhaber des Verlages, für den ich arbeite.«

»Hat *er* dich gebeten, diesen Brief zu schreiben?«

Er zögerte. Ich stand auf, tat einen Schritt auf ihn zu und zerrte ihn kräftig an den Haaren.

»Schlag mich nicht mehr«, flehte er.

»Hat dich Valls gebeten, diesen Brief zu schreiben?«

Er wich meinem Blick aus.

»Nicht er«, würgte er schließlich hervor.

»Wer dann?«

»Einer seiner Sekretäre. Armero.«

»Wer?«

»Paco Armero, ein Verlagsangestellter. Er sagte, ich solle wieder mit Beatriz Kontakt aufnehmen. Wenn ich es täte, spränge etwas dabei für mich raus – eine Belohnung.«

»Und wozu solltest du wieder mit ihr Kontakt aufnehmen?«

»Das weiß ich nicht.«

Ich machte Anstalten, ihn erneut zu ohrfeigen.

»Ich weiß es wirklich nicht«, wimmerte Cascos.

»Und dazu hast du sie hierherbestellt?«

»Ich liebe Beatriz noch immer.«

»Eine feine Art, es zu zeigen. Wo ist Valls?«

»Ich weiß es nicht.«

»Wie ist es möglich, dass du nicht weißt, wo dein Chef ist?«

»Weil ich ihn nicht kenne, ja? Ich habe ihn nie gesehen. Ich habe nie mit ihm gesprochen.«

»Werd etwas deutlicher.«

»Vor anderthalb Jahren habe ich bei Ariadna zu arbeiten angefangen, im Madrider Büro. In dieser ganzen Zeit habe ich ihn nie gesehen. Niemand hat ihn je gesehen.«

Langsam stand er auf und ging auf das Telefon zu. Ich hielt ihn nicht zurück. Er ergriff den Hörer und warf mir einen hasserfüllten Blick zu.

»Ich ruf jetzt die Polizei an ...«

»Das wird nicht nötig sein«, war eine Stimme aus dem Flur zu hören.

Als ich mich umdrehte, erblickte ich Fermín in einem Anzug, der vermutlich meinem Vater gehörte. Er wedelte mit etwas, ähnlich einem amtlichen Ausweis.

»Inspektor Fermín Romero de Torres. Polizei. Es ist Tumult gemeldet worden. Wer von Ihnen kann die hier stattgefundenen Ereignisse resümieren?«

Ich weiß nicht, wer verwirrter war, Cascos oder ich. Diesen Moment nutzte Fermín, um Cascos' Hand sanft den Hörer zu entwinden.

»Gestatten Sie.« Er schob ihn beiseite. »Ich benachrichtige das Präsidium.«

Er gab vor, eine Nummer zu wählen, und lächelte uns zu.

»Das Präsidium, bitte. Ja, danke.« Er wartete einige Sekunden. »Ja, Mari Pili, ich bin's, Romero de Torres. Geben Sie mir Palacios, bitte. Okay, ich warte.«

Fermín hielt den Hörer mit einer Hand zu und zeigte mit der anderen auf Cascos.

»Und Sie, haben Sie einen Zusammenstoß mit der Badezimmertür gehabt, oder wollen Sie eine Aussage machen?«

»Dieser Rohling hat mich angegriffen und mich umzubringen versucht. Ich will auf der Stelle Anzeige erstatten. Der wird sein blaues Wunder erleben.«

Fermín schenkte mir einen Funktionärsblick und nickte.

»In der Tat. Von Ultramarin bis Indigo.«

Er gab vor, etwas aus dem Hörer zu vernehmen, und bedeutete Cascos zu schweigen.

»Jawohl, Palacios. Im Ritz. Ja. Ein 424er. Ein Verletzter. Vor allem im Gesicht. Kommt drauf an. Ich würde sagen, wie eine Landkarte. Okay. Ich nehme den Verdächtigen sogleich fest.«

Er hängte auf.

»Alles in Butter.«

Fermín trat auf mich zu und packte mich autoritär am Arm.

»Sie halten den Mund. Alles, was Sie sagen, kann gegen Sie verwendet werden, um Sie mindestens bis Allerheiligen einzulochen. Los, auf geht's.«

Cascos, schmerzgekrümmt und von Fermíns Auftauchen noch immer völlig überrumpelt, betrachtete die Szene ungläubig.

»Legen Sie ihm denn keine Handschellen an?«

»Das ist ein vornehmes Hotel. Die Fußschellen kriegt er im Streifenwagen.«

Cascos, der weiterhin blutete und vermutlich doppelt sah, stellte sich uns nicht sehr überzeugt in den Weg.

»Sind Sie auch wirklich Polizist?«

»Geheimdienst. Ich werde Ihnen gleich ein großes rohes Steak raufbringen lassen, das Sie sich als Gesichtsmaske auflegen können. Wirkt Wunder bei Kurzstreckenprellungen. Meine Kollegen kommen später vorbei, um das Protokoll aufzunehmen und die angemessenen Anklagepunkte vorzubereiten«, leierte er herunter, während er Cascos' Arm wegschob und mich rasch auf den Ausgang zustieß.

12

Vor dem Hoteleingang bestiegen wir ein Taxi und fuhren schweigend durch die Gran Vía.

»Jesus, Maria und Josef«, brach es aus Fermín heraus. »Sind Sie übergeschnappt? Ich schaue Sie an und erkenne Sie nicht wieder ... Was hatten Sie denn vor? Diesen Idioten umzulegen?«

»Er arbeitet für Mauricio Valls«, sagte ich nur.

Fermín verdrehte die Augen.

»Daniel, diese Besessenheit läuft Ihnen allmählich aus dem Ruder. Hätte ich Ihnen bloß nichts erzählt ... Geht es Ihnen gut? Zeigen Sie mal diese Hand ...«

Ich hielt ihm die Faust hin.

»Heilige Muttergottes.«

»Wie wussten Sie ...?«

»Weil ich Sie kenne, als hätte ich Sie selbst in die Welt gesetzt, obwohl es Tage gibt, an denen es mir fast leidtut«, sagte er hitzig.

»Ich weiß auch nicht, was in mich gefahren ist.«

»Ich weiß es sehr wohl. Und es gefällt mir nicht. Es gefällt mir gar nicht. Das ist nicht der Daniel, den ich kenne. Und auch nicht der Daniel, dessen Freund ich sein will.«

Die Hand schmerzte mich, aber noch mehr schmerzte mich die Erkenntnis, dass ich Fermín enttäuscht hatte.

»Fermín, seien Sie nicht böse auf mich.«

»Da schau her, jetzt möchte der Kleine auch noch eine Medaille!«

Eine Weile schwiegen wir und schauten jeder auf seiner Seite aus dem Fenster.

»Zum Glück sind Sie gekommen«, sagte ich schließlich.

»Haben Sie wirklich gedacht, ich würde Sie alleinlassen?«

»Sie werden Bea nichts sagen, ja?«

»Wenn es Ihnen recht ist, schreibe ich der *Vanguardia* einen Leserbrief und schildere Ihre Heldentat.«

»Ich weiß nicht, wie mir geschehen ist, ich weiß es wirklich nicht …«

Er schaute mich streng an, dann aber entspannten sich seine Züge, und er tätschelte mir die Hand. Ich schluckte meinen Schmerz hinunter.

»Zerbrechen wir uns nicht weiter den Kopf. Ich hätte vermutlich genauso gehandelt.«

Vor der Fensterscheibe sah ich Barcelona vorübergleiten.

»Was war das für ein Ausweis?«

»Wie bitte?«

»Der Polizeiausweis, den Sie ihm gezeigt haben –
was war das?«

»Der Barça-Mitgliedsausweis des Pfaffen.«

»Sie hatten recht, Fermín. Ich war ein Idiot, als ich
Bea verdächtigt habe.«

»Ich habe immer recht. Das ist mir in die Wiege gelegt worden.«

Ich beugte mich den Tatsachen und schwieg; an
diesem Tag hatte ich ohnehin schon genug dummes
Zeug geplappert. Fermín war völlig verstummt und
hatte ein nachdenkliches Gesicht aufgesetzt. Mich
beunruhigte der Gedanke, ihn mit meinem Verhalten
so enttäuscht zu haben, dass er nicht mehr wusste,
was er zu mir sagen sollte.

»Woran denken Sie, Fermín?«

Er sah mich besorgt an.

»Ich dachte an diesen Mann.«

»Cascos?«

»Nein, an Valls. An das, was dieser Schwachkopf
vorher gesagt hat. Was es bedeutet.«

»Was meinen Sie?«

Er schaute mich düster an.

»Dass es mir bisher Sorgen gemacht hat, dass Sie
Valls finden wollten.«

»Und jetzt nicht mehr?«

»Da gibt es etwas, was mir noch mehr Sorgen
macht, Daniel.«

»Nämlich?«

»Dass er es ist, der Sie sucht.«

Wir sahen uns schweigend an.

»Haben Sie eine Ahnung, warum?«, fragte ich.

Fermín, der sonst immer auf alles eine Antwort hatte, schüttelte langsam den Kopf und wandte den Blick ab.

Den Rest der Fahrt legten wir wortlos zurück. Zu Hause ging ich sofort in die Wohnung hinauf, duschte und schluckte vier Aspirin. Dann ließ ich die Jalousie herunter, umarmte das Kissen, das nach Bea roch, und schlief ein wie der Idiot, der ich war, nachdem ich mich noch gefragt hatte, wo die Frau stecken mochte, für die ich klaglos die Hauptrolle in der Lachnummer des Jahrhunderts übernommen hatte.

13

»Ich seh ja aus wie ein Stachelschwein«, sagte die Bernarda, als sie ihr verhundertfachtes Bild im Spiegelsaal des Modehauses Santa Eulalia betrachtete.

Zu ihren Füßen steckten zwei Modistinnen mit Dutzenden Nadeln das Brautkleid ab, aufmerksam beobachtet von Bea, die die Bernarda umkreiste und jede Falte und jede Naht inspizierte, als gehe es um ihr Leben. Die Bernarda, die Arme zum Kreuz gebreitet, traute sich kaum zu atmen, aber ihr Blick war gefangen von den verschiedenen Perspektiven, in denen sie in diesem sechseckigen Spiegelraum ihre Figur nach Anzeichen eines Bauches absuchte.

»Sieht man bestimmt noch nichts, Señora Bea?«

»Nichts. Platt wie ein Bügelbrett. Dort, wo es platt sein soll, natürlich.«

»Ach, ich weiß nicht, ich weiß nicht ...«

Das Martyrium der Bernarda und die Anpassungs- und Taillierungsarbeit der Modistinnen dauerten noch eine weitere halbe Stunde. Als alle Stecknadeln der Welt zum Aufspießen der armen Braut aufgebraucht schienen, machte hinter dem Vorhang hervor der Starschneider des Hauses und Schöpfer des Stücks seine Aufwartung, musterte flüchtig das Kleid, brachte am Moiréfutter zwei, drei Korrekturen an, gab dann sein Plazet und schnalzte mit den Fingern diskret seine Assistentinnen aus dem Raum.

»Nicht einmal bei Pertegaz hätten Sie hübscher ausgesehen«, urteilte er selbstgefällig.

Bea nickte lächelnd.

Der Modemann, ein schlanker, affektierter Herr, der schlicht auf den Namen Evaristo hörte, küsste die Bernarda auf die Wange.

»Sie sind das beste Mannequin der Welt. Das geduldigste und leidensfähigste. Es war nicht ganz einfach, aber es hat sich gelohnt.«

»Und glauben der Herr, ich kann hier drin atmen?«

»Meine Beste, Sie heiraten im Schoß der heiligen Mutter Kirche ein iberisches Mannsbild. Mit Atmen ist sowieso Schluss, das kann ich Ihnen versichern. Bedenken Sie, dass ein Brautkleid wie ein Taucheranzug ist, nämlich nicht der ideale Ort zum Atmen – lustig wird's dann, wenn es Ihnen ausgezogen wird.«

Angesichts der Frivolität des Modeschöpfers bekreuzigte sich die Bernarda.

»Und jetzt muss ich Sie darum bitten, mit größter Vorsicht aus dem Kleid zu schlüpfen – die Nähte sind noch lose, und mit all diesen Stecknadeln will ich Sie nachher nicht wie ein Sieb zum Altar gehen sehen«, sagte Evaristo.

»Ich helfe ihr«, sagte Bea.

Mit einem lockenden Blick machte Evaristo ein Ganzkörperröntgenbild von Bea.

»Und Sie, wann darf ich Sie aus- und ankleiden, Schätzchen?« fragte er, während er theatralisch hinter dem Vorhang abging.

»Dieser Halunke hat Sie ja vielleicht gemustert«, sagte die Bernarda. »Dabei heißt es, er sei vom anderen Ufer.«

»Ich habe den Eindruck, Evaristo bewegt sich an beiden Ufern, Bernarda.«

»Ist das möglich?«

»Komm, wir versuchen mal, dich hier rauszukriegen, ohne dass eine Stecknadel zu Boden fällt.«

Während sie die Bernarda aus ihrem Stoffgefängnis befreite, schimpfte diese leise vor sich hin. Seit sie erfahren hatte, was das Kleid kostete, das ihr Patron, Gustavo Barceló, unbedingt aus seiner Tasche bezahlen wollte, war sie ganz aufgeregt.

»Don Gustavo hätte nicht ein solches Vermögen ausgeben dürfen. Es musste ja unbedingt hier sein, das ist bestimmt der teuerste Ort von ganz Barcelona, und es musste dieser Evaristo sein, der ist ein halber Neffe von ihm oder was weiß ich, und der sagt, wenn der Stoff nicht von Gratacós ist, kriegt er eine Allergie. Was soll man dazu sagen.«

»Einem geschenkten Gaul … Außerdem macht es Don Gustavo einfach Freude, wenn du eine rauschende Hochzeit feierst. So ist er eben.«

»Zwei Flicken aufs Kleid meiner Mutter, und ich

hätte auch darin heiraten können – Fermín ist es sowieso egal, immer wenn ich ihm ein neues Kleid zeige, will er es mir bloß ausziehen … Und das haben wir nun davon, Gott möge mir verzeihen.« Sie tätschelte sich den Bauch.

»Bernarda, auch ich war schwanger, als ich geheiratet habe, und ich glaube, Gott hat sich um viel wichtigere Dinge zu kümmern.«

»Das sagt mein Fermín auch, aber ich weiß nicht …«

»Hör du auf Fermín, und mach dir überhaupt keine Sorgen.«

Die Bernarda, die im Unterrock dastand und nach zwei Stunden auf hohen Absätzen und mit ausgestreckten Armen völlig erschöpft war, ließ sich ächzend in einen Sessel sinken.

»Ach, der Ärmste ist ja schon ganz unsichtbar, wo er so viele Kilos verloren hat. Das macht mir regelrecht Angst.«

»Du wirst schon sehen, wie er bald wieder zunimmt. Die Männer sind so, wie Geranien. Wenn man schon glaubt, man muss sie wegwerfen, blühen sie wieder auf.«

»Ich weiß nicht, Señora Bea, Fermín kommt mir sehr geknickt vor. Er sagt zwar schon, er will mich heiraten, aber manchmal habe ich meine Zweifel.«

»Aber er ist doch völlig verschossen in dich, Bernarda.«

Die Bernarda zuckte die Schultern.

»Schauen Sie, ich bin nicht so dumm, wie ich aussehe. Seit meinem dreizehnten Jahr habe ich nichts anderes getan als saubergemacht, und sicher gibt es vieles, was ich nicht verstehe, aber ich weiß, dass mein Fermín weitgereist ist und seine Liebeleien gehabt hat. Er erzählt mir ja nie aus seinem früheren Leben, bevor wir uns kennengelernt haben, aber ich weiß, dass er andere Frauen gehabt und überhaupt viel erlebt hat.«

»Und am Ende hat er unter allen dich ausgesucht. Da siehst du mal.«

»Er steht ja mehr auf Frauen als ein Bär auf Honig. Wenn wir spazieren oder tanzen gehen, fallen ihm immer fast die Augen aus dem Kopf, eines Tages fängt er mir noch an zu schielen.«

»Solange er seine Hände im Zaum hält ... Ich weiß aus sehr guter Quelle, dass dir Fermín immer treu gewesen ist.«

»Ich weiß, ich weiß. Aber wissen Sie, was mir Angst macht, Señora Bea? Dass ich zu wenig bin für ihn. Wenn ich ihn so sehe, wie er mich verzückt anguckt und sagt, wir wollen zusammen alt werden und all die Schmeicheleien, die er von sich gibt, dann denke ich immer, eines Tages wacht er morgens auf, schaut mich an und sagt: Wo habe ich denn dieses Dummchen aufgegabelt?«

»Ich glaube, du täuschst dich, Bernarda. So etwas wird Fermín niemals denken. Er verehrt dich.«

»Das ist eben auch nicht gut, wissen Sie, ich habe

so manchen jungen Herrn gesehen, der seine Señora verehrt hat wie eine Jungfrau und dann dem erstbesten Luder hinterhergerannt ist wie ein brünstiger Hund. Sie glauben nicht, wie oft ich das mit diesen Äuglein gesehen habe, die mir Gott geschenkt hat.«

»Aber Fermín ist nicht so, Bernarda. Fermín ist einer, der das Herz auf dem rechten Fleck hat. Davon gibt es nur wenige, Männer sind wie die Kastanien, die auf der Straße feilgehalten werden: Wenn man sie kauft, sind sie alle heiß und riechen gut, aber wenn man sie aus der Tüte zieht, werden sie sofort kalt, und die meisten erweisen sich als wurmstichig.«

»Damit meinen Sie aber nicht Señor Daniel, nicht wahr?«

Bea zögerte eine Sekunde.

»Nein, natürlich nicht.«

Die Bernarda schaute sie von der Seite an.

»Alles in Ordnung zu Hause, Señora Bea?«

Bea spielte mit einer Falte von Bernardas Unterrock, die über ihrer Schulter hervorschaute.

»Ja, Bernarda. Aber ich glaube, wir beide haben uns Männer ausgesucht, die ihre Eigenheiten und Geheimnisse haben.«

Die Bernarda nickte.

»Manchmal kommen sie mir vor wie Kinder.«

»Männer. Man muss ihnen Auslauf geben.«

»Aber mir gefallen sie«, sagte die Bernarda, »und ich weiß schon, was Sünde ist.«

Bea lachte.

»Und wie magst du sie? Wie Evaristo?«

»Nein, um Gottes willen. Der schaut sich so oft im Spiegel an, dass er ihn regelrecht abnutzt. Ein Mann, der länger braucht als ich, um sich herzurichten, da könnte ich die Wände hochgehen. Ich mag sie ein wenig ungeschliffen, wie soll ich sagen? Und ich weiß, mein Fermín ist nicht hübsch, was man so hübsch nennt. Aber für mich ist er hübsch und gut. Und sehr männlich. Und am Ende ist es das, was zählt, dass er gut ist und ein richtiger Mann. Und dass man sich in einer Winternacht an ihn anschmiegen kann und er einem die Kälte aus dem Körper zieht.«

Bea nickte lächelnd.

»Amen. Aber mir hat ein Vögelchen zugezwitschert, dass dir eigentlich Cary Grant gefällt.«

Die Bernarda errötete.

»Ihnen etwa nicht? Nicht zum Heiraten natürlich. Ich habe das Gefühl, der hat sich verliebt, als er sich das erste Mal im Spiegel sah, aber unter uns gesagt, und Gott möge mir verzeihen, von der Bettkante würde ich ihn nicht stoßen …«

»Was würde Fermín sagen, wenn er dich so hören könnte, Bernarda?«

»Was er immer sagt: ›Na ja, wir werden alle eine Beute der Würmer …‹«

Fünfter Teil

DER NAME DES HELDEN

1

Jahre später sollten die dreiundzwanzig zum Feiern vereinten Gäste Rückschau halten und sich an den historischen Abend vor dem Tag erinnern, an dem Fermín Romero de Torres einen Schlussstrich unter sein Junggesellendasein zog.

»Das ist das Ende einer Ära«, proklamierte Professor Alburquerque mit erhobenem Champagnerglas, und keiner von uns hätte treffender sagen können, was wir alle fühlten.

Fermíns Junggesellenabschied, dessen Auswirkungen auf den weiblichen Teil der Weltbevölkerung Don Gustavo Barceló mit dem Tod Rudolph Valentinos verglich, fand an einem klaren Februarabend des Jahres 1958 im großen Tanzsaal von La Paloma statt, dem Schauplatz von Fermíns infarktischen Tangos und weiteren Momenten, die nun Teil der Geheimakte einer langen Karriere im Dienste des Ewigweiblichen wurden.

Mein Vater, den wir für einmal aus dem Haus gebracht hatten, hatte das halbprofessionelle Tanzorchester La Habana del Baix Llobregat verpflichtet, das zu einem Schleuderpreis aufzuspielen bereit war und uns mit einem Potpourri aus Mambos, Guarachas und bäuerlichem Son Montuno erfreute, die den Bräutigam in die weit zurückliegenden Tage der Welt der Intrigen und des internationalen Glamours in den großen Kasinos des vergessenen Kubas zurücktrugen. Die Festgäste legten jede Befangenheit ab und stürzten sich auf die Tanzfläche, um zum höheren Ruhme Fermíns das Tanzbein zu schwingen.

Barceló hatte meinen Vater überzeugt, dass der Rum, den er ihm gläschenweise verabreichte, Selters mit zwei Tropfen Montserratwasser sei, und nach kurzem durften wir dem noch nie dagewesenen Schauspiel beiwohnen, meinen Vater engumschlungen mit einer der dienstbereiten Damen tanzen zu sehen, die die Rociíto, eigentliche Seele der Veranstaltung, mitgebracht hatte, um dem Ganzen Glanz zu verleihen.

»Heiliger Gott«, entfuhr es mir, als ich meinen Vater die Hüften schwenken und das Zusammentreffen mit dem Hintern dieser altgedienten Nachtarbeiterin auf den Taktbeginn synchronisieren sah.

Barceló verteilte unter den Gästen Zigarren und kleine Zettelchen, die er in einer Druckerei für Kommunions-, Tauf- und Bestattungsanzeigen in Auftrag gegeben hatte. Auf Büttenpapier sah man eine Karikatur Fermíns in Engelstracht und mit zum Gebet gefalteten Händen und die Legende:

Fermín Romero de Torres
19??–1958
Der große Verführer tritt ab
1958–19??
Der Paterfamilias ersteht

Zum ersten Mal seit langem war Fermín glücklich
und heiter. Eine halbe Stunde vor Beginn des Rum-
mels hatte ich ihn zu Can Lluís begleitet, wo uns Professor Alburquerque bezeugte, dass er am nämlichen
Morgen auf dem Standesamt gewesen sei, bewaffnet
mit dem ganzen Dossier von Dokumenten und Papieren, die Oswaldo Darío de Mortenssen und sein
Gehilfe Luisito mit Meisterhand angefertigt hatten.

»Mein lieber Fermín«, verkündete der Professor,
»ich heiße Sie offizell in der Welt der Lebenden willkommen und überreiche Ihnen, mit Don Daniel
Sempere und den Freunden von Can Lluís als Zeugen, Ihren neuen, rechtmäßigen Personalausweis.«

Gerührt studierte Fermín die neuen Papiere.

»Wie haben Sie dieses Wunder zustande gebracht?«

»Den technischen Teil ersparen wir Ihnen lieber.
Das Einzige, was zählt, ist, dass fast alles möglich ist,
wenn man einen echten Freund hat, der bereit ist, alles aufs Spiel und Himmel und Erde in Bewegung zu
setzen, damit Sie vorschriftsmäßig heiraten und Kinder in die Welt setzen können, um die Dynastie Romero de Torres weiterzuführen, Fermín«, sprach der
Professor.

Fermín schaute mich mit Tränen in den Augen an und umarmte mich so kräftig, dass ich zu ersticken glaubte. Es beschämt mich nicht, zu sagen, dass das einer der glücklichsten Momente meines Lebens war.

2

Nach anderthalb Stunden Musik, Trinken und dreistem Schwofen gestand ich mir eine Atempause zu und ging zur Theke, um etwas Alkoholfreies zu holen, da ich das Gefühl hatte, keinen weiteren Tropfen Rum mit Zitrone mehr hinunterzukriegen, offizieller Drink des Abends. Der Kellner schenkte mir ein Tafelwasser ein, und ich lehnte mich mit dem Rücken an die Theke und beobachtete das Treiben. Erst jetzt sah ich am anderen Ende des Tresens die Rociíto. Sie hielt ein Champagnerglas in den Händen und verfolgte mit melancholischem Ausdruck die Party, die sie auf die Beine gestellt hatte. Nach dem zu schließen, was mir Fermín erzählt hatte, musste sie kurz vor ihrem fünfunddreißigsten Geburtstag stehen, aber fast zwanzig Jahre im Geschäft hatten zahlreiche Spuren hinterlassen, und selbst in diesem bunten Schummerlicht wirkte die Königin der Calle Escudellers älter.

Ich trat zu ihr und lächelte sie an.

»Rociíto, Sie sind hübscher denn je«, schwindelte ich.

Sie hatte sich in ihre prächtigste Gala geworfen,

und man erkannte die Arbeit des besten Friseur-salons der Calle Conde del Asalto, und doch hatte ich den Eindruck, sie sei noch nie so traurig gewesen wie an diesem Abend.

»Geht es Ihnen gut, Rociíto?«

»Schauen Sie ihn sich an, bis auf die Knochen ab-gemagert und kriegt doch nicht genug vom Tanzen.«

Ihre Augen hingen an Fermín, und da wurde mir klar, dass sie in ihm nach wie vor den Helden sah, der sie aus den Klauen eines Bonsaimackers befreit hatte und vermutlich nach zwanzig Jahren Straßenarbeit der einzige Mann war, den kennenzulernen sich ge-lohnt hatte.

»Don Daniel, ich wollte es Fermín nicht sagen, aber ich geh morgen nicht zur Hochzeit.«

»Was sagst du da, Rociíto? Fermín hat dir einen Ehrenplatz reserviert …«

Sie schaute zu Boden.

»Ich weiß, aber ich kann nicht hingehen.«

»Warum denn?«, fragte ich, obwohl ich die Ant-wort ahnte.

»Weil es mir sehr weh tun würde, und ich will, dass Señor Fermín glücklich ist mit seiner Señora.«

Sie hatte zu weinen begonnen. Ich wusste nicht, was ich sagen sollte, und so umarmte ich sie.

»Ich habe ihn immer geliebt, wissen Sie. Seit ich ihn kennengelernt habe. Ich weiß schon, dass ich nicht die Frau bin für ihn, dass er mich sieht als …, nun, eben, als die Rociíto.«

»Fermín hat dich sehr lieb, das darfst du nie vergessen.«

Sie entzog sich mir und trocknete verschämt die Tränen ab. Dann lächelte sie und zuckte die Schultern.

»Verzeihen Sie, ich bin ein Dummchen, und wenn ich zwei Tropfen trinke, weiß ich nicht mehr, was ich sage.«

»Das macht doch nichts.«

Ich reichte ihr mein Glas Wasser, und sie ergriff es.

»Eines Tages merkt man, dass die Jugend vorbei ist und der Zug abgefahren, wissen Sie.«

»Es gibt immer wieder Züge. Immer.«

Die Rociíto nickte.

»Aus diesem Grund gehe ich nicht zur Hochzeit, Don Daniel. Vor einigen Monaten schon habe ich einen Herrn aus Reus kennengelernt. Ein guter Mensch, Witwer. Ein guter Vater. Er betreibt einen Schrotthandel, und immer wenn er nach Barcelona kommt, besucht er mich. Er hat um meine Hand angehalten. Keiner von uns beiden macht sich Illusionen, wissen Sie. Allein alt zu werden ist sehr hart, und ich weiß, dass ich nicht mehr den Körper habe, um weiter auf der Straße zu arbeiten. Jaumet, der Herr aus Reus, hat mich gebeten, mit ihm zu verreisen. Die Kinder sind bereits ausgeflogen, und er hat sein ganzes Leben lang gearbeitet. Er sagt, er will noch etwas von der Welt sehen, bevor er abtritt, und hat mich gebeten mitzukommen. Als seine Frau, nicht als Wegwerfhure. Das Schiff fährt morgen sehr früh. Jaumet sagt, ein Schiffskapitän hat die Befugnis, auf hoher See zu trauen, und sonst suchen wir uns in irgendeinem Hafen, den wir anlaufen, einen Geistlichen.«

»Weiß es Fermín?«

Als hätte er uns aus der Ferne gehört, blieb Fermín auf der Tanzfläche stehen und schaute zu uns rüber. Er streckte die Arme nach der Rociíto aus und setzte dieses liebebedürftige Trägheitsgesicht auf, mit dem er so viel Erfolg gehabt hatte. Die Rociíto lachte, schüttelte leise den Kopf, und bevor sie für ihren letzten Bolero zu der Liebe ihres Lebens auf die Tanzfläche ging, drehte sie sich um und sagte:

»Passen Sie gut auf ihn auf, Daniel. Fermín gibt es nur einen.«

Das Orchester hatte aufgehört zu spielen, und die Tanzfläche öffnete sich, um die Rociíto durchzulassen. Fermín nahm sie bei den Händen. Langsam ging in der Paloma das Licht aus; zwischen den Schatten wuchs ein Scheinwerfer und zeichnete mit seinem Strahl zu Füßen des Paars einen dunstigen Lichtkreis. Alle anderen traten zur Seite, und langsam setzte das Orchester mit dem traurigsten je komponierten Bolero ein. Fermín umschlang die Taille der Rociíto. Sich in die Augen schauend, fern von der Welt, tanzten die Geliebten dieses für immer verlorenen Barcelona zum letzten Mal in enger Umarmung. Als die

Musik verklang, küsste Fermín sie auf die Lippen, und die Rociíto streichelte in Tränen aufgelöst seine Wange und ging langsam auf den Ausgang zu, ohne sich zu verabschieden.

3

Das Orchester fing diesen Moment mit einer Guaracha auf, und Oswaldo Darío de Mortenssen, den das Liebesbriefeschreiben zum Melancholie-Enzyklopädiker gemacht hatte, ermunterte die Gäste, wieder die Tanzfläche einzunehmen, als wäre nichts geschehen. Fermín kam ein wenig niedergeschlagen zur Theke und setzte sich neben mich auf einen Hocker.

»Geht es Ihnen gut, Fermín?«

Er nickte schwach.

»Ich glaube, ein wenig frische Luft würde mir guttun, Daniel.«

»Warten Sie hier auf mich, ich hole unsere Mäntel.«

Wir spazierten durch die Calle Tallers auf die Ramblas zu, da erblickten wir etwa fünfzig Meter vor uns eine vertraute Gestalt, die langsam einherschritt.

»Aber Daniel, das ist doch Ihr Vater!«

»Wie er leibt und lebt. Stockbesoffen.«

»Das Letzte, was ich auf dieser Welt zu sehen erwartet hätte«, sagte Fermín.

»Und ich erst!«

Wir beschleunigten unsere Schritte, bis wir ihn eingeholt hatten. Als er uns erblickte, lächelte er uns aus glasigen Äuglein an.

»Wie spät ist es denn?«, fragte er.

»Sehr spät.«

»Das habe ich mir eben auch gedacht. Hören Sie, Fermín, ein fabelhaftes Fest. Und die Mädchen! Da gab es ja ein paar Hintern, die eine Kriegserklärung wert wären.«

Ich verdrehte die Augen. Fermín hakte meinen Vater unter und lenkte seine Schritte.

»Señor Sempere, ich hätte nie gedacht, dass ich einmal so etwas zu Ihnen sagen würde, aber Sie leiden an einer akuten Alkoholvergiftung und sagen besser nichts, was Sie später bereuen könnten.«

Mein Vater nickte, plötzlich beschämt.

»Das ist dieser verdammte Barceló, der mir weiß Gott was eingeflößt hat, und ich bin das Trinken nicht gewohnt …«

»Macht nichts. Jetzt schlucken Sie ein Natron, und dann schlafen Sie den Rausch aus. Morgen sind Sie wieder frisch wie eine Rose, und keiner erinnert sich mehr dran.«

»Ich glaube, ich muss mich übergeben.«

Wir hielten ihn fest, während der Ärmste alles von sich gab, was er getrunken hatte. Ich stützte seine von kaltem Schweiß bedeckte Stirn, und als klar war, dass außer Galle nichts mehr in ihm steckte, setzten wir ihn einen Augenblick auf die Stufen eines Hauseingangs.

»Atmen Sie tief und langsam ein und aus, Señor Sempere.«

Mein Vater nickte mit geschlossenen Augen. Fermín und ich wechselten einen Blick.

»Sagen Sie, wollten Sie nicht bald heiraten?«

»Morgen Nachmittag.«

»Na, dann meinen herzlichsten Glückwunsch.«

»Danke, Señor Sempere. Was meinen Sie, sind Sie so weit in der Lage, ganz allmählich nach Hause zu gehen?«

Mein Vater nickte.

»Los, nur Mut, es kann nichts mehr kommen.«

Ein frischer, trockener Wind wehte und weckte meinen Vater. Als wir zehn Minuten später in die Calle Santa Ana einbogen, war er wieder bei klarem Verstand und verzehrte sich beinahe vor Scham. Wahrscheinlich hatte er sich in seinem ganzen Leben nie betrunken.

»Davon bitte kein Wort zu niemandem«, flehte er uns an.

Etwa zwanzig Meter von der Buchhandlung entfernt sah ich jemanden im Hauseingang sitzen. Die große Lampe der Casa Jorba an der Ecke zur Puerta del Ángel zeichnete die Gestalt eines jungen Mädchens mit einem Koffer auf den Knien. Als sie uns sah, stand sie auf.

»Wir haben Gesellschaft«, murmelte Fermín.

Mein Vater hatte sie als Erster gesehen. Ich be-

merkte etwas Seltsames in seinem Gesicht, eine ange-
spannte Ruhe, die ihn befiel, als wäre er schlagartig
wieder nüchtern. Er ging auf das junge Mädchen zu,
blieb aber unversehens wie angewurzelt stehen.

»Isabella?«, hörte ich ihn sagen.

Ich befürchtete, der Alkohol trübe ihm weiterhin
den Verstand und gleich werde er auf offener Straße
zusammenbrechen, und ging einige Schritte voraus.
Da sah ich sie.

4

Sie war bestimmt nicht älter als siebzehn. Im Licht der Straßenlaterne lächelte sie schüchtern und deutete mit der Hand einen Gruß an.

»Ich bin Sofía«, sagte sie mit leichtem Akzent.

Mein Vater starrte sie sprachlos an, als habe er ein Gespenst gesehen. Ich schluckte und spürte, wie mir ein Schauer den Rücken hinunterlief. Dieses junge Mädchen war das lebende Ebenbild meiner Mutter, wie sie auf den Fotos im Sekretär meines Vaters zu sehen war.

»Ich bin Sofía«, wiederholte sie verwirrt. »Ihre Nichte. Aus Neapel …«

»Sofía«, stotterte mein Vater. »Ah, Sofía.«

Die Vorsehung wollte, dass Fermín bei uns war und die Zügel in die Hand nehmen konnte. Nachdem er mich mit einem Klaps aus dem Schrecken geweckt hatte, begann er dem jungen Mädchen auseinanderzusetzen, dass Señor Sempere ein klein wenig unpässlich sei.

»Wir kommen nämlich von einer Weinprobe, und der Ärmste wird schon nach einem Glas Vichywasser schläfrig. Beachten Sie ihn einfach nicht, Signorina, normalerweise wirkt er nicht so verdattert.«

Wir fanden die Eildepesche, die uns die Mutter des Mädchens, Tante Laura, geschickt und worin sie ihr Kommen angekündigt hatte; sie war während unserer Abwesenheit unter der Haustür durchgeschoben worden.

Oben in der Wohnung bettete Fermín meinen Vater aufs Sofa und hieß mich eine Kanne starken Kaffee machen. Inzwischen unterhielt er sich mit dem jungen Mädchen, erkundigte sich nach der Reise und warf allerhand Belanglosigkeiten hin, während mein Vater langsam ins Leben zurückkehrte.

Anmutig und mit einem charmanten Akzent erzählte uns Sofía, sie sei abends um zehn im Francia-Bahnhof angekommen. Dort habe sie ein Taxi zur Plaza de Cataluña genommen. Da niemand zu Hause gewesen sei, habe sie in einer nahen Kneipe Zuflucht gesucht, bis sie geschlossen habe. Danach habe sie sich zum Warten in den Hauseingang gesetzt und gehofft, irgendwann werde schon jemand kommen. Mein Vater erinnerte sich zwar an den Brief, in dem ihre Mutter ihr Eintreffen angekündigt hatte, aber so bald habe er sie nicht erwartet.

»Es tut mir sehr leid, dass du auf der Straße hast ausharren müssen«, sagte er. »Sonst gehe ich nie aus, aber heute war Fermíns Junggesellenabschied …«

Sofía war entzückt von der Nachricht, und sie stand auf, um Fermín einen Kuss auf die Stirn zu drücken. Der hatte sich zwar aus dem Kampfgetümmel zurückgezogen, konnte jedoch dem Impuls nicht widerstehen, sie auf der Stelle zur Hochzeit einzuladen.

Als wir eine halbe Stunde geplaudert hatten, kam Bea vom Junggesellinnenabschied der Bernarda zurück, hörte im Treppenhaus Stimmen aus der Wohnung und klopfte an. Beim Betreten des Esszimmers erblickte sie Sofía, wurde weiß und warf mir einen Blick zu.

»Das ist meine Cousine Sofía aus Neapel«, verkündete ich. »Sie ist zum Studieren nach Barcelona gekommen und wird eine Zeitlang hier wohnen …«

Bea versuchte ihre Beunruhigung zu verbergen und begrüßte sie vollkommen unbefangen.

»Das ist meine Frau Beatriz.«

»Bea, bitte. Keiner nennt mich Beatriz.«

Zeit und Kaffee machten Sofías Anwesenheit allmählich zur Selbstverständlichkeit, und nach einer Weile fand Bea, die Arme sei bestimmt erschöpft und gehe wohl am besten schlafen, morgen sei auch wieder ein Tag, wenn auch ein Hochzeitstag. Es wurde beschlossen, sie in meinem ehemaligen Kinderzimmer unterzubringen, und nachdem er sich vergewissert hatte, dass mein Vater nicht erneut ins Koma fallen würde, brachte Fermín ihn ebenfalls zu Bett. Bea versicherte Sofía, sie werde ihr für die Zeremonie eins ihrer Kleider überlassen, und als Fermín, dem man den Rum aus zwei Meter Entfernung anroch, eine unangebrachte Bemerkung über Ähnlichkeit und

Verschiedenheit von Figur und Kleidergrößen machen wollte, brachte ich ihn mit dem Ellbogen zum Schweigen.

Von der Konsole her betrachtete uns ein Hochzeitsfoto meiner Eltern. Wir saßen zu dritt im Esszimmer und schauten es an und konnten uns nicht von unserem Staunen erholen.

»Wie ein Ei dem anderen«, murmelte Fermín.

Bea sah mich von der Seite an und versuchte meine Gedanken zu erraten. Sie nahm meine Hand und machte ein heiteres Gesicht, um das Gespräch in andere Bahnen zu lenken.

»Na, wie war denn das Gelage?«, fragte sie.

»Züchtig«, versicherte Fermín. »Und das der Damen?«

»Keine Spur von züchtig.«

Fermín sah mich ernst an.

»Ich sag ja immer, in solchen Dingen sind Frauen sehr viel ausschweifender als wir.«

Bea lächelte rätselhaft.

»Wen nennen Sie ausschweifend, Fermín?«

»Verzeihen Sie den unverzeihlichen Ausrutscher, Doña Beatriz, da spricht der Rum mit Zitrone, der in meinen Adern fließt und mich Unsinn reden lässt. Sie sind bei Gott ein Muster an Tugend und Feinheit, und meine Unbedeutendheit möchte eher verstummen und die restlichen Tage wortlos büßend in einer Kartäuserzelle verbringen, als auch nur von fern den

Anschein von Ausschweiflichkeit Ihrerseits anzudeuten.«

»Daraus wird nichts«, sagte ich.

»Lassen wir das Thema besser«, fiel uns Bea ins Wort und sah uns an wie zwei Lausebengel. »Und jetzt werdet ihr ja vermutlich den traditionellen Vorhochzeitsspaziergang auf den Wellenbrecher unternehmen.«

Fermín und ich schauten uns an.

»Los, geht schon. Ich würde euch raten, morgen pünktlich in der Kirche zu erscheinen …«

5

Das einzige Lokal, das zu dieser Stunde noch auf-
hatte, war das Xampanyet in der Calle Montcada.
Offenbar riefen wir einen äußerst bemitleidenswer-
ten Eindruck hervor, denn man ließ uns eine Weile
bleiben, während saubergemacht wurde. Beim Schließen drückte der Wirt Fermín angesichts der Nachricht, dass er in wenigen Stunden ein verheirateter
Mann wäre, sein Beileid aus und schenkte uns eine
Flasche der hauseigenen Medizin.

»Augen zu und durch!«, riet er.

Wir streiften durch die Gassen des Viertels und
hämmerten wie immer die Welt zurecht, bis sich der
Himmel zage purpurn färbte – Zeit, dass der Bräutigam und sein Trauzeuge, also ich, sich auf den Wellenbrecher setzten, um einmal mehr vor der größten
Fata Morgana der Welt die Morgendämmerung zu
begrüßen, vor dem Barcelona, das sich beim Aufwa-
chen im Hafenwasser spiegelte.

Die Beine von der Mole baumeln lassend, tranken
wir aus der Flasche, die man uns im Xampanyet ge-

schenkt hatte. Zwischen zwei Schlucken betrachteten wir schweigend die Stadt und verfolgten den Flug eines Möwenschwarms über der Kuppel der Mercè-Kirche, der dann einen Bogen zwischen den Türmen des Postgebäudes zeichnete. In der Ferne erhob sich auf dem Montjuïc düster das Kastell wie ein geisterhafter Vogel, lauernd die Stadt zu seinen Füßen beobachtend.

Das Nebelhorn eines Schiffs durchbrach die Stille, und wir sahen auf der anderen Seite des nationalen Hafenbeckens einen großen Kreuzer die Anker lichten, um in See zu stechen. Das Schiff löste sich von der Mole und drehte mit einem Propellerschub, der im Hafenwasser eine breite Kielspur hinterließ, den Bug der Hafeneinfahrt zu. Dutzende Passagiere waren an Deck gekommen und winkten. Ich fragte mich, ob sich unter ihnen auch die Rociíto und ihr schmucker rüstiger Schrotthändler aus Reus befanden. Nachdenklich schaute Fermín dem Schiff nach.

»Glauben Sie, die Rociíto wird glücklich werden, Daniel?«

»Und Sie, Fermín? Werden Sie glücklich sein?«

Wir sahen, wie sich das Schiff entfernte und die Gestalten immer kleiner und dann unsichtbar wurden.

»Fermín, da gibt es etwas, was ich gern wüsste. Warum hat Ihnen niemand ein Hochzeitsgeschenk machen dürfen?«

»Ich mag die Leute nicht in Verlegenheit bringen. Und zudem – was sollten wir mit einer Gläser- und

Löffelchengarnitur mit eingraviertem Spanienwappen und solchem Zeug anfangen?«

»Mir macht es jedenfalls Spaß, Ihnen etwas zu schenken.«

»Sie haben mir schon das größte Geschenk gemacht, das man sich vorstellen kann, Daniel.«

»Das zählt nicht. Ich spreche von einem Geschenk für den persönlichen Gebrauch und Genuss.«

Fermín sah mich neugierig an.

»Es wird doch nicht etwa eine Muttergottes aus Porzellan oder ein Kruzifix sein? Die Bernarda hat schon eine ganze Sammlung davon, so dass ich gar nicht mehr weiß, wo wir uns hinsetzen sollen.«

»Keine Bange. Es ist kein Gegenstand.«

»Aber doch nicht etwa Geld …«

»Sie wissen ja, dass ich leider keinen Cent habe. Der mit dem Kapital ist mein Schwiegervater, und der macht nichts locker.«

»Diese Spätfranquisten kleben an ihrem Geld wie die Schuppen von Kiefernzapfen aneinander.«

»Mein Schwiegervater ist ein guter Mensch, Fermín. Legen Sie sich nicht mit ihm an.«

»Ziehen wir einen Schleier davor, aber wechseln Sie jetzt nicht das Thema, wo Sie mir schon den Speck durch den Mund gezogen haben. Was für ein Geschenk denn?«

»Raten Sie.«

»Ein Posten Sugus.«

»Kalt, kalt …«

Fermín zog die Brauen in die Höhe und starb fast vor Neugier. Plötzlich begannen seine Augen zu leuchten.

»Nein … Es wurde aber auch Zeit.«

Ich nickte.

»Alles im gegebenen Moment. Jetzt hören Sie mir gut zu. Was Sie heute sehen werden, dürfen Sie niemandem erzählen, Fermín. Niemandem …«

»Auch nicht der Bernarda?«

6

Das erste Sonnenlicht des Tages glitt wie flüssiges Kupfer über die Gesimse der Rambla de Santa Mónica. Es war Sonntagmorgen, und die Straßen lagen still und verlassen da. Als wir in die schmale Calle del Arco del Teatro einbogen, erlosch mit unseren Schritten allmählich der grauenerregende Lichtstrahl von den Ramblas her, und sowie wir vor dem großen Holzportal standen, waren wir schon in eine Schattenstadt getaucht.

Ich stieg die paar Stufen hinan und ließ den Türklopfer niederfallen. Langsam wie die Wellen auf einem Teich verlor sich das Echo im Inneren. Fermín, in respektvolles Schweigen versunken wie ein Junge, der kurz vor seinem ersten religiösen Zeremoniell steht, schaute mich ängstlich an.

»Ist es nicht doch sehr früh, um anzuklopfen?«, fragte er. »Da wird der Chef sicher sauer.«

»Das ist nicht das Warenhaus El Siglo. Es gibt keine Öffnungszeiten«, beruhigte ich ihn. »Und der Chef heißt Isaac. Sagen Sie nichts, ehe er Sie fragt.«

Er nickte gehorsam.

»Ich sage keinen Piep.«

Zwei Minuten später vernahm ich das Ballett der Räderwerke, Rollen und Hebel, mit denen das Schloss gesteuert wurde, und ging die Stufen wieder hinunter. Das Tor öffnete sich nur eben eine Handbreit, und es erschien das Adlergesicht des Aufsehers Isaac Monfort mit seinem gewohnt beißenden Blick. Seine Augen ruhten zuerst auf mir, glitten dann über Fermín und röntgten, katalogisierten und durchbohrten diesen schließlich gewissenhaft.

»Das muss der berühmte Fermín Romero de Torres sein«, brummelte er.

»Zu Diensten – Ihnen, Gott und …«

Ich stieß ihm den Ellbogen in die Rippen, um ihn zum Schweigen zu bringen, und lächelte dem gestrengen Aufseher zu.

»Guten Tag, Isaac.«

»Gut wird der Tag sein, an dem Sie einmal nicht in aller Herrgottsfrühe anklopfen, wenn ich auf dem WC sitze, oder an einem gebotenen Feiertag, Sempere«, erwiderte Isaac. »Los, rein mit Ihnen.«

Er öffnete das Portal um eine weitere Handbreit, so dass wir hineinschlüpfen konnten. Als die Tür hinter uns zuging, hob Isaac die Öllampe vom Boden, und Fermín konnte die mechanische Arabeske dieses Schlosses studieren, das sich in sich selbst zusammenklappte wie die Eingeweide der größten Uhr der Welt.

»Da hätte es ein Dieb nicht leicht«, warf er hin.

Ich bedachte ihn mit einem mahnenden Blick, und rasch hielt er sich den Finger auf den Mund.

»Ausleihen oder zurückbringen?«, fragte Isaac.

»Eigentlich wollte ich Fermín schon lange herbringen, damit er diesen Ort persönlich kennenlernt, von dem ich ihm so viel erzählt habe. Er ist mein bester Freund und heiratet heute Mittag«, erklärte ich.

»Um Gottes willen«, sagte Isaac. »Der Ärmste. Sind Sie sicher, dass ich Ihnen hier nicht Hochzeitsasyl gewähren soll?«

»Fermín gehört zu denen, die aus Überzeugung heiraten, Isaac.«

Der Aufseher musterte ihn von oben bis unten. Fermín beantwortete diese Dreistigkeit mit einem entschuldigenden Lächeln.

»Wie mutig.«

Er führte uns durch den breiten Gang zur Öffnung der Galerie, die in den großen Saal mündete. Ich ließ Fermín ein paar Schritte vorausgehen, damit seine Augen diese mit Worten nicht zu beschreibende Vision selbst entdeckten.

Seine winzige Silhouette tauchte in das große Lichtbündel, das von der Glaskuppel oben herabfiel. Wie ein gischtender Wasserfall stürzte die Helligkeit auf die Winkel des großen Labyrinths aus Gängen, Tunnels, Treppen, Bögen und Gewölben, die aus dem Boden zu sprießen schienen gleich einem riesigen Baumstamm aus Büchern, der sich in einer unmöglichen Geometrie zum Himmel hin öffnete. Fermín blieb am Anfang eines Laufstegs stehen, der wie eine Brücke in die Basis der Struktur hineinführte, und betrachtete offenen Mundes das Schauspiel. Leise trat ich zu ihm und legte ihm die Hand auf die Schulter.

»Willkommen im Friedhof der Vergessenen Bücher, Fermín.«

7

Wenn jemand den Friedhof der Vergessenen Bücher entdeckte – so meine persönliche Erfahrung –, war seine Reaktion Verzauberung und Staunen. Die Schönheit und das Geheimnisvolle des Orts weckten im Besucher Stille, Kontemplation und Traumversunkenheit. Es war klar, dass es bei Fermín anders sein musste. Die erste halbe Stunde war er hypnotisiert, stürmte wie ein Besessener durch die Innereien des großen Puzzles, aus dem das Labyrinth bestand. Immer wieder klopfte er auf Strebepfeiler und Säulen, als zweifle er an ihrer Festigkeit. Er hielt sich bei Winkeln und Perspektiven auf, formte die Hände zum Fernglas und versuchte die Logik des Aufbaus zu ergründen. Beim Durchwandern der Bibliotheksspirale hielt er mit seiner beachtlichen Nase einen Zentimeter Abstand zu den zahllosen, in unendlichen Wegen aufgereihten Buchrücken, suchte Titel und katalogisierte alles, woran er vorbeikam. Beunruhigt bis besorgt folgte ich ihm mit wenigen Schritten Abstand.

Inzwischen war ich mir sicher, dass uns Isaac hoch-

kant hinauswürfe, als ich auf einer der zwischen Bü-
chergewölben hängenden Brücken auf ihn stieß. Zu
meiner Überraschung war auf seinem Gesicht nicht
nur nicht das geringste Anzeichen von Irritation zu
lesen, sondern Fermíns Fortschritte bei der ersten
Erforschung des Friedhofs der vergessenen Bücher
brachten ihn zum Lächeln.

»Ihr Freund ist ein rechter Kauz«, sagte er.

»Das kann man wohl sagen.«

»Keine Sorge, er soll sich nach Lust und Laune bewegen, er kommt dann schon wieder von der Wolke
herunter.«

»Und wenn er sich verirrt?«

»Der ist clever, wie ich sehe. Er wird sich zu helfen
wissen.«

Mir war das nicht ganz geheuer, aber ich mochte
Isaac nicht widersprechen. Ich begleitete ihn zu seinem Büro und schlug die Tasse Kaffee nicht aus, die
er mir anbot.

»Haben Sie Ihrem Freund die Regeln schon beigebracht?«

»Fermín und Regeln sind zwei Begriffe, die nicht
in denselben Satz passen. Aber ich habe ihm das
Grundsätzliche resümiert, und er hat mit einem über-
zeugten ›Aber natürlich, wofür halten Sie mich?‹ geantwortet.«

Während mir Isaac Kaffee nachschenkte, betrachtete ich verstohlen ein Foto seiner Tochter Nuria
über dem Schreibtisch.

»Bald sind es zwei Jahre her, seit sie uns verlassen hat«, sagte er mit einer Trauer, die in die Luft schnitt.

Bedrückt schaute ich zu Boden. Es könnten auch hundert Jahre vergehen, und Nuria Monforts Tod würde in meiner Erinnerung ebenso überdauern wie die Gewissheit, dass sie vielleicht noch am Leben wäre, wenn sie mich nie kennengelernt hätte. Isaac liebkoste das Bild mit dem Blick.

»Ich werde alt, Sempere. Es wird allmählich Zeit, dass jemand meinen Platz einnimmt.«

Eben wollte ich dagegen Protest erheben, als mit gehetztem Gesichtsausdruck Fermín eintrat, so keuchend, als hätte er soeben einen Marathonlauf absolviert.

»Na?«, sagte Isaac. »Wie finden Sie's?«

»Herrlich. Obwohl ich feststelle, dass es keine Toilette gibt. Wenigstens nicht in Sichtweite.«

»Ich hoffe, Sie haben nicht in eine Ecke gepinkelt.«

»Mit übermenschlicher Anstrengung habe ich es bis hierher geschafft.«

»Die Tür hier links. Sie müssen zweimal spülen, beim ersten Mal klappt's nie.«

Während Fermín seinen Urin abschlug, schenkte ihm Isaac eine dampfende Tasse ein.

»Ich habe eine ganze Reihe Fragen, die ich Ihnen gern stellen würde, Don Isaac.«

»Fermín, ich glaube nicht, dass ...«

»Nur zu, fragen Sie.«

»Der erste Block hat mit der Geschichte dieses

Orts zu tun. Der zweite ist technischer und architektonischer Natur. Und der dritte grundsätzlich bibliographisch …«

Isaac lachte. Ich hatte ihn mein Lebtag noch nie lachen sehen und wusste nicht, ob das ein Zeichen des Himmels oder die Ankündigung einer drohenden Katastrophe war.

»Zuerst werden Sie das Buch aussuchen müssen, das Sie retten wollen.«

»Ich habe ein paar ins Auge gefasst, dann habe ich mir aber erlaubt, das da zu wählen, und sei es nur aus sentimentalen Gründen.«

Er zog einen in rotes Leder gebundenen Band mit Relief-Goldprägung und dem Stich eines Totenkopfs auf dem Umschlag aus der Tasche.

»Oho, *Die Stadt der Verdammten, dreizehnte Episode: Daphne und die unmögliche Treppe*, von David Martín …«, las Isaac.

»Ein alter Freund«, erklärte Fermín.

»Was Sie nicht sagen. Denken Sie nur, es gab eine Zeit, wo ich ihn oft hier sah.«

»Das muss vor dem Bürgerkrieg gewesen sein«, bemerkte ich.

»Nein, nein, einige Zeit danach.«

Fermín und ich schauten uns an. Ich fragte mich, ob Isaac tatsächlich recht hatte damit, dass er langsam zu alt war für seine Stelle.

»Ich möchte Ihnen ja nicht widersprechen, Chef, aber das ist unmöglich«, sagte Fermín.

»Unmöglich? Sie werden sich deutlicher ausdrücken müssen.«

»David Martín ist vor dem Bürgerkrieg aus dem Land geflohen«, erklärte ich. »Anfang 1939, gegen Ende der Kampfhandlungen, kam er über die Pyrenäen zurück und wurde nach wenigen Tagen in Puigcerdá verhaftet. Er hat bis weit ins Jahr 1940 hinein im Gefängnis gesessen, und dann wurde er umgebracht.«

Isaac schaute uns verdutzt an.

»Sie dürfen ihm glauben, Chef«, beteuerte Fermín. »Unsere Quellen sind glaubwürdig.«

»Ich kann Ihnen versichern, dass David Martín hier auf diesem Stuhl gesessen hat wie jetzt Sie, Sempere, und dass wir uns eine Weile unterhalten haben.«

»Sind Sie sicher, Isaac?«

»Ich bin mir in meinem ganzen Leben keiner Sache so sicher gewesen. Ich erinnere mich deshalb, weil ich ihn seit Jahren nicht mehr gesehen hatte. Er war übel zugerichtet und sah krank aus.«

»Können Sie sich noch an das Datum erinnern?«

»Ganz genau. Es war die letzte Nacht des Jahres 1940. Silvester. Da sah ich ihn zum letzten Mal.«

Fermín und ich verloren uns in Rechnereien.

»Das bedeutet, dass dieser Gefängniswärter, Bebo, recht hatte mit dem, was er Brians erzählte. In der Nacht, in der Valls ihn in das alte Haus beim Park Güell fahren und umbringen ließ … Bebo erzählte, nachher habe er die beiden Typen sagen hören, etwas sei dort geschehen, es sei noch jemand in dem Haus gewesen … Jemand, der Martíns Tod verhindern konnte …«, phantasierte ich.

Bestürzt hörte sich Isaac diese krause Geschichte an.

»Wovon sprechen Sie? Wer wollte Martín umbringen?«

»Das ist eine lange Geschichte«, sagte Fermín. »Mit tonnenweise Randbemerkungen.«

»Da bin ich ja gespannt, ob Sie sie mir eines Tages erzählen …«

»Hatten Sie den Eindruck, Martín sei bei klarem Verstand gewesen, Isaac?«, fragte ich.

Der alte Aufseher zuckte die Schultern.

»Bei Martín wusste man nie … Dieser Mann hatte eine gequälte Seele. Als er ging, wollte ich ihn zum Zug begleiten, aber er sagte, draußen warte ein Auto auf ihn.«

»Ein Auto?«

»Nichts weniger als ein Mercedes-Benz. Eigentum eines Mannes, den er als den Patron bezeichnete und der ihn offenbar vor der Tür erwartete. Doch als ich mit ihm hinausging, war da weder ein Auto noch ein Patron, noch sonst was …«

»Nehmen Sie es mir nicht übel, Chef, aber an Silvester und in Feierstimmung, könnte es da nicht sein, dass Sie mit dem Wein und Champagner etwas über die Stränge geschlagen haben und sich, betäubt durch die Weihnachtslieder und den hohen Zuckergehalt des Jijona-Turrons, all das nur eingebildet haben?«, forschte Fermín.

»Was das Kapitel Kohlensäure betrifft, so trinke ich nur Limonade, und der billigste Fusel, den ich hier habe, ist eine Flasche Wasserstoffperoxid«, stellte er klar, ganz offensichtlich nicht beleidigt.

»Entschuldigen Sie die Nachfrage. Reine Formalität.«

»Ja. Aber Sie dürfen mir glauben, wenn ich Ihnen sage, dass – außer der Besucher jener Nacht war ein Geist, was ich nicht glaube, denn er blutete aus einem Ohr, und seine Hände zitterten, und überdies klaute er mir aus der Speisekammer den ganzen Würfelzucker – Martín so lebendig war wie Sie beide und ich.«

»Und er hat nicht gesagt, wozu er nach so langer Zeit herkam?«

Isaac nickte.

»Er sagte, er wolle etwas hierlassen, was er wiederholen werde, sobald er könne. Er selbst oder jemand, den er dann schicke …«

»Und was hat er dagelassen?«

»Ein verschnürtes Paket. Ich weiß nicht, was drin war.«

Ich schluckte.

»Und haben Sie es noch?«, fragte ich.

8

Das aus dem hintersten Winkel eines Schranks ge-
klaubte Paket lag auf Isaacs Schreibtisch. Als ich mit
dem Finger darüberstrich, stieg eine Staubwolke auf,
deren Partikel im Licht von Isaacs Öllampe links von
mir zu brennen schienen. Zu meiner Rechten packte
Fermín sein Federmesser aus und reichte es mir. Alle
drei schauten wir uns an.

»Lassen wir uns also überraschen«, sagte Fermín.

Ich durchschnitt mit dem Messer die Schnur und
blätterte vorsichtig das Packpapier auf, bis der Inhalt
sichtbar wurde. Ein Manuskript. Die Seiten waren
schmutzig, voller Wachs- und Blutspuren. Die erste
Seite zeigte den in diabolischer Schrift gezeichneten
Titel.

Das Spiel des Engels
Von David Martín

»Das ist das Buch, das er geschrieben hat, als er im
Turm eingesperrt war«, flüsterte ich. »Bebo hat es
ganz offensichtlich gerettet.«

»Darunter ist noch was, Daniel …«, sagte Fermín. Eine Pergamentecke lugte unter dem Manuskriptpacken hervor. Ich zog daran, und es erschien ein Umschlag, der mit einem scharlachroten Engel versiegelt war. Auf der Vorderseite ein einziges Wort in roter Tinte:

Daniel

Ich spürte, wie Kälte in meine Hände drang. Isaac, erstaunt und fassungslos, zog sich still zur Schwelle zurück, gefolgt von Fermín.

»Daniel«, sagte dieser sanft, »wir lassen Sie in Frieden, damit Sie in aller Ruhe und Ungestörtheit das Kuvert öffnen können.«

Ihre Schritte entfernten sich langsam, und ich konnte eben noch den Anfang ihres Gesprächs aufschnappen.

»Hören Sie, Chef, ob dieser ganzen Aufregung habe ich ganz vergessen, zu sagen, dass ich vorhin, als ich hereinkam, nicht umhinkonnte, Sie sagen zu hören, Sie hätten Lust, in Pension zu gehen und die Stelle aufzugeben.«

»So ist es. Ich habe schon viele Jahre hier verbracht. Warum?«

»Nun, sehen Sie, ich weiß, dass wir uns sozusagen eben erst kennengelernt haben, aber vielleicht wäre ich daran interessiert …«

Die Stimmen der beiden verloren sich in den Echos des labyrinthischen Friedhofs der vergessenen Bücher. Ich setzte mich in den Sessel des Aufsehers und brach das Lacksiegel. Der Umschlag enthielt ein zusammengefaltetes ockerfarbenes Blatt. Ich faltete es auseinander und begann zu lesen.

Barcelona, 31. Dezember 1940

Lieber Daniel,

ich schreibe diese Worte in der Hoffnung und Überzeugung, dass du eines Tages diesen Ort entdeckst, den Friedhof der Vergessenen Bücher, einen Ort, der mein Leben verändert hat, wie er, da bin ich überzeugt, auch deines verändern wird. Diese selbe Hoffnung lässt mich glauben, dass dir vielleicht einmal, wenn ich nicht mehr da bin, jemand von mir erzählt und von der Freundschaft, die mich mit deiner Mutter verbunden hat. Ich weiß, dass dich, falls du überhaupt einmal diese Worte liest, viele Fragen und Zweifel beschäftigen werden. Einige Antworten darauf wirst du in diesem Manuskript finden, in dem ich meine Geschichte zu gestalten versucht habe, wie ich sie in Erinnerung habe, im Wissen, dass die Tage meiner geistigen Klarheit gezählt sind und dass ich oft nur noch imstande bin, mich an das zu erinnern, was niemals geschehen ist.

Ich weiß auch, dass, wenn du diesen Brief be-

kommst, die Zeit allmählich die Spuren dessen getilgt hat, was geschehen ist. Ich weiß, dass du Verdächtigungen hegst und dass du, wenn du die Wahrheit über die letzten Tage deiner Mutter erfährst, Wut und Rachedurst mit mir teilen wirst. Man sagt, dass der Kluge und Gerechte Verzeihung übt, aber ich weiß, dass ich das nie werde tun können. Meine Seele ist schon verdammt und hat keine Aussicht auf Rettung. Ich weiß, dass ich mit jedem Atemzug, der mir auf dieser Welt noch bleibt, versuchen werde, Isabellas Tod zu rächen. Das ist mein Schicksal, nicht jedoch das deine.

Deine Mutter hätte dir um keinen Preis ein Leben wie meines gewünscht. Sie hätte dir ein erfülltes Leben ohne Hass und Groll gewünscht. Ihretwegen bitte ich dich, diese Geschichte zu lesen und sie, wenn du zu Ende bist, zu vernichten, alles zu vergessen, was du über eine Vergangenheit gehört haben magst, die es nicht mehr gibt, dein Herz vom Zorn zu reinigen und das Leben zu leben, das dir deine Mutter geben wollte, immer vorausblickend.

Und wenn du eines Tages, vor ihrem Grab kniend, spürst, dass sich das Feuer der Wut deiner bemächtigen will, denk daran, dass es in meiner Geschichte ebenso wie in deiner einen Engel gegeben hat, der alle Antworten kennt.

Dein Freund

David Martín

Mehrmals las ich die Worte, die mir David Martín durch die Zeit hindurch schickte, Worte, die für mich voller Reue und Verrücktheit waren, Worte, die ich nicht zur Gänze verstehen konnte. Einige Augenblicke hielt ich den Brief in den Händen, und dann übergab ich ihn der Flamme der Öllampe und sah ihm beim Brennen zu.

Ich fand Fermín und Isaac vor dem Eingang zum Labyrinth, plaudernd wie alte Freunde. Als sie mich kommen sahen, verstummten sie und schauten mich erwartungsvoll an.

»Was in diesem Brief stand, geht nur Sie etwas an, Daniel. Es gibt keinen Grund, uns irgendetwas zu erzählen.«

Ich nickte. Durch die Mauern war schwach das Echo von Glockenschlägen zu hören. Isaac sah uns an und schaute auf seine Uhr.

»Sagen Sie, wollten Sie heute nicht zu einer Hochzeit?«

9

Die Braut war ganz in Weiß, und obwohl sie kein großes Geschmeide oder sonstigen Schmuck trug, hat es in der Geschichte keine Frau gegeben, die in den Augen des Bräutigams schöner war als die Bernarda an diesem strahlenden Tag Anfang Februar auf dem Vorplatz der Santa-Ana-Kirche. Don Gustavo Barceló, der so ziemlich sämtliche Blumen Barcelonas aufgekauft hatte, um damit den Kircheneingang zu überschwemmen, weinte wie ein Schlosshund, und der Pfarrer, Freund des Bräutigams, überraschte uns alle mit einer glanzvollen Predigt, die selbst Bea, sonst nicht so leicht weichzukriegen, zu Tränen rührte.

Mir wären um ein Haar die Ringe aus der Hand gefallen, aber alles war vergangen und vergessen, als der Geistliche Fermín nach allen Vorreden aufforderte, die Braut zu küssen. Da wandte ich mich einen Augenblick um und glaubte in der letzten Bankreihe eine Gestalt zu sehen, einen Unbekannten, der mich lächelnd ansah. Ich könnte nicht sagen, warum, doch einen Moment lang war ich mir absolut sicher, dass dieser Fremde niemand anders war als der Gefangene des Himmels. Beim nächsten Hinschauen war er jedoch nicht mehr da. Fermín neben mir umarmte die Bernarda kräftig und drückte ihr unbefangen einen Kuss auf die Lippen, der eine vom Geistlichen angeführte Ovation auslöste.

Als ich an diesem Tag meinen Freund die geliebte Frau küssen sah, dachte ich, dieser der Zeit und Gott abgestohlene Augenblick wiege sämtliche Tage des Elends auf, die uns dahin gebracht hatten, und ebenso viele weitere, die uns sicherlich erwarteten, wenn wir hinaus- und ins Leben zurückgingen, und alles Anständige und Reine und Unverfälschte dieser Welt und alles, dessentwegen sich das Weiteratmen lohnte, befinde sich auf diesen Lippen, in diesen Händen und im Blick dieser beiden Glücklichen, die, das wusste ich, bis ans Ende ihrer Tage zusammenbleiben würden.

Epilog

1960

Ein junger Mann mit gerade mal ein paar grauen Haaren und einem Schatten im Blick geht in der Mittagssonne unter einem das Meeresblau verschmelzenden Himmel zwischen den Grabsteinen hindurch.

Auf dem Arm trägt er einen kleinen Jungen, der zwar nicht alle seine Worte verstehen kann, aber lächelt, wenn seine Augen denen des Vaters begegnen. Sie treten vor ein bescheidenes Grab, etwas abseits, auf einer über dem Mittelmeer schwebenden Balustrade. Der Mann kniet nieder, so dass der Sohn in seinen Armen mit dem Finger über die in den Stein gehauenen Buchstaben streichen kann.

ISABELLA SEMPERE
1917–1939

Der Mann verharrt eine Weile reglos in dieser Haltung, die Lider zusammengepresst, um die Tränen zurückzuhalten.

Die Stimme seines Sohnes holt ihn in die Gegenwart zurück, und wie er die Augen öffnet, sieht er, dass der Junge auf eine kleine Figur deutet, die im Schatten eines Glasgefäßes vor dem Grab zwischen den dürren Blütenblättern hervorschaut. Er ist sicher, dass sie noch nicht da war, als er das letzte Mal das Grab besuchte. Seine Hand tastet zwischen den Blumen und zieht eine Gipsstatuette hervor, so klein, dass sie in einer Faust Platz hat. Ein Engel. Die schon vergessen geglaubten Worte gehen in seinem Gedächtnis auf wie eine alte Wunde.

Und wenn du eines Tages, vor ihrem Grab kniend, spürst, dass sich das Feuer der Wut deiner bemächtigen will, denk daran, dass es in meiner Geschichte ebenso wie in deiner einen Engel gegeben hat, der alle Antworten kennt.

Der kleine Junge versucht das Engelsfigürchen in der Hand seines Vaters zu erhaschen und stößt es mit den Fingern unabsichtlich zu Boden. Auf dem Marmor zerschellt die Statuette. Da sieht er es. Ein winziges, im Gips verborgenes Zettelchen zwischen den Scherben. Das Papier ist fein, fast durchsichtig. Er entrollt es und erkennt die Schrift sogleich:

Mauricio Valls
El Pinar
Calle de Manuel Arnús
Barcelona

Vom Meer her steigt die Brise zu den Grabsteinen empor, und der Hauch eines Fluchs streicht ihm übers Gesicht. Er steckt das Zettelchen ein. Dann legt er eine weiße Rose aufs Grab und geht mit dem Kind in den Armen zu der Zypressengalerie zurück, wo ihn die Mutter seines Sohnes erwartet. Die drei verschmelzen in einer Umarmung, und als sie ihm in die Augen schaut, entdeckt sie darin etwas, was vor einigen Augenblicken noch nicht da war. Etwas Trübes, Dunkles, das ihr Angst macht.

»Geht es dir gut, Daniel?«

Er schaut sie lange an und lächelt.

»Ich liebe dich«, sagt er und küsst sie. Er weiß, dass die Geschichte, seine Geschichte, noch nicht zu Ende ist.

Sie hat eben erst angefangen.

Carlos Ruiz Zafón

Carlos Ruiz Zafón wurde 1964 in Barcelona geboren und lebt heute in Los Angeles. Mit ›Der Schatten des Windes‹ und ›Das Spiel des Engels‹ begeisterte er ein Millionenpublikum auf der ganzen Welt. ›Der Gefangene des Himmels‹ ist der dritte Roman in der großen Barcelona-Tetralogie um den Friedhof der Vergessenen Bücher und die Buchhändler Sempere & Söhne. Auch ›Marina‹, der Roman, den er kurz vor den großen Barcelona-Romanen schuf, stand wochenlang auf der *Spiegel*-Bestsellerliste. Seine ersten Erfolge feierte Carlos Ruiz Zafón mit den drei phantastischen Schauerromanen ›Der dunkle Wächter‹, ›Der Fürst des Nebels‹ und ›Mitternachtspalast‹, die bei Fischer FJB erschienen sind.

Über Carlos Ruiz Zafón

»Carlos Ruiz Zafón ist ein Meister darin, eine Atmosphäre und Spannung zu erzeugen, deren sich kaum ein Leser entziehen kann.«
Tobias Schwarz, Deutschlandradio

»Wer Illusionen erzeugen will, der muss sein Handwerk beherrschen, und Carlos Ruiz Zafón ist ein Profi.«
Sieglinde Geisel, NZZ am Sonntag

»Carlos Ruiz Zafón schreibt nicht nur rasant, sondern auch mit einer gewissen großspurigen Eleganz.«
Burkhard Müller, Süddeutsche Zeitung

»Zafóns Dialoge sind oft amüsant, ja geistreich, und die parodistische Distanz des Autors zu seinen eigenen Erfindungen ist nicht zu übersehen. Vor allem jedoch treffen diese gehobenen Schauergeschichten einen Ton, der Millionen Leser in aller Welt nach mehr verlangen lässt.«
Kristina Maidt-Zinke, Die Zeit

»Carlos Ruiz Zafón schafft es immer wieder, seinen Lesern Schauer über den Rücken zu jagen.«
Frankfurter Rundschau

»Ein Meister der Spannung.«
Patric Seibel, NDR-Info

»Wer Schauer- und Fantasyromane der klassischen Art liebt, kommt bei Ruiz Zafón voll auf seine Kosten.«
Verena Specks-Ludwig, WDR 5

»Carlos Ruiz Zafóns Erzählfreude ist ansteckend.«
The Economist

»Zafón ist ein Meister der Evokation. Sein Glaube an die Macht der Fiktion wirkt sympathisch und mitreißend.«
The Financial Times

»Sein Unterfangen ist kühn, ernst und beeindruckend; seine Handhabung der gequälten spanischen Geschichte des 20. Jahrhunderts so beachtlich dank seines literarischen Geschicks. Dies ist nicht das exklusive Vermächtnis einer Stadt, sondern der ganzen Welt.«
The Times

»Gabriel García Márquez trifft auf Umberto Eco trifft auf Jose Luis Borges. Carlos Ruiz Zafón serviert uns ein breites Spektrum magischer und wilder Figuren und Geschichten.«
The New York Times

»Carlos Ruiz Zafón hat neu erfunden, was es heißt, ein großer Autor zu sein. Seine visionäre Gabe, Geschichten zu erzählen, begründet ein eigenes Genre.«
USA Today

»Carlos Ruiz Zafón darf sich damit rühmen, der spanische Gegenwartsautor mit den meisten Lesern weltweit zu sein.«
El Cultural

»Zafón hat 25 Millionen Leser auf der ganzen Welt. (...) Er ist ein Bestsellerautor, ja, aber auch ein Langstreckenläufer. Seine Bücher haben Bestand.«
La Razón

»Lesen Sie Zafón.«
Sud-Ouest

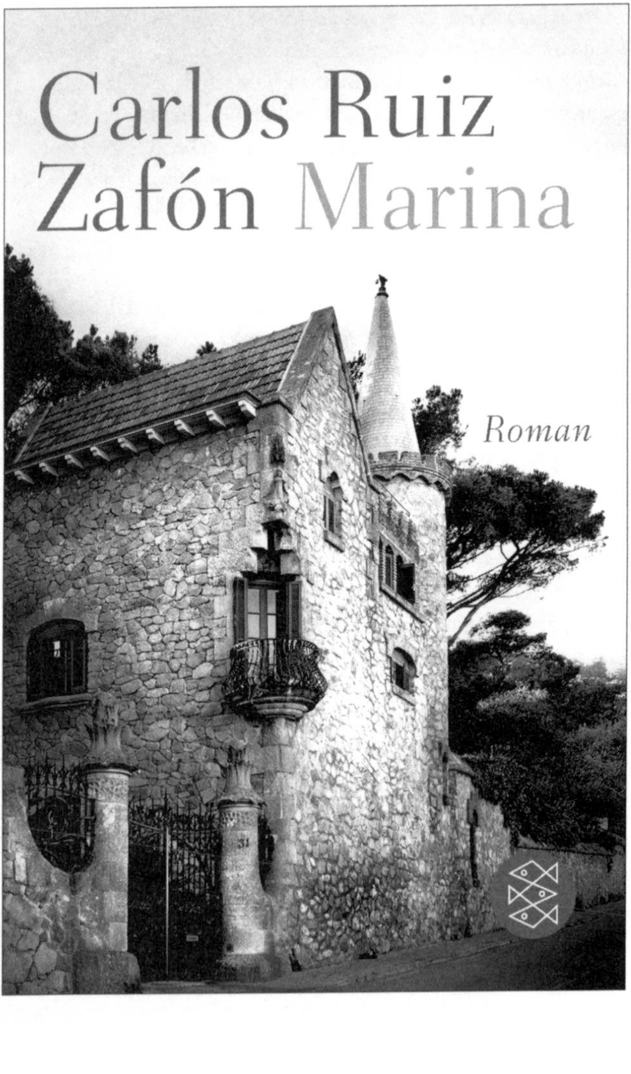
Carlos Ruiz
Zafón Marina
Roman

Über ›Marina‹

»Der Ich-Erzähler Oscár und die zerbrechlich-schöne Marina
sind ein schüchternes jugendliches Liebespaar. Auf ihren
Streifzügen durch das alte Barcelona werden sie unaufhaltsam
hineingesogen in eine unheimliche Geschichte: In einem alten
Gewächshaus entdecken sie seltsame lebensechte Puppen. (…)
›Marina‹ ist spannend und atemberaubend; Zafón gelingen
rauschhafte, albtraumhafte Bilder.«
Patric Seibel, NDR Info

»Eine hochromantische Geschichte, so handlungsstark, als ob
sich Karl May bei den Katalanen verirrt hätte und dabei in den
schwarzen Tiefen Barcelonas auf Stephen King getroffen wäre.«
Norbert Mayer, Die Presse

»Ein Roman wie ein Labyrinth. Hinter jeder Seite erwartet
einen ein neuer Fortgang der Geschichte. Sie werden ›Marina‹
in atemberaubender Geschwindigkeit lesen, denn was anderes
lässt die Geschichte nicht zu, so spannend und wendungsreich
ist sie geschrieben.«
Alex Dengler, denglers-buchkritik.de

»Carlos Ruiz Zafón ist ein atmosphärisch stimmiger Roman
mit wohldosierter Spannung und erschütternden Momenten
geglückt.«
Hans-Heinrich Obuch, Radio Bremen

»Reichlich Gruselelemente, dazu Spannung, Action und
eine zarte Liebesgeschichte dürften die Zafón-Fans erneut
begeistern.«
Frankfurter Neue Presse

»Souverän beherrscht Zafón das Wechselbad zwischen unheim-
lichen Momenten und Passagen des intimen Gesprächs.«
Armin Friedl, Stuttgarter Nachrichten

»Schon dieser frühe Roman offenbart (…) das große erzählerische Talent und die überbordende Phantasie von Carlos Ruiz Zafón. Und es ist kaum zu leugnen: Beides zusammen hat später seinen Welterfolg ausgemacht.«
Peter Mohr, Landshuter Zeitung

»Man kann dieses Buch sogar dem später verfassten ›Schatten des Windes‹ vorziehen. ›Marina‹ ist nicht die Vorstufe dieses Weltbestsellers, sondern dessen Kondensat, eine fiebrige, ohne Umschweife erzählte Knabenphantasie.«
Christoph Haas, Süddeutsche Zeitung

»Carlos Ruiz Zafón ›is back‹, und sein gotisches Universum wächst und wächst. (…) Eins der großen Verdienste Carlos Ruiz Zafóns ist es, mit seinen Erfolgsromanen ›Der Schatten des Windes‹, ›Das Spiel des Engels‹ und ›Der Gefangene des Himmels‹ einen ganz eigenen Kosmos geschaffen zu haben, was die Legionen seiner Anhänger auf allen fünf Kontinenten erklären mag, auf die der Barceloneser Autor zählen kann.«
La Vanguardia Magazin

»Zafón erzeugt (…) klaustrophobe Spannung und eine morbide Atmosphäre.«
Martin Halter, Frankfurter Allgemeine Zeitung

»›Marina‹ ist im wahrsten Sinn des Wortes ein phantastischer und kurzweiliger Ausflug in eine romantische und zugleich gruselige Episode der Geschichte Barcelonas.«
Katharina Sieckmann, Hessischer Rundfunk

»Zafóns Roman ist auf mitreißende, virtuose Art epigonal.«
Ulrich Baron, Tages-Anzeiger

»Einfach grandios!«
BZ am Sonntag

Carlos Ruiz
Zafón Das Spiel
des Engels *Roman*

Platz 1 der
SPIEGEL
Bestsellerliste

Über ›Das Spiel des Engels‹

»Wie schon in der ›Schatten des Windes‹ führt Ruiz Zafón den Leser in dieser Mischung aus Romanze und Tragödie zum Friedhof der Vergessenen Bücher, in ein Labyrinth aus Liebe und Leidenschaft, aus Verrat und Intrigen. Und wieder ist die Sprache so (…) schön, dass man sich ihrem Zauber kaum entziehen kann.«
Jenni Roth, Literarische Welt

»Wortgewaltig reißt Ruiz Zafón seine Leser mit. Für alle, die vom ›Schatten des Windes‹ begeistert waren, ist ›Das Spiel des Engels‹ ein absolutes Muss.«
Oliver Böhm, Südwestrundfunk

»Zafón jedoch bewahrt in den Serpentinen seiner Plots stets Bodenhaftung, und seine Dialoge – die auch die Handlung am wirksamsten vorantreiben – sind zuweilen von fast Chandlerscher Abgefeimtheit.«
Markus Jakob, Neue Zürcher Zeitung

»Weil er wie John Irving, T. C. Boyle oder Stephen King über einen mitreißenden Sound verfügt, der noch die größten Absurditäten plausibel erscheinen lässt, entsteht dabei Literaturliteratur in Form eines herrlichen Schmökers über das alte Barcelona, einen jungen Mann und den ewigen Traum vom perfekten Buch.«
Denis Scheck, Tagesspiegel

»Das Erstaunliche ist: Der Plan geht auf, auch wenn er so offensichtlich kalkuliert ist. ›Das Spiel des Engels‹ ist alles gleichzeitig: Mystery-Thriller, Fantasy-Schmonzette und ein rasanter historischer Krimi. (…) ›Das Spiel des Engels‹ aus dem alten Barcelona wird sicher wieder ein Bestseller. Sein Autor weiß halt, wie's geht!«
Dieter Moor, Titel, Thesen, Temperamente

»›Das Spiel des Engels‹ schafft, was ein unterhaltsamer Roman schaffen sollte. (...) Während einem im ersten Moment vor lauter Gruseln noch ein Schauer über den Rücken läuft, übermannt einen im nächsten Moment schon das Mitgefühl. Dann wieder möchte man über einen spitzfindigen Dialog lachen. (...) Es gibt deutliche Anleihen bei Gothic Novel, faustischer Tragödie, Krimi und klassischer Liebesgeschichte. All das zu kombinieren gelingt ihm ohne einen Bruch in seiner Sprache; ein Balanceakt, den auch der Übersetzer Peter Schwaar geschafft hat.«
Christina Merkelbach, 3sat.de

»Wirklich sehr spannend. (...) Diese Art von Büchern gibt es eigentlich nicht mehr seit Charles Dickens und Eugène Sue. (...) Man bleibt bis zur letzten Seite dran.«
Johannes Kaiser, Hessischer Rundfunk

»Ruiz Zafóns abenteuerlich inszenierte Erzählreise erinnert gleichermaßen an den magischen Realismus eines Jorge Luis Borges und dessen ›biblioteca fantástica‹ wie an die dunklen Romane Edgar Allan Poes. (...) ›Das Spiel des Engels‹ bietet ein anspielungsreiches, schwungvoll erzähltes Handlungslabyrinth – man grübelt, man schaudert, man schmunzelt, es schmerzt. Ein Buch, das zum langen Nachdenken herausfordert.«
Peter Mohr, Basler Zeitung, Tages-Anzeiger und Berner Zeitung

»Und so ist ›Das Spiel des Engels‹ ein fesselndes Spiel mit dem Wort geworden: ebenso kraftvoll wie zart, so humorvoll wie bitter und ungemein spannend.«
Frauke Kaberka, dpa

»Man liest sich regelrecht einen Rausch. Über 700 Seiten atemberaubende Spannung, eine absolut fesselnde Mischung aus Thriller und Fantasy-Roman.«
Für Sie

Kostenlos
im App-Store!

›Das
Barcelona des
Carlos Ruiz
Zafón‹

Ein spannender literarischer Reiseführer

S.FISCHER